# LE SOUFFLE
# DE L'AVALANCHE

## Du même auteur

Les Crimes de la Via Medina-Sidonia
*Fleuve noir, 1998*

La Double Vie de M. Laurent
*Fleuve noir, 2002*

*SANTO PIAZZESE*

# LE SOUFFLE DE L'AVALANCHE

roman

TRADUIT DE L'ITALIEN
PAR GEORGES ZAGARA

*ÉDITIONS DU SEUIL*
*27, rue Jacob, Paris VI^e^*

Ce livre est édité par Martine Van Geertruyden

Titre original : *Il soffio della valanga*
Éditeur original : Sellerio Editore, Palerme
ISBN original : 88-389-1803-1


ISBN 2-02-066195-0



www.seuil.com

# Note du traducteur

Le régionalisme est très vivant en Italie et il est rare qu'un auteur résiste à l'usage de quelques tournures dialectales. En l'occurrence, dans *Le Souffle de l'avalanche*, la « sicilitude » est essentielle. Je veux donc ici remercier, pour le secours qu'ils m'ont porté dans un assez grand nombre de cas, mes savants amis Frank La Brasca, Paola Sodo et Enrico Zummo Patruno, ainsi que le dottore Salvatore Cusimano, qui m'a aidé sans même me connaître.

G.Z.

Chapitre I

# Divagations (avec crime) autour d'une tache de goudron

Rien ne vaut l'huile d'olive quand on a marché pieds nus sur du goudron. Il suffit de frotter l'endroit avec une *màttola* imprégnée d'huile et l'on voit la tache se dissoudre et disparaître. Son père l'aurait foudroyé du regard s'il l'avait entendu utiliser le mot *màttola*. Soit tu parles italien, soit tu parles en dialecte, aurait-il déclaré. C'est ainsi que le compromis était né : durant le bref parcours du cerveau à la parole, la *màttola* se matérialisait sous la forme irréprochable d'un bout de coton hydrophile. Il éprouvait néanmoins toujours une sorte de honte à utiliser seulement le dialecte. Quand il le faisait, il se sentait nu, désarmé. Mais c'est plus tard que cette pensée lui était venue, bien plus tard.

En équilibre sur une jambe, le garçon étudiait la plante de son pied. La tache était grande, épaisse, visqueuse. Pas question d'enfiler ses tennis blancs tout neufs pour filer à la maison et nettoyer ça. Pas question non plus de rentrer pieds nus à la maison car des morceaux de verre jonchaient les quais : faute d'avoir assez tiré d'alouettes le soir précédent, les chasseurs avaient déchargé leur frustration contre des bouteilles vides. Les grandes bandes d'oiseaux qui passaient naguère n'étaient presque plus qu'un souvenir. Et quand elles passaient encore, c'était désormais au large. Pour bien faire, il aurait fallu des barques à moteur pour les atteindre. Mais on n'avait que des barques à rames, ici. Il n'avait jamais compris comment ces embarcations réussissaient à charger tant de chasseurs sans couler ou, du moins, sans se retourner. La baie en était couverte, de Sant'Erasmo à Acqua dei Corsari, du début de l'après-midi jusqu'au crépuscule.

Quand les alouettes étaient passées, quelques semaines plus tôt, il y avait eu une demi-tragédie dont on avait continué à parler pendant des jours. À sa première sortie, la nouvelle barque de don Angelino (que tout le monde appelait Donnancilino, comme si les deux mots n'avaient formé qu'un seul nom) avait filé droit dans une nappe de mazout. Jusque-là rien d'insolite. Mais ce qui avait déchaîné la secrète hilarité des autres propriétaires, c'est que don Angelino venait de faire décorer sa barque par un peintre de charrettes, lequel y avait mis toute son âme, car non seulement on ne lui avait jamais demandé ce genre de travail mais, à sa connaissance, jamais personne n'avait passé une telle commande. Il l'avait donc peinte tout entière, carène et quille comprises, comme si elle avait dû rester exposée pour toujours sur ses cales, flottant dans les limbes des bateaux, sans jamais voir la mer.

Le garçon avait été frappé par le flanc droit de la barque : il connaissait la scène représentée pour l'avoir découverte quelques années plus tôt dans une revue illustrée que sa grand-mère apportait à la maison le dimanche, au retour de la messe. On voyait deux paladins en train de s'affronter en duel. Puis, l'un des deux étant blessé à mort, l'autre lui retirait son casque. Et il découvrait qu'il ne s'agissait pas d'un homme, mais d'une jeune fille aux cheveux blonds. Et la jeune fille demandait à son adversaire de la baptiser avant qu'elle ne meure, car elle était turque ou quelque chose de ce genre. Et, puisant de l'eau dans son casque, le paladin baptisait la jeune fille. Et la jeune fille expirait, rassérénée.

Elle s'appelait Clorinde. Quelques années plus tard, quand on avait donné ce nom à un détergent, le garçon avait eu l'impression qu'on venait de commettre une sorte de sacrilège qu'il faudrait bien racheter tôt ou tard, d'une manière ou d'une autre

À l'époque où il avait lu cette histoire, il avait eu comme un sanglot (son menton tremblait un peu). En voyant le visage de la jeune fille à la longue chevelure émerger du casque, il avait senti quelque chose de salé lui couler dans la gorge. Depuis, les femmes blondes lui inspiraient un sentiment ambigu, entre défiance et fascination.

La barque de don Angelino avait donc filé droit dans le mazout, et Clorinde avait été défigurée par une coulée noire, aussi cruelle que l'épée du paladin. Le visage de don Angelino avait lui aussi viré au noir, car il avait dépensé une fortune à faire décorer sa barque.

Pour détacher le goudron, à défaut d'huile, on peut utiliser la pierre ponce : en frottant fort, la pierre absorbe progressivement la graisse. L'auréole restante ne risque pas d'abîmer les chaussures.

Or, on trouvait parfois des pierres ponces sur la plage. Après les grandes marées de nord-est, elles échouaient même par douzaines, mêlées aux huîtres des rivages. Les huîtres, il les empilait dans une hotte en jonc, une hotte de boulanger. Quand elle était pleine, il n'arrivait plus à la soulever tout seul. C'est pour ça qu'ils allaient aux huîtres à trois, toujours les mêmes.

Mademoiselle Lo Giudice disait que leur trio ressemblait au drapeau d'une armée vouée à la défaite. Elle disait ça parce que Rosario était roux et Diego blond (mais pas du blond de Clorinde, un blond plus pâle, presque blanc, comme les cheveux d'un albinos). Quant à lui, ses cheveux étaient plus noirs que ce maudit goudron.

Au village, on n'avait jamais perdu l'habitude d'appeler « mademoiselle » les maîtresses d'école, quand bien même elles étaient mères de famille ou veuves, comme mademoiselle Lo Giudice. Pour les instituteurs, on disait « monsieur le professeur ». Allez savoir pourquoi. Dans le Nord, ce n'était pas pareil. Il se rappelait encore les petits sourires de supériorité de ses camarades de l'Institut Sanzio, quand, pour la première fois, ils l'avaient entendu dire « monsieur le professeur » à leur maître d'école, Dorigati. Il n'avait jamais réussi à se faire à leur coutume d'appeler les enseignants « monsieur le maître » ou « madame la maîtresse ». Il n'avait d'ailleurs pas fait beaucoup d'effort. Se soumettre à leur usage lui aurait semblé une trahison. Par bonheur, un an plus tard, sa famille avait déménagé et tout était rentré dans l'ordre. Mademoiselle et monsieur le professeur.

Mademoiselle Lo Giudice raffolait des huîtres. Ils en ramassaient pour elle après les premières bourrasques qui marquaient la fin de l'été, au moment où le ressac est encore puissant, tôt le matin, avant que le soleil ne commence à brûler.

Les trois garçons récoltaient celles dont les valves étaient bien closes et, quand le panier était plein, ils les recouvraient d'un bouquet d'algues qu'ils arrachaient à quelque rocher, jamais à la mer elle-même, pour éviter que le sable ne s'infiltre dans les coquillages. De temps à autre, ils en ouvraient une au couteau : l'huître frémissait, se rétractait comme sous l'effet d'un jus de citron qui annonçait une mort indigne, une mort causée par la corrosion gastrique. Lui, il n'aimait pas les huîtres. Il ne les aimerait jamais.

La corbeille était remplie au tiers. Ils avaient cessé de ramasser des huîtres ce jour-là. Peut-être, pensa-t-il une fraction de seconde, peut-être n'en ramasseraient-ils plus jamais. D'ailleurs, le banc de coquillages était voué à une fin prochaine : il serait d'abord anéanti par les rejets méphitiques des égouts qui allaient bientôt saturer les eaux de la baie, puis il serait enseveli sous la montagne d'ordures qu'on déchargerait dans la mer.

Mais ça, le garçon ne pouvait pas le savoir. Pas encore.

Diego était invisible. Mais quand il regarda sur sa droite, à contre-jour, du côté des rochers qui fermaient la baie au levant, il capta un éclair roux : c'était les cheveux de Rosario, qui se penchait pour chercher quelque chose. Des cartouches vides, probablement. Celles qui avaient été tirées récemment gardaient encore une odeur de vieux cuir, une odeur qui vous dilatait les poumons, ralentissait les palpitations du cœur, vous concédait une sorte d'acompte d'adolescence. Un plaisir presque douloureux.

La blanche silhouette du bateau postal s'était engagée depuis un bon moment dans le port, après avoir traversé en diagonale toute la baie en soulevant des vagues qui accentuaient le ressac. Le *Saturnia*, lui, partirait le soir, aux dernières lueurs du crépuscule, son grand pavois tout illuminé, comme pour compenser d'une joie factice la vraie tristesse qui semblait suinter de toutes ses écoutilles.

Les vagues que soulevait le *Saturnia* étaient plus basses et plus longues que celles du bateau postal, bien que le bâtiment fût énorme, pesant et sombre. Il entrait au port à moitié plein d'immigrants embarqués à Gênes, à Naples, ou Dieu sait où. Et il repartait du quai Vittorio Veneto après avoir chargé les Siciliens qui gonfleraient à New York le flot des autres compatriotes embarqués dans d'autres ports, qui parlaient des dialectes inconnus et se disperseraient dans toute l'Amérique.

De temps en temps, le garçon y pensait.

Il sauta du haut de son rocher pour ramasser deux grosses pierres ponces encore humides. Assis sur une roche plate, il commença à frotter la tache de goudron, en faisant tourner la pierre à mesure que sa surface s'imprégnait de noir. De temps à autre, il regardait par-dessus son épaule gauche, vers la maison de bois, couverte de tuiles d'un ocre éteint. Les planches de bois avaient encore leurs couleurs originelles, mais elles étaient passées, surtout le bleu clair, qui alternait avec le bleu marine et le blanc. Cette baraque ressemblait à une immense cabine de bain de station balnéaire, mais elle était puissante et solide, bâtie en planches de vieux sapin, selon son grand-père qui avait précisé que, sans cela, elle se serait envolée au premier coup de tramontane.

Le fourgon était encore sur l'esplanade en terre battue qui se trouvait entre la maison et les rails à écartement réduit du chemin de fer. Les voitures étaient toujours là, elles aussi. De grosses Alfa Romeo noires avec un gyrophare sur le toit. Mais les gyrophares, à présent, étaient éteints.

Le garçon entendait depuis quelques secondes des pas qui s'approchaient. Il ne manifesta aucune inquiétude lorsque l'ombre pesante d'un homme se dressa au-dessus de lui. Elle se déplaçait à mesure que l'homme avançait au bord de la crique en faisant délibérément crisser le gravier. C'est du moins ce que pensa le garçon. L'homme contempla longuement l'eau ; les vagues léchaient la pointe de ses chaussures bicolores. Enfin, l'homme revint vers le garçon, qui avait déposé ses pierres ponces dans un creux de rocher.

Il faut de l'huile, dit l'homme, pour ôter le goudron. Ou, sinon, une pierre ponce.

Le garçon désigna ses pierres à l'homme. Il lui semblait immense, vu ainsi de bas en haut. Il était entièrement vêtu de blanc et portait un chapeau de paille avec un gros-grain couleur havane. Immense et incongru au milieu des rochers et de ces plaques de goudron.

L'homme acquiesça de la tête, sans un mot. Son visage était couleur de terre cuite. Le garçon se retourna de nouveau vers la maison en bois. Un homme jeune ouvrit les portes arrière de la camionnette ; deux autres hommes sortirent de la maison en portant une civière recouverte d'un drap blanc dont les bords touchaient presque le sol. Le drap semblait à peine soulevé par la frêle silhouette qu'on devinait en dessous : sitôt à la retraite, mademoiselle Lo Giudice s'était comme desséchée. Les hommes chargèrent la civière dans le fourgon, fermèrent les portières et gagnèrent la cabine. Eux aussi étaient vêtus de blanc, mais ce n'était que leur blouse. Le fourgon démarra lentement.

D'autres hommes sortirent de la maison. L'un avait dans les mains un appareil photo doté d'un grand flash. Un jeune homme, avec une veste grise et une cravate au nœud desserré, s'avança à portée de voix, avant de s'arrêter sur le bord du ballast de pierres claires, exactement au-dessus du petit édicule encastré entre les rochers, où une lampe votive brûlait perpétuellement.

Commissaire, dit-il, nous, ici, on a fini.

L'homme fit un geste du bras. Puis il regarda le garçon.

Comment t'appelles-tu ? lui dit-il.

Spotorno. Je m'appelle Spotorno, dit le garçon.

Spotorno, bon ! Mais ton prénom ?

Vittorio. Vittorio Spotorno.

Ah, Vittorio, comme Vittorio Emanuele. Et que veux-tu faire, Vittorio Spotorno, quand tu seras grand ?

Le garçon regarda l'horizon. Puis il se tourna vers l'homme au complet blanc. L'homme avait un petit insigne agrafé au revers de sa veste, quelque chose qui avait à voir avec un roi en exil. Le garçon le savait, car le grand-père de Diego avait le même et parlait souvent des rois. Le garçon avait beaucoup de sympathie pour le grand-père de Diego. L'homme le regardait toujours, comme si le destin du monde avait été suspendu à sa réponse.

Je veux être commissaire, répondit le garçon. Commissaire de police.

Chapitre II

# Via degli Emiri, trop d'années plus tard

Il avait eu l'impression de revivre un vieux documentaire télévisé. Sous anesthésie locale, un chirurgien stimulait le cerveau d'un homme au moyen d'une sonde. À peine venait-il de toucher le cortex que l'homme évoquait une prairie où il se promenait avec sa mère. La voix du patient, monocorde, brisée, mais intense, semblait provenir d'un ailleurs lointain. Mais c'était un ailleurs temporel, puisque la sonde avait réveillé des souvenirs dont l'homme avait perdu conscience.

L'agent Puleo avait presque utilisé les mêmes mots que le jeune homme à la veste grise avait prononcés le jour de l'assassinat de mademoiselle Lo Giudice, trop d'années plus tôt, et, pour Spotorno, ç'avait été comme si on venait de lui introduire une sonde dans le cerveau.

Monsieur le commissaire, nous, ici, on a fini, lui avait dit Puleo.

Est-ce qu'on trouve encore des pierres ponces par ici ? s'était aussitôt demandé Spotorno, par une sorte de réflexe inexorable et cruel. Il avait même eu l'impression de réfréner une envie de vérifier qu'il n'avait pas de goudron sous les semelles. Le plus étrange, c'est que cette idée ne lui était pas venue une heure plus tôt, quand il avait reconnu Rosario Alamia dans l'une des deux personnes assassinées à l'intérieur de la 127 bleu ciel, garée dans une rue perpendiculaire à la Via degli Emiri, derrière la Zisa.

Grâce à sa longue fréquentation des cadavres, des gens assassinés, sous les traits défigurés de l'homme, ce visage dévasté, cette boucherie, lui était revenu le souvenir d'un enfant aux cheveux roux, comme un lointain éclair de l'enfance.

Il se serait bien passé des vertus de cette accoutumance. Il en avait tant vu, le commissaire Spotorno. Beaucoup trop vu. Et il aurait bien volontiers fait l'économie de ce double meurtre. Que son ami Lorenzo La Marca aurait défini comme un cas de saturnisme calibre 12, un empoisonnement au plomb. Un faux cynique, Lorenzo.

Ce n'était pas par hasard qu'il avait pensé à La Marca. Ils se trouvaient ensemble une heure plus tôt, quand il avait reçu par radio l'annonce de la tuerie de la Zisa. Et ils n'étaient pas ensemble pour une partie de campagne : les victimes de la Zisa n'étaient pas les premières de ce samedi de la fin juin. En outre, la veille, un gardien de nuit avait déjà déchargé son pistolet de service sur sa femme, qu'il venait de surprendre en train de téléphoner à son amant.

C'est toujours comme ça. Il y avait des semaines où il ne se passait rien, et puis, tout d'un coup, le disjoncteur sautait en même temps dans la tête de quelques concitoyens, et, dans ces cas-là, des journées de quarante-huit heures n'auraient pas suffi.

Ce n'est pas sans un certain regret qu'il avait abandonné son premier mort de la journée : un type qu'on avait retrouvé dans le bassin des nymphéas au Jardin botanique de la Via Medina-Sidonia. Mort par noyade, selon toute vraisemblance.

Un assassinat, pourtant, même s'il s'était refusé à l'admettre devant La Marca. Comme d'habitude, ils en étaient presque venus à s'engueuler, quand on lui avait passé l'appel radio annonçant la tuerie de la Zisa. Le noyé, c'était La Marca qui l'avait découvert. Deux semaines auparavant, le même avait trouvé un autre cadavre, mais pendu, celui-là, à l'un des ficus du Jardin. Normal : Lorenzo La Marca travaillait au département universitaire et la fenêtre de son bureau donnait sur le Jardin botanique*.

* Voir *Les Crimes de la Via Medina-Sidonia*, Fleuve noir, 1998.

Ces deux morts n'étaient pas sans relation, bien sûr. Un de ces pastis à n'y rien comprendre qui lui plaisait tant et dont il aurait bien aimé connaître le dernier mot. Mais, avec la probable guerre entre bandes mafieuses qui se dessinait, il pouvait déjà y renoncer.

Puleo croyait que son chef ne l'avait pas entendu. Monsieur le commissaire, lui avait-il répété en s'approchant, nous en avons fini. Spotorno acquiesça de la tête.

Un brave garçon, l'agent Puleo. Napolitain jusqu'à la moelle, courtois, distingué, sensible, au point que personne n'aurait pu imaginer qu'il était flic. Il s'était tout de suite rendu compte que quelque chose préoccupait son chef, à une sorte d'absence méditative, d'état de suspension éveillée. Une fois de plus, l'idée très irrévérencieuse que le commissaire n'était pas fait pour ce métier lui traversa l'esprit. Mais de manière assez comique, il était sûr que son chef pensait la même chose de lui. D'où, sans doute, leur estime réciproque.

Spotorno avait en effet une prédilection, soigneusement dissimulée, pour l'agent Puleo, qu'en son for intérieur il considérait comme son collaborateur le plus digne de confiance. Il notait chez lui un calme exagéré, un manque d'anxiété presque préoccupant, des capacités qui, faute de surveillance, risquaient tôt ou tard de l'exposer à de sérieux ennuis. Ce diagnostic, du reste, n'était pas difficile à établir : dans son jeune subordonné, le commissaire Spotorno reconnaissait sa propre jeunesse.

Il s'installa sur le siège arrière de l'Alfa marron, dont le hasard avait voulu que la couleur s'accorde à celle de son costume en lin. Puleo s'assit à côté du flic qui faisait office de chauffeur, lequel démarra sur les chapeaux de roue.

À la Brigade mobile, tout se passait comme si chacun avait eu une idée précise de sa tache. Cette démonstration d'efficacité relevait d'un contrat moral, malgré son coût énergétique, surtout en été. C'était une variante de la célèbre dichotomie entre l'être et le paraître. Spotorno ne s'y laissait pas prendre. Surtout quand s'amorçait une journée comme celle-là. Il estimait miraculeux que, justement ces jours-là, l'entropie réussisse à se matérialiser sous la forme d'un rapport, d'une sommaire note d'information, déjà tombée sur la table du fonctionnaire responsable de l'enquête.

Il s'empara du document avant même de s'asseoir.

La vie de Rosario Alamia, depuis que Spotorno l'avait perdu de vue, ne devait pas avoir été brillante : à part le brevet, il n'avait aucun diplôme bien qu'il ait tenté un BTS de technique commerciale au lycée Duca degli Abruzzi. Il avait été recalé plusieurs fois et il avait laissé tomber, même si le rapport n'en mentionnait rien. Et d'ailleurs, à quoi bon. Ce n'étaient que des informations qui circulaient entre vieux amis d'autrefois, que Spotorno avait continué à fréquenter de loin en loin, même après que sa famille eut déménagé pour s'installer en ville, dans l'appartement de la Via Venezia. Un jour, la mère de Rosario l'avait convoqué à son atelier - pour comprendre, avait-elle dit -, mais incapable de parler, elle avait pleuré longuement, silencieusement. Il en avait aussitôt ressenti un poids sur le diaphragme, comme si quelqu'un s'était assis sur son thorax, et était sorti sans pouvoir aligner deux mots sensés.

À l'époque, il étudiait au lycée Vittorio Emanuele, mais aujourd'hui il réagissait toujours de la même façon aux larmes des femmes, quel que soit leur âge. Un jour son épouse lui avait dit que c'était pour ça qu'ils n'avaient eu que deux garçons. Mais ce n'était qu'une de ces récriminations larvées qui fleurissent de temps à autre dans les ménages les moins retors.

Elle devait être encore en vie, la mère de Rosario, la signora Rosa Brancato Alamia.

Le reste était contenu dans le rapport. Ce n'était pas grand-chose. Un chèque en bois de quelques centaines de milliers lires, cinq ans plus tôt, et une plainte pour coups et blessures, qui remontait encore plus loin dans le temps. Ça aussi, il le savait.

On lui avait raconté que Rosario était en train de marcher Via Maqueda, une cigarette au bec. Il sortait d'une de ces infructueuses leçons que lui infligeait périodiquement son père comme de véritables pénitences religieuses. Encore une fois, il en était sorti plein de rage et de rancœur. Quand un type s'était alors approché de lui pour lui demander du feu, Rosario lui avait cassé le nez d'un coup de poing. Froidement, sans un mot. À l'époque, il avait dix-huit ans. Le type était un peu plus âgé, beaucoup plus robuste, tiré à quatre épingles, mais manifestement dénué du moindre sens de l'observation malgré sa cravate et ses chaussures bien cirées.

Quand on lui avait rapporté l'histoire, Spotorno n'avait pas été surpris. Rosario avait toujours été comme ça : imprévisible, impulsif et généreux. L'être le plus généreux qu'il ait jamais connu, le plus ingénu aussi. D'une ingénuité qui confinait à la sainteté. Ou à la niaiserie, le plus souvent. En tout cas, après son coup de poing, Rosario avait épongé avec son mouchoir le sang de son adversaire et l'avait accompagné en personne jusqu'aux urgences de la Via Roma, à pied. Quelque temps plus tard, le type avait retiré sa plainte.

Spotorno n'en savait pas plus. Lui et Rosario s'étaient perdus de vue, sans que rien ne le laisse présager, l'année de la sixième, à la fin de l'été. Depuis lors, ils ne s'étaient rencontrés qu'une seule fois. Ou plutôt, heurtés. Spotorno était sorti en retard du lycée, à la fin des cours : son professeur de philosophie l'avait retenu pour essayer de le convaincre, bien qu'il ne soit pas encore en terminale, d'abandonner l'idée de faire du droit et de s'inscrire en lettres classiques. Après cet entretien, il avait traversé Piazza Sett'Angeli, avec l'intention de rejoindre, par des raccourcis, la Via Candelai, qui le conduirait directement chez lui. Ça ne lui déplaisait pas d'être seul. Quand ils marchaient en bande, il y en avait souvent un qui proposait de traverser le quartier du Gran Cancelliere, pour voir les putains.

Quelques mois plus tôt, on avait massacré à coups de couteau une de ces malheureuses – une demi-mondaine, selon la terminologie pudibonde et hypocrite des quotidiens – et l'homme avec qui elle se trouvait, un marin yéménite. On les avait trouvés enlacés sur le matelas imbibé de leur sang, comme s'ils ne s'étaient rendu compte de rien. Au grand scandale des milieux ecclésiastiques, *Il Giornale di Sicilia* avait même publié un croquis de la scène, représentant la position des deux corps.

À l'époque, Spotorno sentait son visage s'embraser à l'idée que Li Vigni, son professeur de philosophie, risque de l'apercevoir dans ces coins-là. De fait, il était considéré comme un élève modèle par tous les enseignants, y compris le professeur d'éducation physique.

Passer par le quartier du Gran Cancelliere provoquait toujours chez lui un bouleversement qui n'était pas sans plaisir. Ce jour-là, il se sentait mélancolique, une humeur dans laquelle il comptait bien mijoter jusqu'au soir.

C'est pour ça qu'il n'avait pas senti venir la moto qui, dans un virage abrupt, avait surgi du néant et manqué le projeter sur le pavé de la Via Sant'Isidoro. C'était une moto métallisée, racée, rageuse et assez nerveuse pour réagir au quart de tour au coup de frein du conducteur.

Encore un peu et je tuais mon ami Vittorio, avait lancé une voix profonde, que Spotorno n'avait pas reconnue, sinon à un léger chuintement de la prononciation qui avait allumé au fin fond de sa mémoire une petite lueur. Se retournant, il avait alors vu les cheveux roux. Longs, raides, avec une petite frange. La lueur s'était faite lumière.

Les hormones avaient changé la voix de Rosario, mais en lui laissant une sorte d'écho, comme un ultime prolongement de l'enfance. Langue de chiffon. C'est ainsi qu'on le surnommait en classe. Mais seulement dans son dos. Sans cela on l'aurait payé cher ; ceux qui s'y étaient essayés s'en souvenaient. Spotorno l'avait toujours appelé par son vrai nom, en toute circonstance. Du reste, lui-même avait tendance à prononcer le *r* à la française et ce n'était qu'à force de volonté qu'il avait réussi plus tard à se corriger : un flic ne pouvait pas prononcer le *r* à la française. Ou, tout du moins, il ne le devrait pas, pensait-il.

Rosario n'était même pas descendu de sa selle. Et il ne l'avait pas non plus présenté à la fille assise derrière lui, qui s'agrippait encore à sa taille. Elle était belle. Blonde, avec de grands yeux marron, et de longues jambes qui émergeaient très haut d'une minijupe noire et finissaient dans une paire de bottes de la même couleur. La fille n'avait même pas ouvert la bouche. Elle semblait ne respirer qu'en fonction de Rosario. Plus que belle, elle était tape-à-l'œil, décida-t-il au second regard.

C'était l'époque de la mode *beat* qui, parvenue avec quelques mois de décalage en ville, et encore dans sa variante la plus édulcorée, s'incrustait mollement, comme cela se produit toujours à la périphérie des empires. Rosario et la fille arboraient donc un genre *beat* attardé, qui commençait à peine à annoncer la récession *hippy*. Mais c'était un faux hippy, un hippy de boutique de mode, avec des couleurs pastel qui sentaient un peu trop son cachemire.

Le jeune Spotorno, au contraire, s'habillait toujours de façon conventionnelle.

Ils avaient échangé quelques phrases. Rien que de très superficiel, les banalités habituelles, des propos à bâtons rompus sur ce qu'ils faisaient et ne faisaient pas. De tout cela, il ressortait que Rosario ne faisait rien, sinon tirer de la vie tout ce qu'il pouvait en tirer.

Quand la moto était repartie, Spotorno avait éprouvé une sorte de chagrin intime, de sentiment ambigu dont il avait mis du temps à comprendre le sens et qu'il avait réprimé avec une espèce de malaise : il acceptait, d'une certaine manière, d'adresser un adieu définitif à son adolescence.

Nous étions plus mûrs que les gamins d'aujourd'hui, pensa-t-il tout en feuilletant le rapport. Il éprouvait ça souvent, mais loin d'en tirer gloire, il sentait comme un regret de ce qui n'avait pas été accompli, une réprobation tardive envers le goût de l'absolu de ce très vieux moi âgé de dix-sept ans.

Il se rappela aussi toutes les fois où l'on avait prophétisé que Rosario finirait mal (prophétisé, voire souhaité). Il finira en tôle, à Malaspina. Ou à l'Ucciardone. On lui cassera la gueule. Il finira criblé de balles.

Mais, en fin de compte, on ne l'avait pas tué pour quelque chose qu'il avait fait. Ni pour quelque chose qu'il n'avait pas fait. Telle était du moins l'opinion du substitut du procureur, qui était accouru à la Zisa. Et Spotorno partageait cette opinion. Il l'admit à contrecœur, car il n'aimait pas du tout être d'accord avec le procureur De Vecchi.

Il suffisait pour s'en convaincre de jeter un coup d'œil sur le second document du rapport (qui n'ajoutait rien de notable à la mémoire collective des hommes de la criminelle sollicitée par le lieu même de l'attentat), relatif au second cadavre : Gaspare Mancuso, dit Asparino. Lequel était, à l'évidence, la vraie cible de l'attentat.

En trente-quatre ans d'une existence fort peu honorable, Asparino avait donné matière à étoffer le rapport au point de le transformer en un petit fascicule. Une première condamnation à l'âge de vingt ans pour tentative d'extorsion de fonds, suivie d'une libération immédiate. Mais une condamnation qu'il avait ensuite payée, augmentée des intérêts, quand, lors d'un contrôle de police, on l'avait arrêté en voiture en possession d'une arme.

Le reste n'était que suppositions, déductions, soupçons. Autrement dit, matériel de rapport, certitudes de flics, que personne n'était jamais arrivé à transformer en preuves. De quoi justifier, au maximum, les habituelles mesures de prévention qu'on ne refuse à personne : relégation surveillée dans une bourgade du Nord, suivie d'un retour au sein bienveillant mais attentif de la famille qui, pour l'occasion, tua le veau gras.

À la place du père de Mancuso, Spotorno n'aurait même

pas sacrifié un poulet. Mais le problème, il le savait bien, ce n'étaient pas les pères, mais les mères, les sœurs, les épouses, les filles.

Depuis ce temps-là, en apparence, Mancuso s'était conduit correctement. Pas trace de la moindre algarade, non plus que d'un emploi sinon la surveillance du commerce d'alimentation paternel. Il passait une bonne partie de la journée sur le trottoir devant la porte du magasin ou dans l'arrière-boutique, s'il faisait mauvais temps. Dans tous les cas, il avait toujours quelqu'un auprès de lui, un type de son âge ou des gamins plus jeunes.

Être libéré de toute contrainte (hormis les liens du mariage, quand le moment était venu) n'avait pas empêché Mancuso et sa famille de jouir d'un confortable train de vie, même s'il restait assez discret.

Les contrôles de police n'avaient jamais rien révélé d'intéressant. Et puis ce genre de situation abondait en ville : on ne pouvait pas mettre tout le monde sous surveillance ou tenter un coup en s'infiltrant. Dans l'histoire de la Brigade mobile, on aurait pu citer, au fil des ans, des dizaines de cas similaires. Mancuso n'était que la énième recrue en pleine ascension, bourré d'ambition mais inattaquable faute de preuves.

Il n'empêche, pensa Spotorno, que ceux qui l'ont descendu en avaient. Il regarda longuement les photos de l'attentat. Puleo les lui avait remises à peine sorties du laboratoire. Malgré ses années d'expérience dans une ville riche en assassinats, Spotorno n'avait jamais réussi à vaincre tout à fait sa répulsion face au sang. Grâce aux photos, il retrouvait le recul nécessaire.

C'était Rosario qui conduisait la 127. Le corps avait gardé une position presque normale, la tête renversée en arrière sur le dossier assez bas et légèrement tournée vers l'extérieur, comme s'il avait voulu garder une dernière image du ciel au-dessus de la Zisa.

En observant les traits du visage, Spotorno n'eut pas de

mal à distinguer des contractures plus anciennes, qui n'avaient rien à voir avec l'embuscade. Cicatrices de l'âme, se dit-il, en se permettant, ce qui était rare chez lui, une concession au mélodrame.

Les vêtements de Rosario fournissaient eux-mêmes des indices. L'agent Puleo les qualifiait de « tenue correcte ». Rosario portait un pantalon de toile bleu clair, un peu froissé, un peu délavé, mais d'excellente qualité, et une chemise en lin bleu foncé, à manches longues et dont le col, large et pointu, était démodé depuis longtemps, même Spotorno le savait. Rosario était chaussé de mocassins marron, légèrement déformés par l'usage mais d'un très bon faiseur. Enfin sa montre était une Casio numérique à bracelet métallique. C'étaient les vêtements d'un type un peu éprouvé par la vie, mais qui tente de tenir bon.

Une balle était entrée par la tempe droite et était ressortie par la tempe gauche. À première vue, il ne semblait pas y avoir d'autres blessures : le sommaire examen effectué sur le lieu du crime les avait provisoirement écartées.

Mancuso, en revanche, était troué comme une passoire. On lui avait déchargé dans le corps un paquet de balles, dont une seule aurait suffi à le supprimer. Mais les plus terribles, du point de vue de la mise en scène, étaient celles qu'on lui avait tirées dans la tête, et notamment celle qui était entrée par le front et ressortie par la nuque. Ça avait dû être le premier coup, et Mancuso avait dû se tourner vers l'extérieur pour voir son assassin au moment où le type appuyait sur la gâchette. Il lui en était resté sur le visage un air de stupeur, plus que d'effroi, accentué par la position du maxillaire inférieur, qui était retombé en lui laissant la bouche ouverte, dans une attitude qui rappelait à Spotorno l'air du « Ravi » de la crèche que, dans son enfance, il avait acheté à l'Olivella. Le corps était de travers, comme s'il avait longuement sursauté sous les coups, avant de s'immobiliser.

Mais ce n'était pas l'unique différence entre les deux corps. Mancuso était vêtu sans goût, mais luxueusement :

tous ses vêtements étaient griffés, depuis le polo jaune jusqu'aux mocassins, qu'il portait sans chaussettes. Et puis il exhibait son amour de l'or : une gourmette au poignet droit, une montre au poignet gauche, une chaîne autour du cou, une bague dans laquelle était sertie une opale, qui redoublait, au même doigt, son alliance.

Spotorno se rappela que, selon Amalia, l'opale portait malheur. Et c'était bien le cas. Mais l'opale avait aussi porté malheur à Rosario, qui n'était mort que parce qu'il s'était trouvé, au mauvais moment, au mauvais endroit.

Qu'est-ce qu'il fichait, dans la 127, avec un type comme Mancuso ?

## Chapitre III

# Mademoiselle Lo Giudice

Rosario s'avança seul, après que la dernière voiture, l'Alfa où se trouvait le commissaire, eut complètement disparu. Il observa quelques instants le jeune Spotorno, qui avait repris son manège avec les pierres ponces.

Il faut de l'huile pour ôter les taches de goudron, dit-il.

Le garçon leva la tête et le regarda fixement : ils n'avaient pas besoin de grands discours pour se comprendre.

Qu'est-ce qu'il voulait, celui-là ? ajouta Rosario.

Vittorio Spotorno ne répondit pas tout de suite. Rosario affichait un ton agressif, comme s'il le rendait responsable des quelques mots échangés avec le commissaire. Vittorio sut néanmoins gré à son ami de lui avoir épargné le traditionnel Alors, tu fricotes avec les flics ? qui, selon leur code, exigeait des représailles immédiates, au moins formelles. Vittorio ne pensait d'ailleurs pas au commissaire comme à un flic.

Il voulait savoir si nous avions vu quelque chose, se décida-t-il enfin à murmurer, à contrecœur.

Et toi, qu'est-ce que tu lui as dit ?

Vittorio haussa les épaules :

Et qu'est-ce que je pouvais bien lui dire ? Je ne lui ai rien dit.

En effet il n'avait rien à raconter. Sinon qu'il avait vu mademoiselle Lo Giudice gisant sur son lit, en chemise de nuit, les yeux exorbités. On comprenait aussitôt qu'elle était morte, même en la voyant à travers les lamelles du volet.

Rosario l'avait presque aussitôt rejoint. Et c'est pourquoi le panier à huîtres était resté aux trois quarts vide ce jour-là et pour toujours.

Où est Diego ?

Car il manquait ce matin-là à leur rendez-vous matinal au milieu des barques tirées au sec entre les rochers de la petite baie qu'à cause, sans doute, d'une niche votive creusée dans la roche, on avait baptisée le Sacramento.

Elle était si profonde, cette baie, qu'en toucher pour la première fois le fond marquait le passage de l'enfance à l'adolescence. Dès lors, on vous regardait avec respect. Du trio, seul Diego y était arrivé, cet été-là justement, et il avait rapporté à la surface une poignée de sable verdâtre pour témoigner de son exploit.

Diego étant en retard, Rosario et Vittorio avaient commencé à ramasser les huîtres. Ils l'avaient seulement aperçu de dos, qui s'éloignait de la maison en bois, juste après qu'ils eurent entraperçu le cadavre de mademoiselle Lo Giudice, mais il était très loin, hors de portée de voix. Ils ne l'avaient reconnu qu'à ses cheveux qui, à cette distance, accentuaient l'impression d'une tête de vieillard mal attachée aux épaules d'un adolescent robuste.

D'ailleurs, ils avaient été distraits par l'engueulade.

Qu'est-ce que vous fichez là ? avait grommelé une voix grave, alors qu'ils s'étaient remis à regarder à travers les lamelles du volet. Après toutes ces années, Spotorno ne s'expliquait toujours pas cette sorte de fascination qui les avait cloués là, Rosario et lui, et qui les empêchait de détacher les yeux du cadavre de mademoiselle Lo Giudice.

La voix appartenait au père d'un de leurs camarades de jeux, surnommé le Turc, bien qu'il fût né dans un baraquement dans la banlieue de Francfort. Quand il était rentré d'Allemagne, il avait été engagé par les établissements Vaselli, et, chaque matin, il enfournait dans un sac de toile imperméable le contenu des poubelles que chacun déposait le soir devant sa porte. Il disparaissait presque sous son sac tant il était menu, et l'on se demandait comment il arrivait à contenir cette grosse voix sans que son corps frêle explose.

Du bras, il les avait écartés de la fenêtre, Rosario et lui, et il avait jeté un œil à son tour. Puis il avait posé son sac. Ne regardez pas, avait-il ordonné. Disparaissez, rentrez chez vous.

Ils étaient redescendus vers les rochers. Quelques minutes plus tard étaient arrivées toutes ces bagnoles avec leurs gyrophares et leurs sirènes, puis le fourgon avec les types de la morgue en blouse blanche. Rosario, lui aussi, s'était éloigné, mais dans la direction opposée à celle de Diego. Et lui, Vittorio, avait marché dans du goudron. Il avait pourtant vu la tache, cette énorme plaque déposée par les vagues les plus fortes – mais il n'avait rien fait pour l'éviter. Mieux, il avait délibérément marché dedans, sans même savoir pourquoi. Ça lui avait fait du bien de se concentrer sur cette tache, de chercher des pierres ponces, de se frotter la plante du pied jusqu'à s'arracher la peau. Penser aux pierres ponces l'avait distrait. Le grand-père de Diego lui avait dit une fois que la brise de nord-est les poussait de Lipari, une île toute blanche de pierre ponce quand on la regardait du large.

Le grand-père de Diego avait fait la guerre dans les submersibles, mais ensuite il avait navigué sur les bateaux qui pêchaient l'espadon autour des îles qui formaient cet archipel. De temps en temps, du haut du village, on en voyait une ou deux de ces îles, comme une traînée violette entre ciel et mer, quand l'air était très pur, quand le vent dispersait vers le couchant la fumée noire des cheminées de Quattroventi, la centrale électrique au charbon qui se trouvait entre le port et les chantiers navals, face à l'Ucciardone.

Vittorio allait répondre qu'il n'avait pas la moindre idée d'où se trouvait Diego, quand Rosario leva le bras dans son dos, pour indiquer quelque chose. Diego marchait lentement vers eux, en suivant la ligne de la côte, au bord de l'eau. Il ne jeta même pas un regard vers la maison de mademoiselle Lo Giudice. C'est ainsi qu'ils comprirent qu'il l'avait vue morte avant eux.

Du reste, c'était inévitable, parce que, quand il descendait de chez lui vers la mer, il passait devant les fenêtres arrière de la maison en bois. C'était le chemin le plus court. Et puis il était toujours le plus vif des trois, le premier à apercevoir les cartouches de Winston rejetées en hâte par les contrebandiers pourchassés la nuit par la vedette de la Guardia di Finanza. Cette manne arrivait aussi de temps en temps quand un porte-avions s'ancrait dans la rade. D'ordinaire, il y restait une ou deux semaines. C'était signe de mauvais temps, mais aussi que la mer charrierait toutes sortes de choses : des caisses de soupe en conserve, des bouteilles de Coca vides, des boîtes de lait condensé. Et des cartouches de cigarettes. Une fois, il en était arrivé une caisse entière, estampillée *U.S. Forrestal*, en grandes lettres bleues.

Vittorio n'avait jamais voulu les toucher, mais les autres se battaient sauvagement pour en récupérer le maximum. Ils faisaient sécher au soleil les paquets trempés avant de les rapporter chez eux. Diego, une fois, en avait fumé une, mais lui, le jeune Vittorio, il n'avait même pas voulu tirer une bouffée.

Diego les avait rejoints. Il transpirait et son regard ne parvenait pas à se fixer. Il évitait de les regarder dans les yeux. Le jeune Vittorio reconnut aussitôt une expression déjà familière. Il l'avait déjà vue une fois, quand Rosario avait trouvé une tête d'homme sur la plage ; il l'avait dissimulée sous un carton, puis il avait appelé les deux autres.

La tête était grisâtre, toute lisse, les orbites vides réduites à deux trous noirs, la mâchoire inférieure arrachée.

Vittorio s'était approché avec un mélange de circonspection et de curiosité. Malgré la peur de s'évanouir, il était resté impassible, comme s'il avait simplement contemplé une épave que la mer aurait sculptée d'une manière insolite.

Diego avait examiné longuement la tête, sans la toucher. Puis il avait fracassé l'os frontal d'un coup de talon. Il avait sur le visage une expression ambivalente et têtue que, après des années de métier, le commissaire Spotorno retrouverait chez un grand nombre de clients de la Brigade, une sorte d'impudence dissimulée, à mi-chemin entre satisfaction et culpabilité.

Après, ils avaient creusé un trou dans le sable humide pour enterrer les fragments de la tête. Diego y avait mis toute son énergie puis, du bout du doigt, il avait tracé une croix sur le sable. Le jeune Spotorno n'avait jamais rien dit à personne de cette histoire de tête coupée.

Diego, le jour des pierres ponces, s'était accroupi pour détacher ses sandales qu'il envoya promener.

Tu l'as vue, demanda Rosario.

Non, répondit Diego.

Renonçant à son regard fuyant, il fixa ses deux amis dans les yeux, l'un après l'autre. Mais du fait qu'il n'avait pas cherché à savòir ce qu'il aurait dû voir, les deux en conclurent qu'il savait tout.

Diego s'approcha alors du panier d'huîtres, le traîna jusqu'au rocher le plus proche et l'inclina jusqu'à le renverser complètement. Les huîtres semblèrent hésiter un long moment, comme une masse compacte, un seul organisme rétif, avant de tomber d'un bloc dans un grand jaillissement d'eau. Une fois le jeune Spotorno avait vu dans un film des funérailles en mer. Dans le geste de Diego, il retrouva quelque chose de cette atmosphère. Et à l'image des huîtres qui coulaient du panier pour disparaître sous l'eau se superposa celle du cadavre de mademoiselle Lo Giudice qui glissait lentement le long d'une passerelle en bois pour s'abîmer dans la mer.

Chapitre IV

# Les difficiles silences du commissaire Spotorno

Mais il avait plutôt le sens d'une épitaphe, pensa Spotorno.

Il était presque minuit, et ils étaient encore à table. Avec le métier qu'il avait choisi, ces dîners nocturnes n'étaient pas rares. Les enfants dormaient depuis peu. En été, on leur accordait des soirées un peu plus longues que d'ordinaire.

Amalia alluma une Merit. Elle ne s'en offrait qu'une par jour, en général à la fin du repas, et c'était une espèce de glorieux point final de la journée, en souvenir des beaux jours enfuis, du temps où elle fumait un paquet par jour. Spotorno avait toujours l'angoisse que cette unique cigarette ne soit l'étincelle qui couve sous la cendre après l'incendie. Une sorte de mémento du vice.

Amalia le regardait derrière les volutes gris perle de la fumée. Ils restaient souvent silencieux à table, quand ils dînaient sans les enfants. Ce soir, pourtant, c'était un silence spécial. Du moins de la part de Vittorio. Amalia pensa que, si Lorenzo avait été là, avec sa manie des oxymorons, il aurait parlé d'un silence dense mais raréfié, d'un silence difficile. Ça devait être le travail. Ils n'en parlaient presque jamais. Pourtant, Vittorio n'était pas du genre à oublier son boulot une fois la journée finie. Lui, c'était un flic à temps complet. La seule attitude possible, la seule tolérable. À défaut, il aurait accepté le poste qu'on lui avait offert à la banque après sa maîtrise. Généralement, ses silences étaient, en quelque sorte, sédimentaires : des pauses d'un calme apparent, qui lui servaient à archiver mentalement au bon endroit les événements de la journée. Il avait un jour surpris le jeune agent Puleo en train d'utiliser le verbe *organifier*, qu'il avait tiré de Dieu sait où, pour décrire le processus auquel lui-même était peut-être soumis. Puleo lui avait avoué qu'il s'agissait d'une simple contagion lexicale, une contamination argotique qui lui venait de son frère Gaetano, expert agronome, car, dans son domaine, on utilisait ce mot pour décrire ce qui se produit quand les éléments chimiques passent de l'état inorganique à l'état de matière organique.

Il était en train d'*organifier* la mort de Rosario, admit-il à contrecœur. Mais c'était une *organification* qui ne cessait de soulever des questions. Et les éléments inorganiques, les balles, l'attentat, et toute la salade, empruntaient un chemin insolite qui le ramenait à ce matin de septembre il y avait tant d'années (combien ?), le jour où Santo Li Pani avait étouffé mademoiselle Lo Giudice avec un coussin.

C'était l'autre mort, Mancuso, autour duquel il fallait *organifier*, et non autour de Rosario, qui semblait être une victime fortuite. Mais Mancuso n'avait jamais été un fragment de la vie de Spotorno.

Il prit conscience du regard insistant d'Amalia, qui l'observait derrière son écran de fumée. Elle tira une longue bouffée qui provoqua un nouveau déclic dans la mémoire de Spotorno. Il pensa à cette Winston imbibée de sel qu'avait fumée Diego. Elle devait avoir un goût horrible. Et qui sait pourquoi, quand ils étaient gamins, ils disaient une *soupirée* plutôt qu'une bouffée ? *A posteriori*, ça lui semblait être l'inconsciente matérialisation d'un désir. Ou la préfiguration d'un vice à venir.

Durant un long moment, il eut l'impression qu'Amalia pouvait suivre le cours de ses pensées, et il espéra presque qu'elle en fût vraiment capable. Ce fut cette envie qui le poussa à parler. Il lui raconta les meurtres du jour. Le très vieil assassinat de mademoiselle Lo Giudice, Amalia le connaissait depuis belle lurette. Ç'avait été un des moments forts de la cour interminable qu'il lui avait faite autrefois, et dont il aurait bien pu faire l'économie dans la mesure où, dès leur deuxième rencontre (un ou deux ans après la première), Amalia avait décidé que Vittorio était le seul homme qu'elle voulait pour père de ses futurs enfants.

Il en avait mis du temps, Spotorno, à admettre que les regards railleurs de ces yeux bruns n'exprimaient pas l'ennui mais l'attente ! L'attente que ce garçon trop sérieux et un rien démodé lui avait imposée avant de comprendre enfin ce qu'il en était. À savoir qu'aux yeux de mademoiselle Amalia Nisticò, étudiante en langues étrangères (issue d'une famille petite-bourgeoise), occasionnelle fumeuse de joints au look pseudo gitan, tous ces mecs qui lui bourdonnaient autour à la fac, et qui empoisonnaient les jours et les nuits de Spotorno, n'étaient que des pantins pathétiques et sous-développés.

Puis elle en avait eu marre d'attendre. C'est ainsi qu'un beau matin, à la fin de novembre, elle avait conduit Vittorio vers Punta Raisi, dans la petite villa au bord de mer que possédaient ses parents. La villa était fermée en cette fin de saison, avec ses matelas déjà enveloppés dans des housses de plastique pour les protéger de l'humidité. Durant un moment ridiculement long, Vittorio avait cru qu'Amalia l'avait entraîné jusque-là pour fumer un joint, et il pensait avec un sentiment de paix mêlé d'inquiétude qu'il s'en fichait, et qu'il l'aurait même fumé, ce joint, parce qu'il la sentait pleine de langueur et qu'il n'avait jamais imaginé qu'une fille aussi jeune puisse éprouver une telle langueur, un tel sentiment d'épuisement anticipé.

Puis tout était arrivé. Sans marijuana. Et à présent encore, entre les pothos, le yucca et le philodendron de la petite véranda où ils prenaient tous leurs dîners d'été, en repensant à ce matin de novembre, Vittorio reconnaissait les sentiments mêlés qu'il éprouvait lors de ses juvéniles traversées du Gran Cancelliere, avec ses copains de lycée.

Quand il eut fini de parler, Amalia le surprit en lui posant la seule question à laquelle il ne s'attendait pas :

Est-ce que tu es allé voir sa mère ?

Une fois de plus, Spotorno se prit à penser que, quelques siècles plus tôt, sa femme aurait risqué le bûcher. Mais il avait l'impression que cela valait pour toutes les femmes.

Le souvenir de la mère de Rosario lui avait traversé l'esprit plus d'une fois, depuis qu'il avait vu son fils mort ce matin. Il s'était demandé s'il devait aller en personne lui annoncer la nouvelle, puis les règles non écrites de son métier avaient pris le dessus. Mais ce n'était qu'un alibi, reconnut-il. Et il ne parvenait pas à se libérer totalement de la culpabilité d'une mémoire trop sélective.

Via degli Emiri, aucun membre de la famille Alamia n'avait été averti. Le clan Mancuso, en revanche, s'était présenté d'un seul bloc après l'arrivée en grande pompe des flics, et la famille avait aussitôt improvisé une scène selon la vieille tradition, avec lamentations inarticulées, invocations du défunt, appels pressants et répétés au châtiment divin pour les coupables.

Puis ils avaient tenté d'emmener le corps avec eux, tout en sachant que les flics s'y opposeraient. Mais le rituel l'exigeait, et il fallait y sacrifier. On aurait dit un épisode d'un mauvais film sur la mafia des années soixante.

Spotorno ne s'était guère étonné de l'absence de toute famille du côté de Rosario. De parents à lui, bien peu avaient survécu. Son père, employé dans une agence de voyage, était mort d'une hépatite mal soignée, peu de temps après avoir pris sa retraite. Et son unique sœur devait s'être précipitée chez leur mère pour essayer de calmer un peu la situation.

Spotorno se souvenait précisément d'elle. Elle devait avoir trois ou quatre ans de plus qu'eux. Une gamine maigre qui amorçait une adolescence nerveuse, les cheveux raides et roux comme ceux de son frère. Avec un prénom – Maddalena – qui lui avait plu au point qu'il l'aurait volontiers donné à sa fille, s'il en avait eu une.

Dans son adolescence, Vittorio s'était plus d'une fois surpris, naguère, à rêver d'elle aux heures inquiètes qui précèdent l'aube. Des rêves qu'il n'aurait jamais osé raconter à quiconque.

Il savait que, passé trente ans, elle s'était mariée avec un type du Nord et qu'ils avaient eu deux enfants. À sa connaissance, la famille s'arrêtait là. Ni oncles, ni tantes, ni cousins, ni rien d'autres. Il pensa que le beau-frère de Rosario aurait dû au moins se pointer. Il chercha en vain à se rappeler le métier qu'il exerçait. Il était peut-être en voyage.

À vrai dire, Rosario avait aussi une ex-femme. Avec un brin de cynisme, on pouvait dire que c'était un simple épisode, une parenthèse dans sa vie.

Spotorno l'avait appris comme d'habitude, après coup, en prenant un café rituel avec quelques vieux amis. C'était un de ces épisodes qui semblent tout droit sortis d'un livre sur les prédestinés au malheur, catégorie à laquelle Rosario avait été inscrit d'office, dès sa naissance, par l'employé de l'état civil. Un épisode prévisible – et parfois désiré – par beaucoup : une fille de seize ans, une grossesse non voulue, un mariage précipité.

L'enfant, né avec une grave malformation, dont Spotorno avait préféré ignorer les détails, n'avait vécu que quelques semaines. La fille avait lâché Rosario à la veille de leur premier anniversaire de mariage, anniversaire qu'ils n'auraient, de toute façon, pas fêté, vu la dégradation de leurs rapports. Rosario avait vingt ans. La fille avait disparu de la circulation, et personne ne savait où elle était passée.

Spotorno décida que le lendemain il irait voir la *signora* Rosa. Il le dit à Amalia, qui opina du chef. La cérémonie de la cigarette était finie depuis beau temps. À présent, c'était le tour des jasmins.

La cérémonie des jasmins concluait toutes leurs soirées d'été, mises à part les rares fois où la tension régnait entre eux. C'était une occasion qu'ils s'accordaient épisodiquement, juste pour le principe, avait un jour confié Amalia à son amie Maruzza La Marca.

Les deux plants de jasmin s'étaient développés jusqu'à couvrir une bonne partie du balcon exposé au sud. Il leur fallut une bonne dizaine de minutes pour cueillir toutes les fleurs qui se trouvaient à portée de main et les rassembler dans une petite corbeille de raphia qu'Amalia déposa ensuite sur la console, dans leur chambre.

Quand Spotorno était enfant, il lui arrivait de voir des filles de son âge glisser des fleurs dans leur corsage. Elles le faisaient sans malice, comme si personne ne leur prêtait attention à cause de la prétendue innocence des enfants.

Amalia elle aussi accrochait parfois un brin de jasmin sur son corsage. Mais, ce soir-là, elle ne le fit pas. Peut-être parce qu'il n'y serait pas resté longtemps.

Au large passait un porte-avions. Enfin, il n'était pas vraiment au large puisque Vittorio s'aperçut qu'on pouvait facilement lire *U.S. Forrestal*, sur le béret des marins. Le bâtiment pointait droit sur lui, qui se tenait debout, ses tennis presque totalement enfoncées dans le menu gravier du rivage, au centre du Sacramento.

Il voulut fuir, mais il n'y réussit pas : il avait l'impression d'avoir des jambes en plomb. Par bonheur, le bâtiment vira soudain de bord, à quelques mètres de la rive, et il vit filer le flanc, tandis que les marins balançaient des caisses de Winston à la mer. Diego se jeta à l'eau, en direction des caisses.

Vittorio observa la houle qui se formait dans le sillage du porte-avions, une vague énorme, verte, transparente, parfaitement silencieuse. En progressant vers la plage, elle s'était incurvée sur les côtés, en une sorte de grimace terrible, comme animée d'une volonté mauvaise, avec sa crête d'écume blanche. Il aurait voulu crier, mettre Diego en garde, mais seul un son bizarre lui sortit de la gorge, une espèce de râle rauque et bas, que lui seul entendait sous la forme d'une vibration dans la tête. Alors la vague atteignit Diego, qui disparut sous l'eau. Il réapparut plus loin, vers le large. Mais une seconde vague le rattrapa, plus grosse que la précédente. Spotorno vit ses cheveux clairs disparaître et réapparaître, puis il le perdit de vue définitivement.

Maintenant, il réussissait enfin à bouger. Il courut vers l'est, vers la crique la plus proche avec ses rochers couleur de sable. Et là, il attendit. Il savait que la mer rejetterait le corps à cet endroit-là. Il le vit presque aussitôt. Hormis un léger ressac qui poussait le corps de Diego vers la terre, la mer était redevenue calme. L'*U.S. Forrestal* avait disparu.

Je dois avertir sa mère, pensait Spotorno. Et son grand-père, qui avait été marin et savait toujours ce qu'il fallait faire. Le corps échoua sur les galets de la plage avec un son étouffé, un faible frottement, semblable au bruit de l'aiguille d'un pick-up à la fin d'un disque. Spotorno s'approcha et le traîna un peu plus haut, au sec, sur les galets brûlants.

Le corps étant étendu sur le ventre, il le retourna sur le dos. C'est alors qu'il s'aperçut que ce corps n'était pas celui de Diego, mais le corps adulte de Rosario. Un coup de pistolet lui avait traversé la tête d'une tempe à l'autre.

Spotorno se réveilla en sueur. Amalia dormait paisiblement près de lui.

Pendant qu'ils prenaient leur petit déjeuner, il lui raconta son rêve, car il en sentait encore la présence toute proche. Elle l'écouta jusqu'au bout, sans commentaires, en se limitant à acquiescer de temps en temps. Puis les enfants se réveillèrent et il n'y en eut plus que pour eux.

Tandis qu'il se rasait, il se rappela un livre qu'Amalia lui avait offert à l'époque de leurs premières discussions. *La Houle du croiseur.* Il se rappela l'insistance d'Amalia pour qu'il le lise aussitôt. Puis ils en avaient longuement parlé, car il l'avait apprécié. Il pensa que, s'il n'avait pas fait ce rêve intense, il n'aurait jamais eu l'envie de relire ce livre. Une histoire de gamins, le passage d'une adolescence lancinante vers une jeunesse dont on devinait qu'elle serait trop brève.

Il n'y a plus d'adolescences lancinantes, pensa-t-il. Fallait-il le regretter : il n'en était pas sûr. Peut-être cela tenait-il au sens qu'on donnait au mot lancinant, terme qui l'avait toujours fasciné, au point qu'au lycée il l'employait souvent dans ses dissertations et qu'il l'avait utilisé deux fois dans sa copie au bac. Quand l'examinateur d'italien le lui avait fait remarquer à l'oral, il avait cru comprendre qu'il avait raté son examen à cause de ça. Pour finir, c'est lui qui avait eu la meilleure note de sa classe.

Maintenant, les adolescences sont planifiées, pensa-t-il. Planifiées et médiocres. Et, comme il ne manquait pas de capacité d'autocritique, il se dit qu'il espérait ne pas intervenir de manière trop abusive dans l'évolution spontanée de l'adolescence future de ses enfants.

Les dernières pages de ce livre racontaient comment un homme avait fini noyé dans une sorte de container qui flottait dans les eaux de la baie de Trieste et que la houle des croiseurs avait renversé et coulé.

Amalia portait aux nues un certain metteur en scène de cinéma français, et quand ce dernier était mort, elle avait regretté que personne ne lui ait jamais suggéré d'adapter ce livre, car selon elle il en aurait tiré un grand film, et lui seul en aurait été capable. Spotorno ne détestait pas le cinéma, comme l'insinuait Amalia, mais il s'arrêtait à la fin des années cinquante, à l'époque des pellicules usagées qu'on projetait l'été dans les cinémas de plein air et qui avaient disparu depuis beau temps.

Il détestait les films hollywoodiens des dernières années, pleins d'effets spéciaux, avec une bande sonore à vous casser les oreilles. Il aimait les films de Totò. Et les vieux films noirs américains, ou bien les films français, interprétés par cet acteur (comment s'appelait-il ?), mort lui aussi (Dieu seul savait quand), qui jouait notamment dans *Le jour se lève* que Spotorno avait enregistré et qu'il revoyait de temps en temps, bien qu'il fût farci de spots publicitaires.

Spotorno ne se souvenait jamais du nom des réalisateurs

ni même des acteurs, à l'exception de Johnny Weissmuller, car les films de Tarzan étaient les tout premiers qu'il avait vus de sa vie.

Il jura à voix basse. Toutes ces divagations inhabituelles l'avaient distrait et il s'était coupé sous le menton avec son rasoir. Il dut recourir à une pommade hémostatique. Puis il se rendit compte que c'était dimanche, et lui, le dimanche, il ne se rasait pas.

Il maudit une seconde fois ce rêve qui l'avait tourneboulé.

Chapitre V

# Maddalena
# et le prix de la bobine de fil

Quiconque aurait pointé le nez ce jour-là à la Brigade mobile n'aurait pu soupçonner qu'on était un dimanche d'été. À part le nombre plus élevé de toxicomanes ramassés par l'équipe de nuit, c'était l'agitation habituelle des jours ouvrables ou fériés, été comme hiver. « Le crime, tout le monde sait ça, ne prend pas de vacances. » Spotorno tenait cette vérité première d'un préfet de police au masque tragique, qui s'imaginait sans doute avoir asséné une maxime de la plus haute importance lors du petit discours d'adieu qu'il avait fait avant de se retirer dans des terres plus paisibles.

Dans la salle commune, Puleo tapait sur le clavier de son ordinateur, dont l'écran était saturé de caractères d'un vert lui-même saturé. À son habitude, il salua respectueusement Spotorno d'un Bonjour, monsieur le commissaire, avant de se lever et de le suivre dans son bureau. Il désigna – assez inutilement – une petite liasse de feuillets posés sur la table : Spotorno ne laissant jamais rien traîner sur son bureau quand il le quittait, le dossier ne pouvait donc pas lui échapper.

Il s'agissait du premier rapport informel d'autopsie. Il établissait la présence de deux tireurs, à tout le moins de deux armes différentes. Sur le corps de Gaspare Mancuso, dit Asparino, entre impacts et sorties des balles, on relevait dix-sept blessures. Spotorno savait par ailleurs qu'à l'intérieur de la 127, on avait récupéré douze douilles de deux calibres différents. Déduction corroborée par la découverte, autour de la voiture, de quinze douilles, sept provenant d'un calibre 38 et les autres d'un 7,65.

Ce qui énervait Spotorno, au point de lui faire froncer les sourcils, c'étaient tous ces blabla sur la cause de la mort, comme s'il y avait quelque intérêt à savoir quelle balle avait tué Mancuso, celle qui avait touché le foie, celle qui lui avait traversé le poumon ou celle qui avait lésé l'aorte. Sans parler de l'état de la tête, dont la cervelle avait dû être liquéfiée par la balle tirée en plein front.

Spotorno ne doutait pas que ces détails eussent de l'importance dans les articles consacrés à un crime ou dans les romans policiers. Mais, dans la plupart de ce qu'on appelait ici les *ammazzatine dei malacarne*, à savoir les petites tueries de crapules, il était évident que la cause de la mort tenait à ce qu'un type en avait criblé un autre de plomb, sans faire dans la dentelle. Dans un pareil contexte, il lui semblait miraculeux qu'au milieu de toute cette fusillade Rosario n'ait été atteint que d'une seule balle. Maigre consolation, vu qu'il l'avait reçue au mauvais endroit.

Il ne savait pas si, parmi les projectiles qu'on avait récupérés, se trouvait celui qui lui avait traversé la tête, d'une tempe à l'autre. Mais, à première vue, ce devait être une balle du 7,65.

Le samedi après-midi avait eu lieu la réunion avec le directeur de la Brigade au cours de laquelle on avait admis qu'il était encore trop tôt pour faire des hypothèses sur la tuerie : s'agissait-il d'un cas isolé, comme une opération punitive, ou était-ce l'amorce d'une affaire beaucoup plus grave ? Les heures et les jours suivants fourniraient une réponse – par défaut ou excès d'événements. Entre-temps, il fallait appâter les informateurs, poursuivre sans illusion l'audition des témoins et procéder aux frustrants interrogatoires des parents et des proches.

Spotorno tenta de remettre de l'ordre, à tête reposée, dans la reconstitution qu'il avait risquée la veille. Puleo sortit et, quelques minutes plus tard, il revint avec deux gobelets en plastique. Spotorno savoura le café brûlant, sans sucre, comme il l'aimait. Puleo s'assit devant lui et croisa ses longues jambes.

Les papiers du véhicule avaient vite prouvé que la Fiat 127 était au nom de Rosario Alamia. Auparavant, le véhicule avait appartenu à une certaine Anna Manfredi, résidant à Monreale, place des Martyrs-de-la-Résistance, n° 12, du moins y habitait-elle neuf ans plus tôt, à l'époque de la première immatriculation. Cela faisait quatre ans que l'auto avait changé de main. Spotorno pensa que ce type de voiture s'inscrivait bien dans son tableau et complétait à merveille ses intuitions sur Rosario. Comme il avait appris que, sur ordre du préfet, à la suite d'une requête de la Section des mesures préventives du tribunal, on avait retiré son permis à Mancuso, il en déduisit que Rosario lui servait peut-être de chauffeur.

Spotorno sortit les photos prises sur les lieux et les étala sur la table. Au moment où la fusillade avait éclaté, la voiture devait être presque à l'arrêt. La patrouille l'avait trouvée à l'angle de la Via degli Emiri et de la Via Damasco, la clef de contact en position démarrage, la première enclenchée et le clignotant gauche allumé.

Rosario n'avait pas encore commencé à tourner. Quand la balle l'avait touché, il avait dû lâcher l'embrayage : la voiture avait fait un bond en avant de presque un mètre en direction de la ligne jaune de la Via degli Emiri, avant que le moteur ne cale. Vu sa position, Rosario devait avoir tourné la tête vers la gauche pour s'assurer qu'aucun véhicule n'arrivait de la Via degli Emiri. La balle qui l'avait frappé était donc une des premières qu'on avait tirées, sinon il aurait tourné la tête de l'autre côté, en direction des tirs, et le projectile l'aurait touché dans la zone frontale et non à la tempe.

Les coups étaient tous partis de la droite, certains avaient été tirés à travers la fenêtre du passager et d'autres à travers le pare-brise, ce qui démontrait amplement que le destinataire de ces amabilités était bien Gaspare Mancuso, dit Asparino.

Reconstituer l'emploi du temps des victimes n'avait pas été difficile dans la mesure où on avait trouvé sur la banquette arrière un sac en plastique contenant du poisson enveloppé dans du papier et où le nom et l'adresse de la boutique étaient imprimés en rouge sur le sac.

Via Damasco, deux cents mètres plus haut, le gérant de la poissonnerie avait d'abord tenté de se défiler. Quand Puleo lui avait fourré sous le nez le sac en plastique avec le nom et l'adresse, l'autre avait alors admis que, oui, en effet, maintenant qu'il y repensait, une Fiat 127 bleu clair s'était arrêtée devant la boutique et qu'un type en était sorti pour acheter deux kilos de maquereaux.

Des poissons tout frais pêchés ! avait-il tenu à préciser. Tout le monde savait qu'il était impossible de trouver du poisson plus frais que chez Angelino Rotella. Pas même sur les étals de Porticello. D'ailleurs, si monsieur le commissaire voulait bien accepter, il venait de recevoir une caisse de *neonata*, pensez, des alevins encore vivants, les guides touristiques appellent ça le caviar de la Méditerranée, bref une caisse de *neonata* qui...

Puleo l'avait regardé fixement. Puis il lui avait demandé si le type de la 127 venait souvent acheter du poisson chez lui.

Monsieur le commissaire, moi, j'ai pas la mémoire des visages. Ni des noms. Ma femme n'arrête pas de me le reprocher : Tu reconnaîtrais pas tes mômes si tu les rencontrais dans la rue. Et puis, les clients, moi, je ne les regarde pas. C'est le poisson que je regarde, moi : si les mouches ne s'y mettent pas, s'il faut ajouter de la glace, si je dois leur jeter un peu d'eau. Parce que, vous savez, le regard, il a sa part dans l'achat. Certains ne voient que l'apparence. Il y en a, il leur suffit de voir au marché de la Vucciria, quatre saupes pourries mais joliment pomponnées au milieu des algues fraîches, ils les payent comme si c'était de la morue. On ne voit pas de ça chez Angelino Rotella ! Moi, mes clients, les saupes, ils me les jetteraient à la tête. Je fais que la première qualité. D'ailleurs, même la négresse du procureur vient acheter le poisson chez moi, c'est dire. Interrogez qui vous voudrez : chez le procureur, on mange des rougets d'Angelino Rotella... Mais regardez-moi cette fraîcheur !...

Puleo l'avait quitté avec soulagement. L'odeur du poisson, associée au sang qui saturait la 127 et au souvenir du thon à l'aigre-doux qu'il avait mangé la veille au soir, et qui se rappelait à son bon souvenir, risquait d'avoir de très fâcheuses répercussions sur la propreté de la voie publique. Les gros rougets presque écarlates sur un lit de glace pilée étaient des détails qu'il aurait préféré oublier au plus vite. Peut-être n'aurait-il plus jamais envie de manger de poisson. Enfin, il hésitait déjà entre le dégoût et le regret.

Deux heures après le traquenard, on avait signalé une moto en flammes du côté de Sant'Erasmo. Les tueurs l'avaient abandonnée sur le bord d'un terrain vague poussiéreux et désert, derrière des maisons inhabitées menaçant ruine, à quelques mètres de la mer. Et ils l'avaient incendiée avant de monter dans un véhicule, sans doute irréprochable. Vieille pratique mafieuse qui, s'il était besoin, confirmait les suppositions de la Brigade.

Certains témoins avaient parlé d'une grosse moto arrêtée au croisement de la Via degli Emiri et de la Via Damasco. Mais personne n'avait prêté attention aux deux hommes vêtus de façon banale et casqués. Le carrefour était un lieu idéal pour une embuscade : d'une part, les voitures étaient obligées de s'y arrêter avant de tourner ; d'autre part, la largeur des deux rues et la densité des arbres d'alignement empêchaient les occupants des immeubles voisins de bien voir.

Parmi les rarissimes témoins, on comptait un professeur d'université, d'âge moyen, et sa femme, qui se trouvaient sur leur balcon. Ils avaient affirmé qu'ils étaient rentrés dans l'appartement avant la fusillade. Donc, pas un détail. En vérité, les enquêteurs n'en attendaient pas. On était déjà au-dessus de la moyenne statistique pour ce genre d'événements.

Spotorno se surprit à regarder autour de lui, comme s'il était à la recherche de quelque chose l'obligeant à rester au bureau. Des choses, il y en avait plein, notamment d'énormes dossiers qui, en temps normal, auraient exigé qu'on leur sacrifiât un dimanche d'été, de ceux où l'on travaille en pensant aux enfants toujours en manque d'attentions paternelles. Le lendemain d'un double meurtre mafieux, les dossiers se multipliaient. Mais, en réalité, Spotorno savait parfaitement qu'il cherchait un alibi pour éviter de rendre visite à la signora Rosa.

À la fin, il s'y résolut. Une visite d'une demi-heure, pensa-t-il. Et ça m'ôtera des remords.

Il repassa par le bureau des agents et regarda du côté de Puleo. S'il n'y avait pas eu cette affaire, la veille, et si sa fiancée n'avait pas habité à Torre del Greco, il ne serait certainement pas resté aussi longtemps à la Brigade, par une pareille matinée, et un dimanche de surcroît !

Près du clavier, il y avait, comme embusqué, un livre à l'air intimidant : le manuel de Droit de la faillite, contre lequel les élans de l'agent spécial Puleo s'échouaient souvent comme des paquets d'algues. Il ne lui manquait plus que quelques examens à présent, et l'année suivante il faudrait bien qu'il soutienne sa maîtrise. En fait, il préférait ne pas brûler les étapes pour éviter de compromettre la bonne moyenne qu'il avait réussi à conserver malgré son travail à la Brigade mobile, travail qu'il accomplissait avec sérieux, mais sans zèle déplacé.

Spotorno, comme tout bon flic doté de principes, se méfiait du zèle. Il tenait en grande estime le jeune homme, qu'il traitait souvent avec une affectueuse rudesse. Puleo avait seulement son brevet quand il était entré dans la police. En trois ans, il avait obtenu son bac technique, en candidat libre. Le moment venu, il obtiendrait sa maîtrise de droit, Spotorno en était sûr. Mais seul le ciel savait s'il continuerait alors sa carrière dans la police ou s'il tenterait un coup de force en entrant dans quelque cabinet juridique.

Spotorno pensait, non sans raison, que la réponse dépendrait de la future madame Puleo.

Il se décida à partir, mais avant il s'arrêta devant Saverio Puleo et lui dit :

Save', pourquoi tu n'irais pas te promener un moment ? Mieux : prends ton slip de bain et va faire un petit crawl à Mondello. Et laisse ce livre, aujourd'hui. Et va voir un beau film en plein air ce soir. Comme ça, demain matin, tu seras un homme neuf ! Si je pouvais en faire autant...

Mais il ne croyait pas que Puleo suivrait son conseil. Il rentrerait dans le petit appartement qu'il partageait avec deux de ses collègues, du côté du Corso Pisani, et il travaillerait jusqu'à l'abrutissement.

Quand il fut dehors, il s'arrêta un moment devant sa voiture, une 131 blanche qu'il s'efforçait d'entretenir. Il hésitait entre prendre le volant ou marcher à pied. Le soleil commençait déjà à lui faire bouillir le crâne mais, en voiture, ce serait encore pire faute d'avoir trouvé une place à l'ombre. La vue des jardins luxuriants de Villa Bonnano emporta la décision. C'était, selon lui, le plus bel endroit de la ville, surtout sous cette lumière. Dire que les urbanistes avaient failli, Dieu sait pourquoi, en arracher les immenses palmiers et les grands platanes pour la transformer en une sorte de place d'armes déserte et désolée ! Finalement, Spotorno décida de ne pas traverser la Villa et de marcher à l'ombre dans les ruelles.

Il longea l'ancienne église de Sant'Annunziata dello Scutino dont ne subsistait que la façade avec sa rosace vide, unique vestige à demi dissimulé par un ficus envahissant qui ne tarderait pas achever le travail du temps. Il traversa la place San Giovanni Decollato, passa sous l'arche qui se trouve après le palais Sclafani et s'engagea dans la Via Biscottari. Il ralentit soudain le pas pour adopter une allure de croisière dont aucun de ses collaborateurs ou collègues ne l'aurait cru capable. D'ordinaire, Spotorno avançait comme n'importe quel flic, qui ne contourne pas les obstacles mais les renverse.

Mais, de temps à autre, il s'accordait une pause. Les dalles qui pavaient les ruelles des Quattro Mandamenti semblaient d'ailleurs faites pour ce genre de flânerie, de promenade songeuse scandée par le bruit des pas. L'idée l'effleura que ce ralentissement tenait à son désir de retarder sa visite de condoléances. Non, corrigea-t-il, cette fois, c'est par plaisir.

Il poursuivit par la Via Puglia et traversa la Piazza Santa Chiara. Le quartier voyait croître de jour en jour le nombre de familles soudanaises, nigérianes, sénégalaises, capverdiennes qui s'y étaient installées depuis quelques années, en payant souvent des loyers exorbitants pour des logements insalubres et abandonnés depuis longtemps. Les Nord-Africains, en revanche, s'étaient concentrés dans la zone située sous la Via Maqueda, entre Tribunali et Castellamare. Les Cinghalais, eux, étaient dispersés : quelques-uns autour de Borgo Vecchio, d'autres du côté de la Polyclinique ou vers la Zisa.

Au rez-de-chaussée, à travers les volets entrouverts d'un *basso*, il entrevit un Noir en boubou blanc qui coupait les cheveux d'un autre Noir en boubou blanc, assis sur un fauteuil de coiffeur déglingué. Cette vision lui fit courir sous la peau les minuscules ondes d'une inexplicable bonne humeur. Il accéléra le pas. À présent, il avait hâte de se débarrasser de ce qu'avec une pointe de remords, dans un coin de son esprit, il appelait l'affaire Brancato.

Il tourna dans la Salita Raffadali, puis descendit vers Casa Professa et continua par la Via Ponticello. Les frangipaniers, dont les branches sinueuses comme des serpents s'étendaient des balcons vers le milieu de la rue, en quête de lumière, étaient tous en fleur. Spotorno cueillit au vol une fleur presque fanée et en aspira le parfum encore intense. Il y avait bien peu de monde dans la rue, surtout des hommes, noirs pour la plupart.

C'est peut-être pour cela qu'il remarqua la femme. Elle se détachait comme un drapeau de reddition sur le fond incendié d'une forteresse vaincue. Il se surprit à déclamer mentalement le début d'un vieux poème :

Vive Venise, féroce et altière...

Il essaya de se rappeler la suite, mais il ne réussit qu'à retrouver deux autres vers :

Le mal fait rage, le pain nous manque,
sur le pont flotte le drapeau blanc.

Blanc. Tel était à coup sûr le mot qui, par le jeu des libres associations, serait venu à l'esprit de quiconque aurait croisé cette femme. Elle avait le teint le plus blanc que Spotorno ait jamais vu. Une blancheur encore accentuée par une pâleur subite, due à une intense émotion que la femme ne semblait maîtriser qu'à grand-peine, à en croire ses yeux rougis, ceux de quelqu'un qui vient de pleurer toutes les larmes de son corps.

Spotorno l'avait remarquée parce que, sortie d'une des maisons de la Via Ponticello, elle avait marché droit sur lui avant de le croiser et de monter à bord d'une Y10 bleu nuit, garée dans la ruelle. Ses vêtements aux couleurs un peu passées, ses cheveux très noirs, raides et longs jusqu'au milieu du dos, soulignaient encore sa pâleur. Ce n'était pas une beauté, non : un corps de mère de famille, un peu anguleux, et des traits que d'aucuns auraient jugés un rien fades. Mais, Amalia, elle, les aurait à coup sûr trouvés intéressants.

La femme démarra et sa voiture disparut, laissant chez le commissaire un vague sentiment de curiosité insatisfaite. Il lui avait donné à peu près trente-cinq ans. C'était presque un tic chez lui : la moindre anomalie était aussitôt classée et archivée dans sa mémoire de flic.

Il déboucha Via Maqueda et enfila la Via Calderai, étrangement déserte, avec ses boutiques d'artisans toutes fermées, hormis une qui vendait des cercueils. Il en compta environ une douzaine, de divers bois et de diverses dimensions, empilés l'un sur l'autre, sur deux rangées, et deux autres encore exposés dehors, devant la porte, sur l'asphalte dont, par un douteux souci de modernité, on avait recouvert l'antique pavement de la ruelle.

Depuis le lycée, Spotorno en avait fini avec les spéculations philosophiques, et il avait acquis une sorte d'immunité permanente contre les fumeuses constructions d'allégories qui semblaient tant passionner les intellectuels de l'île. Il passa donc son chemin, en se limitant à une brève conjuration, dernier résidu de la passion qu'il avait eu dans sa jeunesse pour Benedetto Croce. Lequel disait qu'il ne croyait pas au mauvais œil… mais qu'on ne savait jamais.

La signora Rosa Brancato Alamia avait sa maison et sa boutique Via Zara. Un banal petit immeuble du début du XXe, avec de hauts plafonds. Depuis que Spotorno les connaissait, les Brancato Alamia avaient toujours habité ici, sauf en été, où ils louaient une maison en bord de mer, dans les vieux faubourgs désormais absorbés par l'expansion centrifuge de la ville, et dont la côte était désormais réduite à une immense bande de terre qui aspirait à des temps meilleurs.

C'était au cours d'une de ces villégiatures que le petit Spotorno avait fait la connaissance de Rosario, de Maddalena et de leurs parents. Puis Maddalena était tombée malade et le médecin avait prescrit un séjour prolongé au bord de la mer. C'est ainsi que pendant deux ans les Brancato Alamia s'étaient établis dans une petite villa de la côte et que Rosario était devenu le camarade de classe de Vittorio.

La famille Spotorno, mis à part la brève parenthèse de son séjour dans le Nord, avait habité dans une de ces bourgades de la côte durant toute l'enfance de Vittorio. C'est après qu'ils avaient déménagé en ville, dans l'immeuble de Via Venezia.

La porte de l'immeuble des Brancato Alamia était grande ouverte et Spotorno avisa aussitôt une table recouverte d'un drap noir sur laquelle se trouvait le registre des condoléances à la disposition des visiteurs. Il n'y avait pour l'instant qu'une douzaine de signatures, simples paraphes rapidement expédiés qui témoignaient tout juste du devoir accompli. Il ajouta la sienne, en traçant un V si fougueux qu'il faillit déchirer le papier, comme toujours.

Il n'y avait personne, mais il jugea inutile de s'annoncer à l'interphone. Dédaignant le vieil ascenseur, il grimpa donc l'escalier jusqu'au deuxième étage où il trouva la porte de l'appartement également grande ouverte. Si, dès le hall de l'immeuble, la lumière aveuglante de la rue avait fait place à la pénombre, l'entrée de l'appartement était presque obscure. Une veillée funèbre, en plein jour et sans le corps, pensa-t-il. La dépouille n'avait pas encore été rendue à la famille : elle devait encore se trouver sur une table de marbre à l'Institut médico-légal.

Spotorno ne savait pas s'il devait frapper à la porte ou entrer sans s'annoncer dans la petite antichambre sombre. Quelqu'un se dirigeant à petits pas vers l'entrée, il attendit.

Dans la faible clarté de l'antichambre, Maddalena semblait avoir bien peu changé depuis que Spotorno l'avait vue pour la dernière fois. Sa silhouette s'était seulement un peu alourdie et ce n'est que lorsqu'elle alluma une des appliques et qu'elle approcha son visage de celui de Spotorno pour le double baiser rituel sur les joues qu'il s'aperçut que la rousseur de ses cheveux s'était éteinte en un châtain clair sous l'effet d'une teinture. La lumière révéla aussi un fin réseau de rides autour de la bouche et des yeux, lesquels n'étaient pas rouges. Elle avait dû épuiser sa réserve de larmes la veille, pensa Spotorno. Mais, au moment même où il formulait cette pensée, elle le regarda soudain avec les yeux humides, comme si elle avait lu dans ses pensées.

Maddalena elle aussi l'avait reconnu, et elle ne semblait pas surprise de sa visite. Spotorno eut même l'impression qu'il était attendu. La jeune femme provoqua chez lui un peu de gêne en lui saisissant la main pour le conduire vers le grand salon où se déroulait presque toute l'existence de la signora Rosa. Enfants, ils ne s'étaient jamais touchés, pas même effleuré la main.

Le salon lui aussi baignait dans la pénombre. Le peu de lumière qui filtrait à travers les volets était encore tamisé par le voilage beige qu'il connaissait déjà. La signora Rosa était assise dans un fauteuil en paille, à dossier droit. Le même depuis toujours. Spotorno aurait pu tout décrire d'avance. Mais ce ne fut pas cette familiarité qui provoqua chez lui une sorte de vertige. À peine avait-il posé le pied dans le salon qu'il avait eu l'impression de pénétrer dans un tableau : la signora Rosa, à contre-jour, ressemblait au portrait de la mère de l'artiste par Boccioni. Quelqu'un avait envoyé à Amalia une carte postale reproduisant ce tableau, et Spotorno l'avait longtemps utilisé comme marque-page.

La signora Rosa avait les mains croisées sur les genoux, comme la femme du portrait, elle avait les mêmes cheveux fins, légèrement bouclés, presque blancs et des vêtements d'un brun chaud. Elle baignait dans la même lumière qui créait autour d'elle une sorte de halo faiblement coloré, qui finissait par estomper ses traits.

Cette impression ne dura pas. Juste le temps que Spotorno s'habitue à la pénombre. Les vêtements qui lui étaient apparus bruns étaient en réalité des habits de deuil, d'un noir terne.

Maddalena lui lâcha la main et le poussa doucement par l'épaule vers sa mère :

Maman, regarde qui est là, Vittorio. Tu te souviens de Vittorio ?

Spotorno s'approcha aussitôt. En déposant un baiser sur les joues froides, il sentit que les vêtements de la vieille dame exhalaient une odeur de camphre.

La signora Rosa balbutia un instant, puis, d'une voix faible et tremblotante, d'une voix de vieille, elle dit :

Vittorio, Vittorio, toi aussi tu es venu ? Tu t'es donc souvenu de Sasà ?

Puis, repêchant au fond de sa mémoire la profession de Spotorno :

Tu as vu ce qu'ils en ont fait, de mon Sasà ? Moi, ils n'ont même pas voulu que je le voie.

Spotorno acquiesça. Il allait ajouter que Sasà n'avait pas souffert, qu'il s'en était allé sans comprendre ce qui lui arrivait, mais il lui sembla que ce serait un manque de respect envers la mémoire de son ami. De plus, Rosario détestait ce diminutif, du moins quand il était enfant, et seule sa mère avait le droit de l'appeler Sasà.

Assieds-toi là, à côté de moi, Vittorio. Tiens-moi un peu compagnie.

Une femme d'âge moyen se leva, lui céda sa chaise et alla s'asseoir sur une banquette adossée à un mur. Il y avait encore une autre femme, assise de l'autre côté de la signora Rosa, et l'on aurait dit qu'elle était la jumelle de la première, même s'il n'y avait pas le moindre lien de parenté entre elles.

Les demoiselles, bien sûr.

On les désignait toujours ainsi, même s'il savait que l'une s'appelait Grazia et l'autre Nunzia. C'étaient des employées que la signora Rosa avait engagées quand elles étaient encore adolescentes : leurs parents respectifs les lui avaient confiées pour qu'elles apprennent le métier, et elles l'avaient si bien appris qu'elles étaient toutes deux restées chez la signora Rosa.

Spotorno les embrassa, elles aussi, sur les joues.

À peine assis, il laissa errer son regard autour de lui pour se conforter quant à l'exactitude de sa mémoire. Une seule chose avait changé depuis le temps où il venait dans cette maison en compagnie de sa mère : les deux antiques machines à pédalier arborant en lettres dorées la marque Singer avaient été remplacées par deux modèles électriques sur lesquels il chercha en vain à déchiffrer la marque. À part ça, les trucs habituels : coupons de tissu, aiguilles, boutons, ciseaux, dés à coudre, craies de tailleur.

Il chercha en vain les bobines de coton dont la rotation vertigineuse sur les machines le fascinait, enfant. La vue des morceaux de craie lui procura une étrange sensation d'éternité : ils étaient plats, couleur de vieil ivoire, et d'une forme semblable à celle des petites savonnettes de salle de bains d'hôtels. Ils avaient toujours été comme ça dans son souvenir. Même le papier peint des murs, à petits motifs roses sur un fond beige, n'avait jamais été changé ; près du plafond, aux endroits où s'étaient produites des infiltrations d'eau, le papier pendouillait. Sur le dossier d'une chaise, il y avait un mètre ruban, tout usé, avec une petite déchirure au centimètre 68. C'était le même qu'autrefois, à moins que pour quelque motif mystérieux, tous les mètres de la signora Rosa ne s'usent qu'à la hauteur de 68 centimètres. Au milieu du mur opposé aux fenêtres, il y avait un crucifix de bois, incrusté de petits cœurs le long de l'axe vertical et d'ivoire aux extrémités.

Spotorno vérifiait ses souvenirs avec l'inflexibilité d'un collectionneur tatillon.

La signora Rosa remarqua son regard :

Tu te rappelles, Vittorio, quand tu venais avec ta mère ? Grazia t'achetait toujours de l'*iris al forno* que tu aimais tant. Ça te plaît toujours les beignets ? Ta mère réussissait à trouver certains coupons, Via Sant'Agostino, chez Russo Pedone... Ton père, je ne lui ai pris ses mesures qu'une fois : ça a suffi. Mais les chemises que je lui faisais lui allaient à merveille, jamais un défaut, jamais la moindre retouche. Avec les poignets et le col de rechange. Taille 40. Elles duraient toute une vie. Nous sommes bien peu aujourd'hui à faire encore des chemises comme ça. Maintenant, on les achète en confection, et cousues avec du nylon ! Même ceux qui font encore des chemises sur mesure utilisent le nylon. Sais-tu combien de mètres de fil il faut pour faire une chemise ?

Spotorno ne le savait pas.

Entre le faufilage et les essayages, il faut une bonne fusette, soit quatre-vingt-dix mètres. Pour les seuls boutons, il faut cinq mètres de fil. En fait, je n'utilise plus les fusettes de 90. J'achète des bobines plus grosses : c'est plus économique. Quand même, tu sais combien chacune me coûte ?

Spotorno dut avouer que ses connaissances en ce domaine n'étaient pas à jour.

Je les paie quatre mille lires, et je ne les achète pas en gros. Le modèle Tre Cerchi d'Oro des établissements Cucirini et Cantoni, voilà le meilleur. En vérité, c'est une marque étrangère maintenant, mais moi je m'en tiens au nom d'autrefois...

Spotorno revit la poussière dorée qui dansait dans un rayon de soleil dans le salon de la Via Venezia, tandis qu'à la radio une voix masculine, une belle voix profonde appropriée à des événements exceptionnels, énonçait les cotations à la bourse de Milan : ... Magneti Marelli... Edison... Cucirini et Cantoni... se rappela-t-il dans le désordre. Durant tout un été, la lecture de cette liste avait coïncidé avec l'arrivée de ce rayon de soleil qui traversait la poussière dansante, impalpable et dorée. C'était le temps du miracle économique.

La signora Rosa continuait son monologue :

... dans une fusette, il y a mille yards – une mesure anglaise qui correspond à quatre-vingt-onze centimètres. Donc, dans la fusette, il y a presque un kilomètre de fil. Pour dix chemises, une seule suffit. Fais le compte : pour une chemise cousue avec amour, il faut presque quatre cents lires de fil. Le nylon coûte un peu moins. Mais moi je dis : pour épargner cent ou deux cents lires, pourquoi faudrait-il coudre les chemises avec du nylon, qui au premier repassage devient raide, et piquant, et vous irrite le cou ? Qu'est-ce que cent lires d'économie quand on paye trente, quarante ou même soixante mille lires de façon pour une chemise ? Sans compter les boutons. Sais-tu combien il faut de boutons pour une seule chemise ?

Spotorno s'était mis à transpirer. Il se demandait si l'on n'avait pas passé le seuil de la pathologie. Il regarda Maddalena, qui s'était placée, debout, derrière sa mère. La jeune femme lui fit un signe, qu'il interpréta comme un encouragement à prêter encore l'oreille à la vieille dame. À l'aider à maîtriser sa douleur, au moins un peu. À repousser provisoirement cette tragédie. À créer une zone neutre, une sorte de sas émotionnel. La signora Rosa n'attendit pas sa réponse:

Pour une chemise bien faite, il en faut au moins dix. Moi, je n'utilise que des boutons de nacre. Mais tout le monde s'est mis au plastique.

Elle allongea le bras vers une boîte de carton posée devant elle sur un guéridon et elle en tira un bouton:

Tu vois ce petit carré formé par les trous où passe le fil? Eh bien c'est là que cèdent les boutons de plastique. Ils se cassent en deux, et non seulement le bouton te reste dans les doigts, mais il faut en plus découdre le fil qui, lui, est resté bien attaché au tissu. Avec des boutons de nacre, ça, ça n'arrive jamais. Au pire, ils tombent parce que le fil s'est rompu. C'est vrai qu'un bouton comme ça coûte trois cents lires, tandis qu'un bouton de plastique coûte seulement cinquante lires. Soit deux mille cinq cents lires de différence pour chaque chemise. Mais les couturières malhonnêtes qui cousent des boutons en plastique sur des chemises sur mesure, tu crois qu'elles vont te déduire les deux mille cinq cents lires? Rien du tout: elles te font payer le même prix!

Soudain, la vieille dame sembla se rendre compte du côté surréaliste de son monologue et elle resta prostrée.

Fin de la récréation; réapparition de la tragédie.

Spotorno ne savait que dire. En théorie, il aurait eu beaucoup de questions à poser, de doutes à dissiper. Il était commissaire de police, après tout. Mais grâce à l'ancienneté de leurs relations, ces gens-là ne se méfiaient pas de lui. Et ça, c'est une position inespérée dans un crime mafieux. Il aurait dû en profiter.

La signora Rosa s'était mise à pleurer en silence; les larmes coulaient le long de ses joues sans que l'expression de son visage change vraiment par rapport à la douleur souterraine qui ne l'avait quittée que durant sa longue digression sur les chemises. Exactement comme la dernière fois où Spotorno l'avait vue, à l'époque du lycée, quand la signora Rosa avait téléphoné à sa mère en lui demandant si Vittorio pouvait passer la voir, car elle désirait lui parler de Sasà qui ne lui causait que des ennuis. Elle avait seulement pleuré, et lui s'était focalisé sur ce mètre ruban avec son encoche à la hauteur du chiffre 68.

Il s'agita sur sa chaise. Puis il y eut un bruit de pas, et un homme sur la quarantaine entra dans la pièce. Il portait un complet bleu sombre, en lin mélangé, une chemise blanche en coton, le col ouvert, et l'on aurait dit que ses moustaches poivre et sel, collées sur la lèvre supérieure, étaient postiches. De la poche de sa veste dépassait un exemplaire de *Il Giornale di Sicilia*, ouvert à la page du carnet nécrologique. Spotorno y avait jeté un coup d'œil à son bureau : juste une annonce, celle de la famille.

Maddalena lui présenta l'homme :

Manlio, mon mari. Et puis : Vittorio Spotorno, un ami d'enfance de Rosario.

Beltramini. Enchanté, répondit l'autre, en lui tendant un bout de main moite et molle.

Spotorno se surprit à observer les boutons et les coutures de sa chemise. Nacre et coton, évidemment. Il comprit que Maddalena avait omis de préciser sa fonction de commissaire pour éviter que le type ne donne une fausse interprétation à sa visite.

Il hésitait : devait-il profiter de cette arrivée pour s'en aller, ou bien se rasseoir ? Maddalena le prit de court :

Viens, Vittorio, je te raccompagne. Aujourd'hui, c'est dimanche, et à cette heure on doit t'attendre chez toi. Tu as deux petits enfants, n'est-ce pas ?

Elle ne se contenta pas de le reconduire jusqu'à la porte ; elle le précéda dans les escaliers et jusque sur le trottoir de la Via Zara.

Il fallait que je respire, dit-elle, mais je ne peux pas m'attarder.

Elle prononça ces mots en regardant vers le haut, en direction des fenêtres du deuxième étage, où entre-temps quelqu'un (un reflet poivre et sel?) avait ouvert les volets. Spotorno eut l'impression que Maddalena voulait lui faire comprendre quelque chose qu'elle n'osait pas avouer à un demi-étranger. Ou peut-être qu'entre la belle-mère et le gendre les choses n'allaient pas très bien et que Maddalena ne voulait pas les laisser trop longtemps dans la seule compagnie des demoiselles. Spotorno avait perçu comme un léger raidissement chez la signora Rosa quand le mari de Maddalena était arrivé. Elle s'en était arrêtée de pleurer.

Malgré sa déclaration d'intentions, Maddalena ne semblait pas pressée de le voir partir. Elle avait de nouveau pris ses mains dans les siennes et le retenait tout en regardant un point situé derrière lui. La lumière du jour accusait le vieillissement de sa peau de rousse, qu'on voyait tendue sur les fortes clavicules qui saillaient de l'encolure de son petit chandail turquoise.

Maddalena n'avait jamais été une beauté, mais elle avait gardé une grâce nerveuse qui la rendait plaisante au regard. Spotorno rêverait peut-être d'elle cette nuit.

Tu sais, lui dit-elle de but en blanc, quand est arrivée l'histoire de Rosario, nous étions seules, maman et moi. Manlio était en Calabre pour son travail. Il est arrivé cette nuit, très tard, en voiture. Nous avons une petite agence de voyages. Il doit souvent se déplacer, garder le contact avec les tours opérateurs, visiter les villages où nous envoyons nos clients. Sais-tu ce que les gens veulent le plus souvent aujourd'hui ? Un endroit où l'on puisse caser les enfants tandis que papa et maman prennent tranquillement le soleil. Je l'aide de temps à autre, une demi-journée par-ci, par-là, maintenant que les enfants sont devenus grands et un peu plus autonomes. Eux, ils aimaient beaucoup Rosario.

Elle fit une longue pause pendant laquelle Spotorno eut tout le temps de se demander si Manlio éprouvait le même attachement pour son défunt beau-frère. Maddalena lui avait lâché les mains : elle avait gardé un instant les paumes ouvertes, tournées vers le ciel, puis elle les avait repliées comme sous l'effet d'une lente amertume.

Tu sais, reprit-elle, les affaires ne vont pas si bien. Enfin je ne veux pas dire que nous soyons à la rue, car, Dieu merci, nous sommes propriétaires de notre maison et nous réussissons même à mettre un peu d'argent de côté pour les enfants. Mais il y a trop d'aléas, et actuellement le marché est mou. Sans ça, j'aurais fait beaucoup plus pour Rosario.

C'était comme un début de justification. Spotorno attendit qu'elle continue, surpris lui-même de sentir se réveiller aussitôt son instinct de flic. Il allait lui poser une question directe, mais elle prévint son geste en lui murmurant à l'oreille une phrase qu'il n'avait jamais entendue que dans les feuilletons télévisés :

Attrape-les, Vittorio, je veux les regarder dans les yeux, ces types qui ont tué Rosario.

Puis elle l'embrassa sur une joue, tourna sur elle-même et disparut dans l'obscurité de la porte, laissant Spotorno décontenancé, perplexe, ému, frustré.

C'était bien vrai, pensa-t-il, ses compatriotes parlaient davantage avec des gestes qu'avec des mots, et spécialement quand les gestes les aidaient à glisser dans le silence.

Mais, lui, il aurait dû parler. Deuil ou non, la dernière phrase de Maddalena semblait avoir été glissée pour susciter au moins une question : quel rapport y avait-t-il entre Rosario et Mancuso ? Elle devait bien en savoir quelque chose. Bref, ce n'était pas une banale visite de condoléances que Spotorno avait programmée la veille au soir.

Il se promit d'y remédier au plus tôt.

À la maison, l'odeur des tourtes aux magrets de spatules et aux crevettes, accompagnés d'amandes et d'épices, qu'Amalia venait de retirer du four, réussit à effacer le parfum de jasmin qui lui était resté après les adieux de Maddalena.

Pourtant il savait qu'il n'y avait eu aucun parfum de jasmin. Et cette nuit-là les rêves qu'il fit ne survécurent pas au réveil.

Chapitre VI

# Les sismographes de la Brigade mobile

À la Brigade, on commençait à s'essouffler. Sismogrammes plats : on n'enregistrait aucun soubresaut, pas même un frémissement. Même le sismographe le plus sensible, le vieux commissaire Schirosa, avait rengainé son stylet. Il humait l'air et prenait des paris. L'enjeu était toujours le même : une tasse de café, dont le nombre variait selon l'intensité des signaux qui précédaient la secousse. Une fois, il en était arrivé à parier jusqu'à vingt-quatre tasses, qu'il avait consciencieusement avalées à raison d'une par heure, durant deux jours. Et il ne les avait pas volées. Il avait annoncé qu'une grosse affaire allait éclater et, le lendemain même, on avait retrouvé les corps de trois crapules descendues en trois endroits différents de la ville, avec la même arme.

En vérité, tout le monde ne croyait pas à la fiabilité sismologique du commissaire Schirosa. Pour beaucoup, sa clairvoyance devait davantage à son excellent réseau d'informateurs. Le commissaire appartenait à la vieille école, fidèle à la méthode traditionnelle qui consistait à fermer un œil – et parfois deux – sur des affaires mineures, sur de petits délits commis par des récidivistes, ce qui donnait souvent d'excellents résultats en matière de tuyaux sur des affaires plus importantes (dans certains cas, si la nature ne s'était pas révélée si mesquine dans l'attribution des sens, Schirosa aurait bien aimé fermer son troisième œil), mais il savait forcer la nature puisqu'un jour un indic lui avait permis de remonter jusqu'aux auteurs d'un hold-up à la poste, une de ces opérations grand style, du genre attaque de diligence.

Bien qu'il fût maintenant au seuil de la retraite, certains s'étonnaient que Schirosa soit resté commissaire à vie. D'autres, plus perspicaces, insinuaient que c'était justement à cause de ses méthodes qu'il n'avait pas connu l'ombre d'une promotion. Schirosa, pour les hautes sphères, était une espèce résiduelle un peu embarrassante, comme ces parents un rien timbrés qu'on envoie faire un tour au jardin quand on reçoit des visites dans le grand salon. Et pourtant, de mémoire de flic, Schirosa restait le meilleur sismographe que la Brigade ait jamais eu. Quand il avait déclaré qu'après la tuerie de la Zisa il n'y avait plus grand-chose à attendre, beaucoup avaient poussé un soupir de soulagement : pas de représailles sanglantes, pas de vieilles querelles soudain réveillées, pas de nouvelles guerres à l'horizon. Et, surtout, pas de solution pour l'affaire. Certes, on allait poursuivre l'enquête, mais en y consacrant moins d'hommes et de temps, jusqu'à laisser l'affaire glisser dans les limbes – limbes de paperasse, limbes informatiques – d'où elle émergerait, peut-être, un jour, à la faveur de quelque improbable événement.

Même *L'Ora* qui, hier encore, aurait lâché ses reporters sur toutes les pistes (spécialement les fausses, ajoutait Schirosa) et aurait vécu des rentes du double meurtre par balles durant au moins une semaine, même *L'Ora* avait relégué les deux victimes dans des entrefilets de plus en plus laconiques dans les pages locales. Et pourtant, pour faire sa une, le journal ne disposait que des rituels papiers estivaux sur la pénurie d'eau et le chaos de la circulation automobile dans les stations touristiques, agrémentés des photos de grandes perches en monokini. C'était une question de bon sens : les gens se préparaient aux vacances et il eût été contre-productif de confiner les grandes perches dans les pages intérieures.

En vérité, à la Brigade, tout le monde ne pensait pas comme Schirosa. Les irréductibles de la tendance sociologique répétaient à l'envi que cette absence d'événements n'était pas de bon augure. Ça tombait d'ailleurs sous le sens : même les réverbères de la Piazza della Vittoria savaient que l'excès de calme signifiait que l'ordre régnait.

Personne, par bonheur, pas même les vieux de la vieille, n'osait plus reprendre à son compte le refrain « En tout cas, ils s'assassinent entre eux », qui, durant des décennies, avait servi de bande sonore à toutes les tueries des truands qu'on renonçait à résoudre après quelque temps. Car il y avait un second type de sismographes à la Brigade : ceux qui, au lieu de pointer leurs capteurs vers l'extérieur, vers le milieu, les orientaient vers l'intérieur du Palais, prêts à saisir les plus imperceptibles mouvements tectoniques, ondulations ou tressaillements susceptibles d'annoncer des variations dans le morne appareil, comme la nomination de quelque petit préfet de police à peine sorti du rang aux sommets vertigineux de la hiérarchie. Cris et chuchotements.

Spotorno aimait bien Schirosa. Et même il l'estimait. Pourtant, ses capteurs – fort personnels et sélectifs – étaient en alerte.

Il y avait par exemple l'étrange affaire de la moto utilisée pour l'embuscade. Bien sûr, on était remonté tout de suite jusqu'au propriétaire – un certain Salvatore Scannariato qui, curieusement, n'avait déposé aucune plainte pour le vol de son véhicule. On l'avait donc mis sous surveillance : écoutes téléphoniques, filatures, photos.

Deux jours plus tard, Scannariato n'avait toujours pas signalé la disparition de sa moto. En revanche, le lundi matin, il était passé dans une agence de voyage afin de retirer un billet d'avion à destination de Milan, pour le jour même.

Une heure plus tard, les flics l'avaient cueilli dans le bar au-dessous de chez lui, au Villaggio Santa Rosalia, une fougasse à la viande dans la main droite, un demi de bière dans la main gauche, une valise entre les pieds. On l'avait traîné jusqu'à la Brigade, tenant encore d'une main sa fougasse et de l'autre sa valise.

Ce qui avait vraiment surpris tout le monde, c'était l'air de Scannariato quand on lui avait révélé que sa Kawasaki avait été brûlée à Sant'Erasmo : une véritable indignation, qu'il n'était pas arrivé à feindre au moment où on l'avait arrêté, quand il avait entendu les menottes se refermer sur ses poignets : un bruit pourtant très impressionnant, même pour les consciences les plus pures.

Quand il s'était remis de son émotion, le type avait sorti une histoire assez convaincante. Les flics avaient toutefois préféré prendre deux jours de plus pour contrôler les faits point par point.

Le vendredi précédant le jour de l'embuscade, Scannariato, employé à l'université, au sixième étage, avait quitté le département où il travaillait, Viale delle Scienze, en laissant sa moto enchaînée à un portant de fer dans le parking souterrain de l'université. Comme c'était son dernier jour de travail avant les vacances, il avait décidé de la laisser là jusqu'à son retour de Brescia.

Ce n'était pas la première fois qu'il faisait ça. Certes, le parking n'était ni fermé ni surveillé, mais, d'une part, Scannariato n'avait pas le choix et, d'autre part, il n'y avait jamais eu de problème dans ce parking, pas même un vol d'autoradio.

Comment imaginer qu'entre-temps on allait lui baiser sa Kawasaki, une tire de seconde main, d'accord, mais qui filait comme une flèche, et qui n'était même pas assurée ! Qui allait la lui rembourser maintenant ?

C'est ainsi qu'une piste était partie en fumée, une piste qui semblait prometteuse à beaucoup, mais pas à Spotorno, dont les capteurs étaient fixés sur une autre longueur d'onde, insolite et pleine d'interférences. Comme, du temps de son adolescence, quand il cherchait à régler sa radio Allocchio Bacchini sur les ondes courtes, pour intercepter les messages lancés par les bateaux qui croisaient dans la mer Tyrrhénienne : toujours au meilleur moment, un bruit de fond se mettait à s'amplifier au point de tout rendre incompréhensible.

Tandis qu'il regardait Scannariato, qui, outre sa moto, avait maintenant perdu le prix de son billet d'avion et peut-être même, qui sait, raté ses vacances, bref, tandis qu'il regardait ce visage défait, Spotorno entendait grandir le bruit de fond. Et plus il l'entendait croître, plus ses capteurs frémissaient.

Scannariato constituait peut-être une fausse piste, mais jusqu'à quel point ? se demandait-il. Ce type ne semblait pas assez malin pour jouer double jeu jusqu'au bout. Il suffisait de le regarder. Pendant les deux jours nécessaires à la vérification de sa déclaration aux flics, Spotorno avait eu tout le loisir de l'observer de face, de profil et de trois quarts. Certes, les archives ne révélaient aucun antécédent, pas même une vulgaire amende pour excès de vitesse. Certes, il venait d'une famille comme il faut, constituée d'un seul frère aîné, professeur d'éducation physique dans un lycée de la région de Brescia et marié à une brave fille de la plaine du Pô. Certes, côté professionnel, les informations s'avéraient tout aussi rassurantes : Scannariato était un type fiable, un rien paresseux, mais dans les limites de la physiologie. Spotorno avait néanmoins discrètement envoyé Puleo faire la tournée de ses contacts : c'était un maître dans l'art des relations humaines, quels que soient le milieu, le sexe, la race ou la religion de son interlocuteur. Il devait en partie ça à son accent napolitain, mais aussi au fait qu'il n'avait pas l'air d'un flic, même si ses informateurs savaient à quoi s'en tenir.

Puleo ne posait jamais de questions directes. Il se cantonnait aux généralités, digressait, insinuait, mais sans jamais insister. On lui répondait sur le même mode : perdu au milieu des divagations, son interlocuteur émettait parfois un vague signe, hochait légèrement la tête, de haut en bas ou de bas en haut, faisait une moue ou recourait à la pure gestuelle sicilienne en tournant la paume de sa main vers le ciel.

Puleo enregistrait, triait, analysait, faisait son rapport.

Dans l'affaire en question, il était revenu avec des informations inattendues mais pas vraiment de nature à surprendre Spotorno : le vol de la moto avait été, pour ainsi dire, rondement menée, à savoir que nul n'avait cru bon de demander à qui de droit l'autorisation de la voler. Or, vu que la moto ne devait pas servir à un vol de sucettes, mais à une embuscade mafieuse, cette autorisation était indispensable.

L'information, vue sous cet angle, constituait un indice en soi car, sinon, les non-questions de Puleo se seraient heurtées au silence. On pouvait donc en déduire que l'auteur du vol était un électron libre. Ou qu'il avait obéi à un rival du parrain du quartier.

Spotorno avait tenu à se rendre lui-même au parking. Il y avait peu de voitures : le personnel de l'université trouvait plus pratique de se garer sur l'esplanade et ne se résignait à faire un long détour pour y descendre que s'il n'y avait plus de place en surface.

Celui qui avait volé la Kawasaki pouvait avoir agi à n'importe quelle heure entre quatorze heures le vendredi, quand Scannariato l'avait amoureusement caressée pour la dernière fois avant de rentrer chez lui à pied, et onze heures et demie le samedi matin, une demi-heure avant l'embuscade mortelle.

Le parking était un endroit désert et très sombre, même en plein jour, faute d'éclairage électrique. Personne, c'était plus que probable, n'aurait prêté attention à quelqu'un qui aurait tourné autour de l'engin. Mais il y avait peu de chances que le vol ait eu lieu de nuit. Le Viale delle Scienze n'était pas une artère passante et, le soir, les portails d'accès à l'université étaient sous la surveillance constante des vigiles. De jour, en revanche, personne n'aurait fait attention à quelqu'un sortant en moto. Il y avait même, le samedi matin, tout un va-et-vient d'étudiants, d'employés et de professeurs, surtout dans cette période pré-estivale riche en examens et soutenances de thèses qui drainaient nombre de supporters, parents et amis, les bras chargés de bouquets de glaïeuls sous cellophane.

Si j'étais un personnage de bande dessinée, pensa Spotorno, après avoir étudié les lieux à fond, en ce moment, une petite ampoule s'allumerait au-dessus de ma tête, pas nécessairement une ampoule de mille watts, mais au moins une petite loupiotte. Il le dit à Puleo, quand ce dernier eut fini son compte rendu oral et confidentiel.

Il y a eu un informateur, annonça Spotorno.

À propos de quoi, monsieur le commissaire ? dit Puleo.

Le vol de la Kawasaki. Ce n'est pas un hasard si les tueurs sont tombés sur ce parking. Ils y sont allés parce qu'ils savaient que c'était un lieu peu fréquenté, que cette moto était là et que personne ne s'apercevrait si vite du vol, vu que Scannariato partait en vacances, ce qu'ils savaient aussi.

Vous pensez à quelqu'un de son entourage ?

C'est possible. Un de ses amis, peut-être. Il nous faut la liste de tout le personnel enseignant et non-enseignant des départements qui ont accès à ce garage. Y compris les thésards. Et la liste des gens que fréquente Scannariato hors de son travail : parents, amis, femmes, paroisse, club sportif ou autre, etc. Va voir aussi son mécano, car tu peux être sûr qu'il en a un. Il y tenait à sa bécane !...

Quelle corvée, monsieur le commissaire !

Je sais, mais tu vas très bien t'en tirer. C'est une possibilité de piste. Minime, mais ça vaut le coup d'essayer. Si nous réussissons à trouver un lien, un chaînon...

Puleo soupira : ça lui demandera du temps pour avoir la liste de tout ce beau monde. À l'université, ce sera facile grâce aux fichiers du personnel, des étudiants. Mais il y a aussi les auditeurs libres et les assistants, qui n'apparaissent pas toujours sur les listes... Et il faudra aussi penser au personnel d'entretien : certaines facultés sous-traitent ça à des entreprises extérieures dont les employés ne seront pas répertoriés dans les fichiers. Or, il faut les contrôler, eux aussi, parce qu'ils sont souvent en bons termes avec le personnel auxiliaire.

Ce qui sera plus compliqué, c'est l'entourage de Scannariato en dehors de son travail. Là, il faut mener une véritable enquête…

Eh quoi ! Save ? On est des flics, non ? Allez, en avant ! Plus tôt tu t'y colles, plus tôt nous aurons fini. Autant commencer par le plus simple. Procure-toi ces fichiers, et nous les examinerons ensemble. Pour l'autre liste, il faudra presser comme un citron ce demi-crétin de Scannariato. Qu'il n'ait pas l'impression que nous avons cru à son histoire. Et qu'il nous dresse la liste de tous les gens qu'il fréquente de près ou de loin, avec leur adresse et tout le toutim. Qui sait ?…

Puleo n'y croyait pas. D'ailleurs, à son avis, son patron n'y croyait pas non plus. Mais, comme disait le commissaire, ça relevait des choses à faire. Si jamais il existait la moindre faille, il s'agissait de la transformer en un gouffre pour ceux qui se baladaient dessus.

Alors que tout le monde s'était concentré sur l'histoire de la moto et de Scannariato, un nouvel élément était apparu. On avait en effet découvert que, chaque samedi, vers midi, qu'il pleuve ou qu'il vente, Gaspare Mancuso, dit Asparino, allait acheter le poisson pour toute la famille à la poissonnerie Rotella. Sauf, avaient ajouté les sœurs du défunt, quand les conditions climatiques de la veille avaient empêché les bateaux de sortir. Dans ce cas, on ne pouvait dire que les poissons étaient tout frais pêchés. Alors !

Pour le poisson, Asparino, il en connaissait un bout, monsieur le commissaire. Il inspectait l'œil, les ouïes, soulevait les écailles d'un coup d'ongle. Il ne faisait confiance à personne pour le poisson, pas même à notre propre mère. C'était toujours lui qui allait acheter le poisson. Et c'est lui qui le vidait. Et c'est lui qui le faisait griller au charbon de bois. Mieux qu'au restaurant… Pensez : toutes les cinq minutes, il leur badigeonnait le dos avec un bouquet d'origan trempé dans de l'huile d'olive relevée de citron, d'ail, de laurier et de piment... Il les caressait comme si ç'avait été la peau d'une femme...

Puleo se rappelant les déclarations de Rotella, qui avait affirmé ne pas connaître Asparino, eut envie de retourner Via Damasco pour lui vider sur la tête le seau de tripailles de poissons.

Les sœurs de Mancuso n'étaient pas avares de détails sur la personnalité de leur défunt frère. Qui était si bon, et que tout le monde aimait. Enfin, presque tout le monde, pensaient ceux qui menaient cet interrogatoire.

Concernant Rosario, l'entourage de Mancuso n'avait pas dit grand-chose. Ce n'était pas un ami très proche d'Asparino ni très ancien. Rosario se limitait à le conduire en voiture, de temps en temps, pour acheter le poisson ou faire d'autres courses.

Quelles courses ? avaient insisté les flics.

Rien de spécial. Il allait chez les grossistes pour le réapprovisionnement de la boutique de son père. Est-ce qu'il aurait dû aller à pied acheter les moules de faisselles aux Lattarini, tout ça parce qu'à cause d'un salaud trop bavard on avait retiré son permis de conduire à leur cher disparu ?

Et puis ?

Et puis, c'est tout. Quelques promenades qui ne regardaient que lui. Est-ce qu'elles allaient demander à leur frère ce qu'il faisait et ce qu'il ne faisait pas ! À un adulte, un homme exceptionnel, comme les mères n'en font plus de nos jours !

Les sœurs Mancuso s'avérèrent les plus loquaces de la famille. Du père, on n'avait rien obtenu, pas même un monosyllabe. Idem de la mère, à part un chapelet de jérémiades. Quant à l'épouse d'Asparino, enceinte de six mois, ses belles-sœurs lui avaient enjoint d'autorité de garder le lit, et personne n'avait osé la soumettre à un interrogatoire, si doux soit-il, qui de toute façon n'aurait abouti à rien. La jeune femme en question faisait partie de cette catégorie très répandue d'épouses, de mères et de sœurs qui ne posent jamais de questions sur l'origine du confort matériel de la famille.

Les Mancuso habitaient à La Noce un modeste immeuble à deux étages du début du siècle, à la façade écaillée, jamais repeinte depuis la construction. L'intérieur, en revanche, avait été réaménagé et généreusement enjolivé au point d'évoquer la décoration d'une *cassata* sicilienne exécutée par un glacier inspiré. Asparino occupait l'appartement du haut ; ses parents et ses sœurs, le premier étage. Au rez-de-chaussée, il y avait le magasin : grand, moderne, abondamment pourvu, et doté d'une vaste arrière-boutique.

Les sœurs d'Asparino rejetaient la responsabilité de la mort de leur frère sur le dos de Rosario. Asparino n'avait aucun ennemi et il n'avait donc été tué que parce que la fatalité avait voulu qu'il se trouve en voiture avec lui. Rosario, c'était nécessairement un gibier de potence, et c'était à lui qu'était destinée cette pluie de plomb qui avait tué leur pauvre frère innocent.

Spotorno avait eu un sourire amer en se rappelant une histoire que lui avait racontée Amalia, quand s'était répandue en ville la nouvelle qu'un attentat avait fait quatre morts, parmi lesquels se trouvait, outre la victime désignée (en l'occurrence le juge), le concierge d'un immeuble. Amalia avait entendu la gardienne d'un immeuble voisin de l'école où elle enseignait l'anglais déclarer sur un ton péremptoire :

Ils veulent tuer tous les concierges de la ville.

C'était l'expression vivante et authentique de l'âme la plus profonde de la ville. En admettant que cette ville ait une âme, avait ajouté Amalia dans un soupir.

Chapitre VII

# Le métier de Spotorno

Spotorno appartenait à l'école de ceux qui assistent aux funérailles des victimes, enfin seulement des gens assassinés par des inconnus. Les obsèques offraient une occasion unique de voir réunis tous leurs parents, amis et connaissances. Donc, sauf empêchement, Spotorno allait à l'église et assistait à la cérémonie. Il se plaçait alors dans le fond d'une des nefs latérales et, de là, il cherchait à déchiffrer le langage des corps.

Les cimetières étaient des lieux d'observation encore plus propices, car ils permettaient d'étudier les visages. Non que Spotorno s'illusionnât sur la possibilité de démasquer ainsi le coupable. Mais ça l'aidait à se faire une idée plus précise des dynamiques familiales et extra-familiales dans le cercle du défunt, à saisir les rapports de pouvoir, de dépendance, à deviner les équilibres et donc à mieux cadrer les interrogatoires, à cibler les enquêtes sur un tel ou tel autre, à récuser, confirmer ou renforcer une impression, un soupçon, un indice, une hypothèse.

Les obsèques d'Asparino devaient se dérouler à l'église Maria Santissima Assunta, dans la Via Perpignano. À la Brigade, on donna des ordres pour poster des photographes et des caméras. Spotorno, lui, opta pour les obsèques de Rosario. Il savait que ce choix n'était pas très professionnel, qu'il relevait d'une sorte de réflexe face au fait accompli. En bon flic, il aurait dû assister aux obsèques de l'autre.

Il n'y avait pas grand monde dans l'église San Matteo,

Corso Vittorio Emanuele. Spotorno était arrivé après le début de l'office, comme souvent, et il avait pris sa place habituelle, au fond.

Il repéra tout de suite Maddalena, assise sur un des bancs de la première rangée, près de son mari. Deux petits rouquins aux traits tirés, revêtus du surplis d'enfants de chœur, servaient la messe. C'était à coup sûr les enfants de Maddalena et de Manlio Beltramini. Au deuxième rang, il y avait une des « demoiselles », peut-être Nunzia. Elle avait toujours eu un faible pour Rosario au point que la signora Rosa Brancato Alamia se moquait souvent d'elle en l'appelant la fiancée de Rosario. Grazia, l'autre demoiselle, devait être restée Via Zara auprès de la signora Rosa, que Spotorno avait vainement cherchée dans l'assistance : Maddalena avait probablement dû persuader la vieille dame de rester chez elle de crainte qu'elle ne résiste pas à l'émotion de la cérémonie.

Il passa en revue le reste de l'assistance sans doute constituée des voisins de l'immeuble de la Via Zara et des collègues ou des employés de l'agence de Beltramini. Quelques vieilles dames serrées sur les bancs du transept égrenaient leurs rosaires, tous parfaitement identiques et noirs : il s'agissait probablement de quelque congrégation ou groupe de prière dont faisait partie la signora Rosa.

En entendant quelqu'un toussoter, Spotorno se rappela qu'un jour, quand il était gamin, la mère de Rosario lui avait expliqué l'origine du surnom populaire de l'église : Saint-Matthieu-des-Catarrheux. Cette église, connue pour célébrer la messe la plus matinale de toute la ville, n'était fréquentée, à cette heure, que par des vieillards qui se racleraient la gorge à qui mieux mieux, à commencer par l'officiant. Cette histoire avait tellement dégoûté Spotorno que ce jour-là il avait refusé poliment les beignets que lui offrait Grazia et qu'il avait demandé à sa mère d'exclure San Matteo de la liste des reposoirs qu'il fallait visiter lors de la Semaine sainte.

Durant un long moment, il eut l'impression de retrouver l'odeur un peu lourde, douceâtre mais sensuelle de ces Jeudis saints, ce mélange de lis, de cire fondue, d'encens. Décidément, ses compatriotes réussissaient à rendre lugubre jusqu'à cette cérémonie que le reste de la chrétienté considérait comme joyeuse.

Il s'arracha à ce souvenir en reportant son attention sur les couronnes de fleurs disposées autour du cercueil flanqué de deux grands cierges, le tout nimbé de volutes d'encens.

Beltramini se tenait raide comme un balai, les bras croisés sur la poitrine même quand il était assis, hésitant à chaque mouvement des fidèles. À l'évidence, il ignorait tout de la liturgie et se réglait sur ses voisins. Au moment où le prêtre invita ses ouailles à se donner le signe de paix, il eut un mouvement de recul quand Maddalena lui tendit la main droite qu'il finit par serrer avec ostentation. Spotorno se demanda soudain si l'absence de piété de Beltramini pouvait être à l'origine du peu de sympathie que manifestait la signora Rosa à son gendre.

Maddalena se retourna et tendit aussi la main à Nunzia et aux personnes de la deuxième rangée. Puis elle leva les yeux vers le fond de l'église et reconnut la silhouette du commissaire. C'est du moins ce que crut Spotorno en observant que les traits de son visage s'étaient détendus. Il en tira une pointe de satisfaction qui lui sembla aussitôt déplacée.

Lui n'avait personne à ses côtés avec qui échanger le signe de paix. Pourtant, il aurait volontiers sacrifié à ce rite même si, en vérité, il n'était pas vraiment pratiquant. Et même pas du tout. Depuis qu'il était adulte, ses rapports avec Dieu s'étaient beaucoup raréfiés au point que les obsèques, les mariages et les baptêmes, quand il ne pouvait pas y couper, étaient les seules occasions de mettre les pieds à l'église.

Il avait un jour admis, en discutant avec Amalia, qu'il avait ses opinions personnelles sur l'origine, l'existence et le destin de l'homme, ce qui ne l'empêchait pas d'apprécier à l'occasion l'architecture sacrée ni de parler avec certains prêtres comme Don Pino, à Brancaccio. Mais les choses s'arrêtaient là.

Il sortit avant l'absoute pour se donner le temps de récupérer sa voiture afin de se placer à la queue du cortège de voitures (peu nombreuses, pensait-il), derrière le fourgon des pompes funèbres.

Il avait laissé sa 131 sur la Piazzetta delle Vergini, le pare-chocs avant touchant presque la fontaine publique, désormais à sec, juste après la fabrique de chocolat de la Salita Castellana. Déconcerté par les sens uniques, il s'engagea dans le Vicolo Paternò, déboucha Corso Vittorio Emanuele pour se retrouver finalement derrière le fourgon mortuaire et quelques voitures rangées le long du trottoir.

Il vit Maddalena sortir de l'église. Avant de traverser la rue et de monter à bord d'une Regata blanche, elle sembla pendant un instant chercher quelqu'un du regard. Spotorno éprouva la même satisfaction mêlée de culpabilité ressentie pendant la messe.

La Regata, conduite par Beltramini, démarra derrière le fourgon. Il faisait désormais très lourd, une chaleur humide collait la chemise à la peau. On sentait que le chauffeur du fourgon avait hâte d'arriver dans un lieu plus frais. Spotorno accéléra pour ne pas perdre la file.

Quand, aux Rotoli, le petit cortège s'engagea dans le cimetière, Spotorno préféra confier sa voiture au jeune Noir qui sous-louait une concession officieuse de gardien de parking, et entra à pied. Il demanda la direction du caveau des Alamia et finit par le trouver non loin des pentes du mont Pellegrino. Il resta en arrière, à la périphérie du petit groupe d'hommes et de femmes qui se tenaient autour de la sépulture.

Seul Beltramini s'aperçut de sa présence et lui lança un bref regard étonné. Maddalena ne quitta pas des yeux le cercueil, jusqu'à ce que la pesante dalle de marbre se referme sur la tombe. Ce fut elle qui y disposa les gerbes de fleurs. Puis chacun s'approcha et embrassa tour à tour la jeune femme, Beltramini et les deux enfants. Spotorno s'avança et se soumit au rituel. Maddalena lui serra fortement les deux mains en murmurant son prénom : Vittorio.

Elle avait chaussé une paire de lunettes noires trop grandes pour son visage étroit.

Il faut que nous parlions, Maddalena, lui dit Spotorno d'un ton un peu trop sec à son gré, mais Maddalena réagit comme si elle n'avait attendu que ça. Elle se tourna vers son mari et lui dit :

Manlio, rentre avec les enfants. Le commissaire Spotorno va me raccompagner. N'est-ce pas, Vittorio ? Le commissaire était notre ami d'enfance à Rosario et à moi. Je vous rejoins à la maison de maman. Les enfants, tenez compagnie à grand-mère jusqu'à mon retour.

Beltramini ne parut ni étonné ni autrement ravi : il fit monter les enfants dans sa Regata et démarra sans même leur proposer de les rapprocher de la voiture de Spotorno.

Ils se dirigèrent vers la sortie du cimetière sans échanger un mot. Il était clair, malgré l'allusion à leur vieille amitié, que Maddalena voulait donner un tour semi-professionnel à leur conversation. C'est seulement quand Spotorno réussit à se dégager d'un dédale de véhicules garés en double file et se lança vers l'Addaura que Maddalena parut se réveiller :

Que voulais-tu me demander ?

Spotorno chercha un moment le ton juste.

Tu te rappelles ce que tu m'as dit l'autre jour ? Que les affaires de ton mari ne vont pas si bien. Et que, sans cela, tu aurais fait beaucoup plus pour Rosario. Que voulais-tu dire ?

C'est l'ami qui me le demande ou le commissaire de police ?

Qu'est-ce que ça change ?

Maddalena soupira et elle aussi sembla prendre son temps pour répondre.

En effet, dit-elle pour finir, en soupirant à nouveau, ça ne change rien. Écoute, Rosario n'est pas facile. Bien sûr, tu ne l'as connu que lorsque nous étions gamins, mais comme tu passais des journées entières avec lui, tu sais bien comment il était : il se comportait comme s'il avait été convaincu que le monde entier lui en voulait. Ces choses-là, ça peut passer avec l'âge. Mais avec lui, non. C'est même allé de mal en pis. Or, il y a des choses qu'on peut pardonner à un enfant, mais pas à un adulte. La faute en revient en grande partie à notre mère : elle le couvrait toujours. Et, après, elle se contentait de se lamenter, même auprès de toi, je le sais. D'ailleurs, moi aussi je le couvrais, surtout quand papa voulait lui flanquer une dérouillée. En fait, à la maison, papa ne s'occupait que de lui-même. Il ne se décidait à intervenir que lorsque Rosario avait commis des choses irréparables à ses yeux et il ne connaissait qu'une façon d'intervenir : les coups.

Elle fit une pause, peut-être parce qu'elle sentait sa voix s'enrouer.

Je ne veux pas faire de la psychologie au rabais, reprit-elle, mais le fait est que Rosario devenait chaque jour plus renfermé, de plus en plus intraitable, agressif, tordu. Il gardait pourtant un bon fond : généreux, loyal, à sa façon. Tu le sais bien : il suffit de le prendre du bon côté, et là-dessus il n'a pas changé. C'est un garçon qui donnerait sa chemise pour ses amis. Mais des amitiés, il en a trop. Et toutes à sens unique. Combien tu en as vu, de ces amis, aux obsèques ? Pas un seul. Toi, tu y étais. Je t'ai vu à l'église. Mais les autres ?

Elle s'interrompit d'un coup. Spotorno ralentit parce qu'ils étaient déjà à l'entrée de Mondello ; il ne voulait pas arriver trop vite.

Tu vois, reprit-elle, sans le vouloir, j'en parle comme s'il était encore vivant, comme si l'on ne venait pas de l'enterrer. La douleur, la vraie douleur, elle va venir plus tard. Cette nuit. Ou dans la nuit de demain. Toi, tu es fils unique et, ces choses-là, tu ne peux pas les comprendre.

Spotorno comprenait trop bien, mais il ne protesta pas.

Ses amis, ce sont eux qui l'ont coulé. Plus il était dur et ombrageux envers nous, plus il devenait disponible envers ces mêmes types auxquels il venait à la limite de faire une crasse. Une fois, j'ai trouvé exactement ce qui caractérise Rosario : le mal de vivre. Ça lui collait à la peau. La vérité, c'est que ça devait arriver : sans le savoir, Rosario courait à sa perte. Il n'a jamais réussi à garder un travail plus de deux mois : DJ dans des boîtes, animateur dans des villages de vacances, vendeur au porte-à-porte, speaker dans une radio libre... Avec un ami, il avait même monté une pizzeria. En cachette de papa, maman lui avait donné des sous. Tu peux imaginer comment ça a fini. Il tapait même de l'argent à Nunzia qui, tu le sais, se serait jetée du haut du mont Pellegrino pour lui. Peut-être a-t-il continué ainsi jusqu'à la fin. Mais qui peut l'interroger maintenant ? Et quelle importance, d'ailleurs ?

Et l'agence de ton mari, quel rapport avec Rosario ?

L'agence, à l'origine c'est celle où notre père a travaillé jusqu'à la retraite. Papa y était comptable. Il n'avait pas fait beaucoup d'études, tu sais, mais il était extrêmement pointilleux et surtout rigoureux. On aurait dit qu'il était né pour ce genre de travail. C'était une petite agence, Corso Olivuzza. Aujourd'hui, elle s'appelle Beltramini Travel. C'est là que nous nous sommes connus, Manlio et moi. À l'époque, papa allait prendre sa retraite et, quand il pleuvait, j'allais le chercher en voiture. Bon, Manlio est originaire d'un village de la région de Milan, mais il avait fait son service militaire ici, et ça lui avait plu. Au départ, il disait souvent que Palerme offrait de grandes possibilités à qui avait envie d'entreprendre. Maintenant, il a peut-être changé d'avis, mais c'est trop tard, il y a les enfants, et moi-même je refuserais de déménager dans une autre ville. Toujours est-il que, à l'époque, quand il a lu l'annonce passée par le vieux directeur de l'agence dans une revue spécialisée, il a envoyé son curriculum vitae et, après une période d'essai, il a été engagé sans problème : il avait déjà une certaine expérience dans ce domaine, y compris à l'étranger, et parlait bien l'anglais. Et puis il y a bénéficié de circonstances favorables : le vieux directeur n'avait pas d'héritier et il aimait beaucoup Manlio.

Elle hésita un instant, puis reprit :

C'est quelqu'un qui sait s'y prendre, quand il veut.

Et quand il veut, toi tu voudrais qu'il ne veuille pas, lui dit Spotorno.

Il avait lancé ça à l'aveuglette et il s'en repentit, car Maddalena avait baissé sa garde. Il ne manquerait plus, surtout aujourd'hui, qu'il fasse pleurer cette femme visiblement désenchantée par la vie.

C'est si évident ? dit-elle. À en juger à sa voix, un peu trop maîtrisée, elle devait être au bord des larmes.

Mais ne va pas penser à mal. Manlio est un brave garçon. Affectueux, attentionné, un père parfait. Et un grand travailleur. Mais il a cette... mentalité. Inutile d'évoquer son origine milanaise : chez nous, c'est bien pire.

Spotorno le savait. Il remit la discussion sur les rails :

Donc le vieux directeur a passé la main à ton mari ?

Oui. Il n'en pouvait plus. Il lui a cédé l'affaire à des conditions très avantageuses.

Et Rosario, qu'est-ce qu'il a à voir avec tout ça ?

Tu penses qu'avec un frère à la dérive, je n'aurais pas été jusqu'à faire des faux papiers pour le placer dans l'agence ? Même comme factotum, s'il avait accepté. Ce qui s'est passé, tu peux l'imaginer, je n'ai pas besoin de te faire un dessin. Ça s'est passé comme d'habitude. Moi, je cherchais à retenir Manlio, qui, au bout d'une semaine, lui aurait volontiers fait la peau à Rosario... : rendez-vous oubliés, clients traités comme des chiens, engagements non respectés... Inutile d'insister. Si encore les affaires avaient bien marché ! Mais non, cette maudite crise n'en finit pas : chaque fin d'année, on se demande si on va s'en sortir ou pas. Et, chaque début d'année, on sait qu'il faut à nouveau se retrousser les manches et ramer de plus belle. Tout ça, c'est ce que dit Manlio. Moi, jusqu'à présent, je ne vois ça que de loin ; je ne m'occupe pas de la gestion de l'agence. Je vais seulement donner un coup de main à l'occasion parce que je ne peux pas laisser trop longtemps les enfants seuls... Tu vois, si les choses étaient allées mieux, j'aurais convaincu Manlio de salarier Rosario, quitte à le payer pas grand-chose. Pour ce qu'il pouvait faire, d'ailleurs... Mais, voilà, avec deux enfants encore jeunes... C'est ça que je voulais dire l'autre jour.

Bien sûr. Mais ce que je ne comprends pas, c'est ce que faisait Rosario avec ce gibier de potence. Nous savons qu'il l'avait accompagné acheter du poisson, et que ce n'était pas la première fois. Nous savons aussi que Mancuso, à qui l'on avait retiré son permis, utilisait occasionnellement Rosario comme chauffeur. Mais d'où sort-il ce Mancuso ? Tu le connaissais ? Rosario en parlait-il avec toi ? Avec sa mère ? avec quelqu'un ?

Tu crois que Rosario était un type à se confier à sa mère ? On voit que tu as oublié comment il était ! Il parlait éventuellement à Nunzia. Mais elle ne te dira rien. Tu sais, à un moment, je me suis demandé si Nunzia et lui... Mais qu'est-ce que je vais raconter ! La pauvre ! Elle est seule comme un chien ; elle n'a personne. Pour elle, Rosario était comme un fils. Et maintenant qu'il n'est plus là...

Elle poussa un long soupir, presque un sanglot prolongé – comme l'introduction à une phrase difficile à dire :

La vérité, c'est qu'il ne m'a jamais pardonné mon mariage avec Manlio. Tous les deux, ils sont comme chien et chat. De caractère, de mentalité, à tous points de vue. Mais, à sa façon, et sans jamais l'admettre, Rosario est fou des enfants. Il dit qu'ils me ressemblent. Et, sans vouloir manquer de respect à Manlio, qui ne le mérite pas, il a peut-être raison. Tu vois, c'est drôle, je recommence à en parler au présent.

Spotorno bouillait d'impatience. Avec toute autre femme,

il aurait déjà changé de sujet depuis belle lurette et, surtout, il aurait donné un autre tour à cet interrogatoire qui n'avouait pas son nom. Mais, une fois de plus, il opta pour le compromis :

Tu te rappelles ce que tu m'as dit avant de nous quitter Via Zara, dimanche dernier ? Tu m'as demandé d'attraper ceux qui avaient tué Rosario. Mais tu sais bien que, dans cette ville, identifier les commanditaires et les exécutants d'un contrat mafieux, ce n'est pas facile. Ne parlons même pas de leur mettre la main dessus : au moindre signal de danger, ils disparaissent ou, pire encore, on les fait disparaître. Or, dans nos bureaux, il passe un tas de mouchards. Pareil chez les juges. Il y a des informations secrètes qu'on ferait mieux d'afficher sur les murs de la ville. Si ton frère avait été la victime désignée, à cette heure-ci nous ne serions pas là. Toi, ton mari et peut-être aussi ta mère, vous seriez à la Brigade, entourés de flics qui ne vous laisseraient même pas le temps de respirer avant de vous avoir retourné comme une chaussette. Et je n'y pourrais rien. C'est ce qui est arrivé à la famille de Mancuso. Nous ne savons même pas si l'élimination de Mancuso relève d'une sorte d'opération chirurgicale à l'intérieur de son secteur ou si c'est le début d'une nouvelle guerre mafieuse ou encore s'il s'agit d'un épisode externe, lié à je ne sais quoi. Alors tout ce que nous pouvons apprendre sur les rapports entre Mancuso et Rosario, sur les circonstances de leur rencontre, leurs fréquentations communes, peut nous aider à comprendre pourquoi, et surtout *qui*. Qui peut avoir commandité ou exécuté la chose. C'est pourquoi je te demande de faire un effort et de répondre par oui ou non : Toi, est-ce que tu l'as jamais vu, ce Mancuso ? Savais-tu que Rosario le fréquentait ? Et savais-tu pourquoi ?

Non. Avant de voir sa photo dans les journaux, à côté de celle de Rosario, je ne savais même pas quelle tête il avait. Et je ne savais même pas que Rosario le fréquentait. Donc je ne peux pas savoir les raisons pour lesquelles...

Spotorno avait vu naître et s'évanouir aussitôt la possibilité de poursuivre la discussion. Dans la tête de Maddalena se déroulait un véritable combat entre les liens du sang et le reste. À la fin, c'est le lien du sang qui l'emporta :

S'il y avait à ta place l'un de tes collègues, je n'ajouterais pas un mot. D'ailleurs ne va pas croire que ce que je vais te dire relève de je ne sais quel secret. Ce n'est qu'une impression. Et je le dis à Vittorio, l'ami, et non au commissaire Spotorno.

C'était moins une déclaration qu'une requête. Le commissaire aurait pu la bousculer, mais l'ami jugea plus sage de ne pas ouvrir la bouche.

Maddalena se mit à parler avec difficulté :

C'est peut-être quelque chose sans importance, mais ça m'a tout de même frappée même si je n'ai pas eu le temps d'y penser. Comme je devais m'occuper de ma mère, qui a eu un petit malaise cardiaque, sans parler des enfants, je ne pouvais pas rester pendue au téléphone pour prévenir Manlio, qui se trouvait en Calabre. J'ai demandé à l'employée la plus âgée de l'agence de s'en charger. Et, quand elle a réussi à le joindre, elle n'a pas eu le courage de lui annoncer ça à brûle-pourpoint. Elle lui a seulement dit que Rosario avait eu un accident, que c'était très grave, et qu'il devait rentrer tout de suite. C'est moi qui lui ai appris la nouvelle dès qu'il est arrivé. Quand il a su que Rosario était mort dans un attentat, crois-moi, il a été bouleversé. Même s'ils étaient comme chien et chat, Manlio, à sa manière, l'aimait bien. C'est un type gentil, Manlio, je te l'ai dit. Et puis il était désolé pour moi parce qu'il savait combien j'aimais mon frère. De ma famille, il ne me reste plus désormais que ma mère : elle a une santé à toute épreuve, mais le coup de Rosario, elle ne s'en remettra pas. Enfin, ce qui m'a frappée, au point que je m'en suis souvenue malgré le chagrin et tout ce que j'avais en tête, c'est que, quand il a appris l'identité de l'autre mort, eh bien, il est passé de la tristesse à la peur. Oh, rien de concret, juste un changement d'expression, mais, après tant d'années de mariage, si une femme n'est pas capable de saisir ce qui se passe sur le visage de son mari… Oui, il était mort de peur, Manlio. Or, pour ce que j'en savais jusqu'alors, ce Mancuso, il ne le connaissait même pas de vue. Évidemment, je me trompais. Bon, maintenant, je dois y aller, sinon…

Depuis quelques minutes, ils étaient arrivés Via Zara, et le commissaire avait arrêté sa voiture Piazza Cassa di Risparmio. Les dernières phrases de Maddalena avaient été prononcées moteur éteint.

Spotorno avait encore bien des questions à poser. Mais il avait lui-même besoin de digérer les derniers éléments que lui avait fournis Maddalena. Quand elle retira ses lunettes noires, il comprit qu'elle n'avait pas fermé l'œil de la nuit. Un léger remords lui effleura la conscience, sans plus. Il descendit lui ouvrir la portière et elle sembla surprise de cette courtoisie désuète. Ils se serrèrent la main.

Veux-tu venir saluer maman ?

Il fit non de la tête.

Si tu as besoin qu'on parle encore, c'est possible. Et même si tu n'en as pas besoin. Téléphone-moi. Notre numéro est dans l'annuaire : Beltramini Manlio, il n'y en a qu'un. J'aimerais aussi connaître ta femme et tes enfants. Ils doivent être beaux, ces petits, comme toi quand tu étais gamin.

Elle se retournait déjà pour le quitter, puis elle s'arrêta et dit :

Pourquoi as-tu choisi ce métier, Vittorio ?

Elle s'éloigna sans attendre la réponse qui, du reste, ne serait jamais venue.

Chapitre VIII

# La Dame blanche de la Via Ponticello

Une autre année a filé, pensa Spotorno. Depuis qu'il était enfant, l'année débutait pour lui le jour où les employés de la mairie commençaient à installer les illuminations du *Festino* en l'honneur de Sainte-Rosalie. Un événement mobile dans le temps, qui le prenait chaque fois par surprise. Du reste, chaque année, la durée des festivités se trouvait allongée ou raccourcie moins en fonction de l'humeur populaire que des aléas des finances locales.

La seule chose certaine, c'est que, la nuit du 14 juillet, comme chaque année, des centaines de milliers de ses concitoyens resteraient le nez en l'air pour contempler les feux d'artifice rituels. Le jus des pastèques leur dégoulinerait sur le menton, lavant les traces d'ail et de persil laissées par les masses d'escargots ingurgitées au mépris de leur pylore. Tel était du moins l'avis de Spotorno : personnellement, les escargots lui restaient toujours salement sur l'estomac. En un mot, les *babbalucci* lui portaient préjudice, comme l'insinuait à la cantonade son vieil ami et compère La Marca, à la condition expresse que Spotorno fût à portée de voix, car sinon l'humour débile de son copain eût perdu tout son sel.

Le commissaire ralentit pour vérifier le style de décoration adoptée cette année pour le Corso Vittorio Emanuele : de simples arches de lumière, comme il les aimait, mais si proches les unes des autres qu'elles en formaient un tunnel étincelant qui partait de Porta Nova pour finir, en beauté, un kilomètre plus bas, dans l'estuaire de Porta Felice. Spotorno se promit d'emmener sa femme et ses enfants voir ça le lendemain soir. C'était un de ces vieux rites auxquels Spotorno sacrifiait, plus scrupuleusement encore que d'autres, pour d'obscures raisons.

Cette année, il lui faudrait aussi tenir une autre promesse, extorquée depuis des lustres par les enfants : les emmener voir les feux d'artifice depuis la mer, au large de la Marina. Promesse en l'air, trop souvent éludée, mais qu'il convenait d'honorer s'il voulait garder un minimum de sa crédibilité de père.

Puleo qui, évidemment, disposait d'un permis bateau, offrait de les accompagner, lui et toute la famille. Il avait même réussi à louer à un pêcheur une petite barque à moteur, amarrée au port de l'Acquasanta. De là, ils rejoindraient Foro Italico, en avance, afin de s'assurer une bonne place parmi les myriades d'embarcations qui, chaque année, dans la nuit du 14 au 15 juillet, s'agglutinaient là. Ce Puleo était toujours plein de ressources, grâce aux contacts qu'il cultivait avec tant d'art, au travail comme dans le privé.

À peine Spotorno eut-il vidé sa première tasse de café de la journée – la première au bureau, car si on lui avait retiré sa demi-cafetière matinale à la maison, il n'aurait même pas été capable de se traîner dehors sur ses deux jambes – et jeté à la corbeille le gobelet en plastique que Puleo lui tendit les photos qu'on avait prises aux funérailles de Mancuso. Puis son collaborateur retourna éplucher la liste du personnel qui travaillait au département universitaire, personnel dont faisait partie l'ex-motard bienheureux, Salvatore Scannariato, dans l'espoir qu'un nom provoque un éclair, un souvenir, une quelconque connexion. Il avait réparti les pages de la liste auprès de ses collègues, mais aucun n'avait encore rien trouvé.

Aux obsèques de Mancuso, l'église était pleine : il y avait bien la moitié de son quartier. Spotorno feuilleta rapidement les clichés, sans s'arrêter sur les visages, mais s'attarda sur ceux du cimetière, d'ordinaire les plus intéressants car, en plein air, de petits groupes se forment, les gens regardent autour d'eux, bougent, se contrôlent moins.

La demeure mortelle des Mancuso se trouvait elle aussi aux Rotoli, dans une partie à peu près aussi éloignée que celle des Alamia. On voyait qu'elle avait été restaurée peu de temps auparavant : le marbre était neuf, brillant, surchargé de vases intégrés, de stucs et de dorures. En fait, la sépulture rappelait la décoration intérieure de la maison des Mancuso, comme si la famille avait commandé en même temps et au même décorateur la maison des vivants et celle des morts. À cela près qu'elle était exposée ici aux yeux de tous. À croire que les Mancuso défunts avaient opté pour une ostentation dans la mort que la prudence leur avait interdite d'afficher dans la vie.

Spotorno ne semblait pas pressé d'examiner les photos : il les étala sur la table, les remit en pile, reprit le tas en main et, enfin, les ouvrit en éventail, comme des cartes à jouer. Grâce à quoi, d'ailleurs, il repéra un visage, fortuitement valorisé par les bords des deux photos qui l'encadraient.

Il retira délicatement le cliché entre le pouce et l'index et se mit à l'étudier soigneusement, tout en sentant l'amorce d'un frisson lui monter le long du dos.

Le visage était plutôt flou, le photographe ayant fait le point sur un type que Spotorno jugea tout à fait insipide. Il chercha le visage sur d'autres photos, jusqu'à ce qu'il le retrouve parfaitement net. Le frisson se transforma en excitation pure. Pourtant, Spotorno n'était pas encore sûr à cent pour cent.

Il tendit la main vers les photos prises à l'église, qui étaient meilleures que celles du cimetière. Il eut de la chance, parce qu'il trouva tout de suite un gros plan. Il l'examina attentivement, avant d'appeler Puleo et de lui mettre la photo sous le nez :

Qui est cette femme ?

Puleo vérifia le numéro d'ordre du cliché, chercha dans la liste qu'il tenait. Évidemment !

Ah, voilà ! Aurora Caminiti, trente-quatre ans...

Qu'est-ce qu'elle faisait aux obsèques ?

... cousine du défunt, du côté maternel...

Puleo continuait à lire ses notes, mais Spotorno était passé en pilotage automatique et avait cessé de l'écouter. Un peu par principe, un peu par déformation professionnelle, il ne croyait pas aux coïncidences ; pourtant il ne voyait pas, dans ce cas, comment décrypter les faits. Si, le dimanche qui avait suivi le traquenard, il n'avait pas eu la fantaisie d'aller à pied Via Zara, ce visage n'aurait rien évoqué pour lui au milieu de tous ces clichés.

La Dame blanche de la Via Ponticello. C'est le nom qu'il lui avait alors donné spontanément, celui sous lequel elle resterait désormais enregistrée dans ses archives mentales.

Elle devait avoir une maison Via Ponticello. Ou rendre visite à un parent proche, une amie, un amant, ou quelque chose de ce genre. Et elle devait drôlement être attachée à son cousin défunt pour avoir sur le visage cet air de désolation qui avait tant frappé Spotorno quand il l'avait croisée dans la ruelle.

Où habite-t-elle ? demanda-t-il à Puleo.

Via Nave. Je ne sais pas où c'est. Attendez un instant, je cherche sur le plan.

Spotorno l'arrêta d'un geste. Il savait où se trouvait cette rue. Assez loin de la Via Ponticello. Mais comme il avait repéré la porte d'où était sortie la femme, il n'aurait pas trop de mal à remonter jusqu'à l'appartement d'où elle venait.

Son apathie s'était envolée. Il humait l'air comme un lion quand il repère la trace d'une gazelle dans la savane. Lui non plus ne manquait pas de flair.

Dis-moi, Save, parmi tous ces noms que tu as sous le nez, y a-t-il quelqu'un qui habite Via Ponticello ?

L'autre le regarda un rien étonné, mais sans poser de question, et parcourut ses listes.

Non, personne.

Qu'importe. L'état d'euphorie dans lequel cette photo l'avait jeté provoqua une réaction en chaîne, une sorte de retour de flamme de la mémoire ; il se mit à remonter les réponses de Puleo et en isola quelques fragments qui suscitèrent une nouvelle effervescence :

Répète un peu ce que tu m'as dit après Aurora Caminiti, trente-quatre ans…

… Cousine du défunt, du côté…

Ça, je l'ai retenu. Mais qu'est-ce que tu as dit après ?…

Rien. Seulement le nom de son mari : Diego Sala, fils de Melchiorre Sala et d'Anna Maria Cirrincione, né le…

Spotorno l'arrêta d'un mouvement de la tête et reprit en main les photos. À présent il les examinait sans hâte.

Des années de métier l'avaient rendu physionomiste, malgré ses exécrables dispositions naturelles. Mais cette fois, sans les renseignements de Puleo, il n'aurait jamais reconnu Diego sous ces traits massifs, alourdis, au nez désormais prédominant, au menton de plus en plus carré. Mais ce qui l'avait induit en erreur, c'était les cheveux. De la masse de cheveux blonds, presque blancs, du jeune Diego Sala, il ne restait plus qu'une sorte de petite moquette grisâtre, clairsemée et rasée de très près, qui aurait trompé jusqu'à sa mère, si jamais elle n'avait pu suivre les transformations physiques de son rejeton.

Diego était donc le mari de la Dame blanche de la Via Ponticello. C'était la journée des coïncidences. Spotorno isola tous les clichés où ils figuraient l'un ou l'autre. Sur certains, ils apparaissaient ensemble : Diego, le visage impénétrable ; La Dame blanche, les traits tirés. On aurait dit qu'elle sortait d'un lifting raté. Pourtant son visage exprimait une douleur qui émut presque Spotorno. Et un sentiment de solitude sans espoir.

Je me trompe peut-être du tout au tout, pensa Spotorno. Est-ce qu'on peut tirer de simples photos des conclusions de ce genre ? Mais il repensa à la rencontre de la Via Ponticello. S'il avait tenté sur le moment d'accrocher une étiquette à l'état d'âme qu'exprimait la dame, il aurait usé des deux mêmes mots : douleur et solitude. Pire que solitude : isolement.

Qu'est-ce que nous avons comme informations sur Sala ?

Rien, répondit Puleo, qui, toujours judicieux, s'était déjà renseigné. Il est blanc comme neige.

Spotorno ne s'en étonna pas. Il avait posé la question par habitude. Si Diego avait eu des précédents judiciaires, il l'aurait su. Bien qu'ils se fussent plus ou moins perdus de vue à l'époque où ils avaient cessé de voir Rosario, si Spotorno avait trouvé le nom de son ami dans un rapport de police, dans un arrêt de justice ou même dans un article de journal (il ne sous-estimait jamais la rubrique des faits divers), ça ne lui aurait pas échappé.

La famille de Diego avait continué de vivre dans la bourgade de la côte nord-est que la famille de Spotorno avait quittée quand Vittorio était rentré dans le secondaire. Mais, à la différence de ce qui s'était passé pour Rosario, dont Spotorno avait continué de suivre les traces, fût-ce de façon accidentelle ou occasionnelle, il ignorait tout de la vie de Diego.

En réalité, ils ne s'étaient jamais vraiment liés, Diego et lui. Diego était un gamin trop tyrannique. Et, bien qu'il n'eût guère que deux ans de plus que lui, il paraissait beaucoup plus mûr aux yeux de Vittorio. Rosario et lui essuyaient souvent la rudesse de son caractère. Et, d'après ses souvenirs, même Rosario ne partageait pas grand-chose avec lui.

En repensant au temps passé, et en dépouillant de tout sentimentalisme ce qu'Amalia aurait appelé, non sans sarcasme, *la saison bénie de l'enfance*, Spotorno dut reconnaître que le dénominateur commun de leur amitié tenait à la solitude.

Quand ils étaient adolescents, avant que l'explosion urbaine des années suivantes ait dévasté les petites stations balnéaires et bétonné la côte, leurs familles habitaient des maisons un peu isolées encore entourées de champs, tandis que tous les autres garçons de leur âge vivaient de l'autre côté du village et formaient un groupe d'autant plus à part que nombre d'entre eux sacrifiaient leurs moments de liberté et même parfois les heures de classe, pour donner un coup de main à leurs pères, ouvriers agricoles ou pêcheurs pour la majorité.

Parfois, saisi par le démon pédagogique, Spotorno racontait à ses enfants une histoire de sa propre enfance, du temps de l'école primaire, celle d'un certain Ruisi qui s'était endormi en classe, la tête posée sur ses bras croisés, parce qu'il s'était levé à quatre heures du matin pour aller en bateau lever les filets avec son père et ses frères. À la stupéfaction de tous, la très sévère mademoiselle Lo Giudice, loin de le réprimander, avait fait mine de ne rien voir et même baissé la voix pour ne pas le réveiller.

Vittorio, Rosario et Diego étaient donc considérés comme des garçons privilégiés, parce que leurs pères avaient un emploi stable, et assez de moyens pour leur éviter, à tous trois, d'avoir droit à la cantine.

C'était une autre époque, pensa Spotorno, conscient d'émettre un lieu commun. Les choses avaient changé. Il se souvenait qu'au moment où il entamait sa carrière dans la police, il avait rencontré Ruisi déjà marié, père de famille et, désormais, propriétaire d'une boulangerie.

Mon diplôme, c'est ma boulangerie, lui avait dit Ruisi qui, après le secondaire, aurait pourtant bien aimé poursuivre ses études. Il lui avait parlé des travaux qu'il avait entrepris pour embellir sa maison, et Spotorno s'était retrouvé, faute de mieux, en train de calculer combien il avait fallu cuire de pains et de brioches au brave Ruisi pour économiser les cinquante millions de lires nécessaires à son revêtement de marbre précieux et à ses tapis persans achetés au mètre carré.

Il s'aperçut qu'à force de divaguer il allait perdre le fil d'un possible élément d'enquête. Il était comme ça depuis toujours ; il devait se maîtriser. Personne n'aurait jamais soupçonné cette tendance à broder autour d'un prétexte introspectif, qui le conduisait d'ailleurs souvent au bord de la mélancolie. Personne, excepté Amalia, évidemment. Et, peut-être, Puleo...

Il se secoua. Que savons-nous d'autre sur ce Sala ? demanda-t-il à Puleo. Métier ? Amitiés ? Relations ?

Rien, monsieur le commissaire. Nous n'avons rien d'autre. Mais on y travaille déjà. Ce Mancuso avait une parenté très ramifiée : des oncles, des tantes et des cousins partout. Il faut un peu de temps. Faut-il donner la priorité à ce Sala ?

Oui. Découvre tout ce que nous pouvons apprendre.

Une autre décision à assumer. Car, à vue de nez, Spotorno pensait que la Dame blanche de la Via Ponticello était plus prometteuse – néanmoins sans nourrir trop d'illusions. Son choix ne relevait pas seulement du professionnalisme. Il était toujours surpris de la précision graduelle qu'il mettait à affiner la personnalité d'une femme à laquelle il s'intéressait. Ça lui arrivait souvent. Pourquoi faire une exception avec celle-là ?... Comment s'appelait-elle déjà ?... Ah, oui, Aurora Caminiti, trente-quatre ans, par ailleurs épouse de son ancien camarade de jeu...

Même les photos ne réussissaient pas à dissimuler la blancheur de son teint, encore valorisée par la proximité de tous ces visages tannés et ces vêtements de deuil. Qui sait si, dès leur rencontre, elle et Diego ne s'étaient pas accordés en raison de leur mutuelle pâleur ?...

Il se flagella mentalement pour cette énième pensée futile de la journée.

En tout cas, la Dame blanche, il se la réserverait. Il devait d'abord comprendre d'où sortait cette femme, qui elle était allée trouver ce dimanche matin, moins de vingt-quatre heures après la tuerie de la Zisa.

Il serait volontiers parti sur-le-champ pour la Via Ponticello, mais il avait une série de réunions parfaitement insipides avec le chef de la Brigade mobile et avec ses collègues. En haut lieu, on exigeait des résultats. Il fallait faire semblant de s'agiter davantage, jouer un peu la comédie, montrer qu'on avait du nerf, arrêter au moins les suspects habituels. Et, surtout, ménager les communistes, sinon les gens de Rome...

Les réunions durèrent plus que prévu, parce que le préfet de police y assistait en personne ; il lui revenait donc de décider quand on en aurait fini.

À deux heures passées, Spotorno put enfin passer un coup de fil chez lui pour savoir comment ça allait. Amalia, à peine rentrée, était hors d'elle à cause d'une de ces exténuantes réunions pédagogiques, prétexte à de solennelles promesses de garantir l'immutabilité du système de l'Éducation nationale. C'est du moins ce qu'Amalia soutenait.

Spotorno lui annonça que, cette fois encore, il déjeunerait en ville. Comme s'il avait été nécessaire de le préciser... Les jours où il rentrait à la maison étaient si rares qu'Amalia finissait toujours par être prise de court quand c'était le cas, et c'est ainsi que monsieur le commissaire, comme elle l'appelait parfois quand elle se sentait d'humeur agressive, devait se contenter d'une boîte de thon et d'une salade de tomates, agrémentée, dans le meilleur des cas, de câpres, d'une pincée d'origan ou de quelques feuilles de basilic. Les jours fastes, il avait droit à deux œufs au plat.

Bon, on y va, Save.

De temps en temps, il emmenait Puleo déjeuner avec lui, sans trop se soucier que ça lui fasse plaisir.

Or Puleo, ce jour-là, aurait justement préféré rentrer chez lui, où l'attendaient les restes abondants du dîner de la veille : des *bucatini con l'anciova rossa*, c'est-à-dire avec une sauce aux anchois, concentré de tomates, raisins secs, pignons et mie de pain sautés, un plat qui avait conquis du premier coup le jeune Napolitain, au point de soigner la prononciation locale de chacun des ingrédients. Réchauffées avec un filet d'huile d'olive et une bonne pincée de piments fraîchement hachés, les pâtes à *l'anciova* étaient encore meilleures, surtout si l'on avait la patience de les faire légèrement sauter, jusqu'à les rendre presque croquantes mais, attention, sans dessécher la sauce crémeuse. Puleo y pensait depuis le matin, avec une volupté anticipée.

Mais il ne souhaitait aucunement contrarier son supérieur. D'ailleurs, ça ne lui déplaisait pas de rompre un peu avec la routine. Il se laissa conduire à pied jusqu'à la nouvelle trattoria que, sous la houlette d'un de ces prêtres qui ne s'en laissent pas conter, un groupe d'adolescents du quartier avait ouverte au rez-de-chaussée d'un très vieil immeuble dans une ruelle de l'Albergheria qui débouchait pratiquement derrière la Brigade mobile.

Spotorno commanda pour lui un plat de *pasta margherita con l'anciova rossa*, sans comprendre le coup d'œil mi-vindicatif mi-nostalgique que lui lançait Puleo. Lequel se rabattit sur un copieux plat de légumes bouillis, qu'il assaisonna d'un long trait d'huile d'olive et de jus de citron.

Le commissaire, plus loquace qu'à l'ordinaire, ressortit de vieilles histoires de son enfance, si bien qu'il en finit même par parler de ses enfants. De retour au bureau, il se trouva coincé par une autre série de réunions avec les hautes sphères, dont il ne réussit à s'échapper qu'à la fin de l'après-midi.

Quand il sortit, il fila sans hésiter, par les Biscottari, vers la Via Ponticello sans regarder autour de lui, de son pas habituel de flic en chasse. Il arriva en nage devant la porte d'où il avait vu sortir la Dame blanche.

Une porte en bois, à deux battants, fermée, inexpugnable. Aucun interphone, ni sonnette, ni heurtoir, pas même une carte de visite punaisée. Deux fils électriques, dont l'extrémité était entortillée dans du chatterton, sortaient d'un trou pratiqué dans le mur de droite, seuls vestiges d'une possible sonnette et d'une éventuelle plaque avec le nom du propriétaire ou du locataire. Spotorno eut l'impression qu'on était en train de faire des travaux dans la maison.

Il s'éloigna de quelques pas et étudia les lieux. La porte, ornée de moulures, était encastrée dans un portail monumental qui contrastait avec l'aspect décati du reste de l'édifice.

Il nota la présence d'un mouchard grillagé, obturé de l'intérieur par un petit volet de bois. L'entrée était surmontée d'un arc sous lequel saillait une décoration à volutes dans laquelle était gravé un losange flanqué de deux demi-losanges. Au-dessus de cet arc, une fenêtre aux volets fermés. Plus haut, une porte-fenêtre à balcon où végétaient quelques géraniums anémiques.

À gauche, sur trois étages, il y avait d'autres balcons. Sur l'un d'eux, il repéra, suspendues à un fil, une drôle de paire de chaussettes d'homme et deux petites serviettes de toilette bicolores. À droite, il n'y avait que deux étages. Quant au rez-de-chaussée, il abritait une imprimerie dont le rideau était baissé. Aux alentours, d'autres boutiques, toutes fermées.

Spotorno regarda autour de lui, mais il n'y avait personne aux balcons des autres immeubles. Seuls quelques passants, d'ethnies diverses, pressaient le pas. Inutile de les interroger. Et puis que leur demander ? L'immeuble semblait être un de ces *palazzi* de la noblesse composite qui servaient d'épine dorsale au Ponticello. Les Quattro Mandamenti regorgeaient d'immeubles de ce genre qui abritaient pêle-mêle d'anciens princes déchus et des gens du peuple en train de grimper l'échelle sociale.

Il resta un petit moment, au cas où quelqu'un sortirait par la porte ou bien s'y présenterait pour entrer, scruta à nouveau les persiennes qu'on avait fermées pour se protéger de la chaleur, en espérant intercepter un mouvement, un geste, l'éclair d'une vitre ouverte. Rien.

Il tourna les talons et revint vers la Brigade. Il sentait bien que l'affaire méritait un supplément d'enquête.

En fait, ce ne fut pas nécessaire. Le soir, à la maison, Amalia le soumit à un feu de questions. Ça ne lui prenait pas souvent, mais, de temps à autre, elle lui demandait de raconter par le menu tout ce qu'il avait fait dans la journée.

Quand Spotorno lui parla de son inutile visite Via Ponticello, elle se fit décrire l'endroit. Puis elle le regarda avec stupeur :

Vittorio ! Il n'y a pas de plaque et pas de noms, parce qu'on est en train de faire des travaux ; ils en sont probablement à l'électricité. Cet immeuble abrite la Chapelle des Dames. Les jeunes filles de bonne famille se marient là. Ou du moins y aspirent. Comment peux-tu ignorer ça ?

Sans doute parce que je ne suis pas une jeune fille de bonne famille.

N'empêche, il avait blêmi sous l'affront : en effet, comment ne savait-il pas ça ?

Chapitre IX

# L'appel des tropiques chez madame Spotorno

Psuit… psuit… eh, vous, monsieur !

Spotorno se retourna. Le sifflement sortait des volets écaillés d'un rez-de-chaussée, quelques mètres plus loin. Derrière les battants à peine entrouverts, il aperçut un nez busqué et un menton pointu qui convergeaient idéalement vers un point situé entre les deux, c'est-à-dire une bouche semblable à une trappe. Un dispositif parfaitement conçu pour émettre des sifflements de grande qualité.

Spotorno pointa son index sur sa poitrine avec un air interrogatif.

Oui, vous. Vous cherchez qui ? Je vous ai déjà vu hier soir. Vous observiez tout.

C'était une petite septuagénaire. Curieuse. Seule. Qui s'ennuyait. Et sans doute malveillante.

Vous venez d'où, vous ? Vous seriez pas étranger, des fois ? Vous êtes pas de Messine ? Non, de Catane ! Mon pauvre époux, lui, il venait de Motta Sant'Anastasia.

Spotorno opina du chef à tout, sans faire dans le détail. La vieille devait passer la plupart de son temps, planquée derrière ses persiennes fermées, à épier les passants et la vie de ce bout de rue. Il chercha à chasser toute trace d'accent palermitain :

On m'a dit qu'il y a une vieille église par là. Vous pouvez me renseigner ?

La vieille sauta sur l'aubaine. Un événement pareil, une figure nouvelle, un brin de causette, ça ne se refuse pas.

C'est autrement mieux qu'une église. C'est un truc de nobles, ça. C'est dans cette église, autrefois, que s'est mariée la princesse de Tinchité. À l'époque, c'était quelqu'un de plus important que la reine !

Qui diable pouvait bien être cette princesse de Tinchité ? Spotorno passa rapidement en revue ses vagues connaissances dans ce domaine. De vieux noms aristocratiques lui revenaient en mémoire pour la plupart associés à des noms de palais en état de décrépitude plus ou moins avancé. Pas un ne se rattachait à la fameuse princesse.

La vieille le regardait d'un air malin. C'est clair, se dit Spotorno, ce nom, elle l'a inventé. La porte de l'édifice de la Via Ponticello était fermée comme le jour précédent. Aucune trace de vie à l'intérieur.

Si on veut visiter l'église, qu'est-ce qu'on doit faire ? Une demande officielle auprès du cardinal ?

Dites donc, vous êtes baron ou quoi ? Ou alors, vous voulez vous marier ? Non, vous me semblez un peu vieux pour ça. Et puis, c'est pas une alliance que vous avez au doigt ? Ah, j'ai compris : vous avez une fille à marier ! Maintenant, on ne se marie plus si jeune. Les fiancées qui arrivent ici sont toutes à demi faisandées. Ma grand-mère, la pauvre, elle disait toujours : à quatorze ans, ou tu la maries ou tu l'égorges. Moi, j'avais quinze ans. Et mon mari, le pauvre, il en avait dix-huit. Il a commencé comme manœuvre et a fini contremaître. Il est mort enseveli sous du béton qu'on déchargeait. Il était jeune encore, il aurait pu…

Spotorno fit mine de s'éloigner.

Le dimanche ils disent parfois la messe, déclara *in extremis* la vieille, alors que Spotorno n'était presque plus à portée de voix.

Il s'arrêta.

À quelle heure ?

Ça dépend. Tantôt à onze heures, tantôt à midi, tantôt l'après-midi… C'est que les nobles, ça n'aime pas se lever de bonne heure. Après la messe, on verrouille tout.

Spotorno hocha la tête et se remit en marche. Puis il eut un repentir. Il avait pris les photos de la Dame blanche et de Diego au cas où il trouverait la chapelle ouverte. Il revint sur ses pas et, tirant les photos de sa poche, il demanda à la vieille :

Cette dame, vous ne l'avez pas déjà vue sortir d'ici ?

Pouah, quel teint ! On dirait un emplâtre. Qui c'est ? Une princesse ?

Oui, la nièce de la princesse de Tinchité.

Et qu'est-ce que vous avez à voir avec elle ? C'est pas votre dame, par hasard ?

C'est ma sœur, siffla aigrement Spotorno. Puis il réussit à contrôler ses nerfs.

C'est pas possible, dit la vieille, cette femme est blanche comme un linge, et vous, vous êtes plutôt du style beau brun.

Je vais finir par lui rentrer dedans, pensa-t-il.

Mais la vieille s'était, elle aussi, fatiguée de ce petit jeu :

Elle vient chaque dimanche où on dit la messe. Et aussi pour les mariages. Tous les mariages, même, et ça depuis deux mois. La première fois que je l'ai vue, c'était après Pâques.

Et cet homme, l'avez-vous déjà vu ?

La vieille examina la photo de Diego :

Ben, c'est lui son frère, c'est pas vous ! Ils sont aussi délavés l'un que l'autre.

Spotorno se retint de l'attraper par le cou et de la secouer.

Et, lui, vous l'avez déjà vu ?

Nzzz... La vieille accompagna cette dénégation d'un mouvement sec de la tête en arrière. Une mimique de dénégation digne de figurer dans un traité d'ethno-anthropologie.

Spotorno repartit d'un pas décidé.

Mais le dernier mot, c'est la vieille qui l'eut :

Vous, vous êtes un flic. Faudrait quand même pas me prendre pour une idiote !

Les enfants se trouvaient chez leurs grands-parents maternels, à Punta Raisi. Amalia rentrait à peine du conseil de classe qui, naturellement, s'était prolongé jusqu'au soir. Elle avait ôté ses escarpins et s'était allongée sur le sofa, les yeux fermés, la tête reposant sur un des bras et les talons sur une pile de coussins :

Je suis claquée, dit-elle. J'aurais besoin d'une plage immense, déserte, une plage de sable blanc, une plage tropicale, à Cuba si possible, et je resterais là sans bouger une journée entière sous les palmiers à relire Teresa Batista et Dona Flor. Il faudrait aussi que, toutes les vingt minutes, quelqu'un m'apporte un daïquiri sans sucre, comme l'aimait Hemingway. Et aussi des mangues, des papayes et du lait de coco. Je veux une mer qui possède toutes les nuances de bleu et de vert qu'on voit dans les dépliants d'agences de voyage. Et puis un massage de quatre heures, un massage qui n'en finisse pas, dans les règles de l'art, et avec des baumes précieux et des huiles essentielles. En fond musical, Debussy et Ravel joués par Arturo Benedetti Michelangeli en chair et en os. Inutile de me rappeler qu'il est mort : je le sais bien. À minuit, je mangerais des poissons grillés au feu de bois. Quelqu'un s'occuperait de tout ; ça pourrait même être toi tout nullard que tu es. Et, pendant ce temps-là, je contemplerais le croissant de lune et une petite étoile. Eu égard à mes anciennes convictions communistes, je suis disposée à renoncer à ce que des esclaves m'éventent avec des plumes d'autruche. En revanche, pas question de transiger sur la durée de mon séjour : plusieurs semaines, jusqu'à ce que j'en aie marre. À propos, quels sont tes rapports avec Fidel Castro ?

Spotorno sourit en repensant à l'idéal communiste d'Amalia. Il se rappela leur première dispute sérieuse, quand il lui avait offert un livre qui s'intitulait *Mes enfants, marxistes imaginaires*. Elle l'avait refusé d'un air blessé.

Lui, n'ayant jamais été communiste, n'avait jamais dû renoncer à l'être. Cela lui pesait parfois comme une carence alimentaire. Mais un flic ne peut pas être communiste. Même dans la Russie bolchevique.

Quoi qu'il en soit, Amalia n'était pas une nouille. Elle arrivait épuisée à chaque fin d'année scolaire et savait qu'avant que Spotorno ne prenne sa retraite, il n'était pas question pour elle de plage tropicale, sinon sous la forme d'un poster dans la chambre des enfants. Quand le moment viendrait, ça n'aurait peut-être plus d'importance pour elle ; et peut-être même qu'entre-temps toutes les plages tropicales du monde auraient disparu. Pour lui, ce ne serait pas une frustration. Quant à Amalia, elle se rabattrait sur quelques excursions culturelles dans les capitales de la vieille Europe.

Spotorno la regarda pensivement :

En attendant de partir sous les tropiques, est-ce que tu m'accompagnerais à la messe dimanche prochain ? Amalia ouvrit des yeux grands comme des soucoupes. Il lui expliqua.

La première fois que Spotorno était entré dans le champ visuel d'Amalia, elle avait ressenti pour lui une furieuse antipathie.

C'était au premier grand festival pop qui ait jamais été organisé dans la ville : douze heures de musique par jour durant une semaine, dans le stade.

Ils s'étaient rencontrés le dernier soir, le soir où Duke Ellington avait joué. Ou plutôt la nuit, la dernière nuit, parce qu'il était onze heures passées quand l'orchestre s'était déployé sur l'estrade adossée au mont, surplombée par le château tout illuminé.

Puis le Duke était apparu. L'orchestre avait attaqué un morceau, et Amalia avait eu des frissons. Comme elle ne connaissait rien au jazz, elle aurait été bien en peine d'expliquer les raisons de son état, sinon rétroactivement, quand Lorenzo eut déclaré que cette interprétation de *Sophisticated Lady* était une exécution historique, qu'on pourrait raconter aux générations futures. Et puis cet histrion d'Ellington avait provoqué un coup de théâtre en allant chercher dans les coulisses un vieux trompettiste noir, un petit vieux si flageolant qu'il devait le soutenir par le bras. Le vieux avait soufflé dans son instrument le peu d'âme qui lui restait et il s'en était fallu de peu que la montagne ne s'écroulât sous les applaudissements.

Ces deux événements (son premier regard sur Spotorno et le trompettiste noir) étaient devenus, avec le temps, pour Amalia, les catalyseurs d'une inéluctable chaîne d'associations mentales qui la jetait dans un état étrange où elle oscillait entre la béatitude et un léger sentiment de regret, qu'elle se refusait d'examiner de plus près.

C'était La Marca qui avait traîné Vittorio au stade.

À cette époque, Spotorno n'écoutait que de la musique classique, et, durant toutes ses études secondaires, il avait gardé son abonnement à l'association des Amis de la musique. Il n'avait jamais manqué un seul concert de Rubinstein, car, vu son âge, chacun de ses concerts passait pour son dernier récital. En réalité, Rubinstein était moins fragile qu'il n'y paraissait, et Spotorno ne se rappelait plus à combien de *derniers* récitals il avait assisté. Cinq ? Six ? Sept peut-être. Le jazz, en revanche, ne lui faisait ni chaud ni froid.

Amalia se le rappelait coincé, sur la défensive, avec cet inénarrable costume de lycéen endimanché et sa cravate unie. S'il n'avait pas été blanc et si jeune, on aurait pu le prendre pour un des musiciens de l'orchestre du Duke, mais en moins sympathique. Vittorio manifestait, selon elle, une sorte de dégoût, un sentiment de distance irrattrapable à l'égard du groupe dont elle faisait partie, alors vautrée sur un plaid, fumant des joints. En fait, Spotorno s'interrogeait seulement sur son médaillon frappé d'une sorte de fourche à l'intérieur d'un cercle, assorti d'ailleurs à son look de gitane, matérialisé par une longue jupe de coton aux couleurs vives qui lui tombait jusqu'aux chevilles.

Après les présentations, dont s'était chargé Lorenzo, ils avaient échangé un long regard. Pas plus. Dans la pizzeria, après le concert, vers trois heures du matin, ils s'étaient délibérément installés de part et d'autre de la longue table comme pour mettre entre eux le maximum d'espace et de froideur.

Elle avait bavardé d'abondance avec tout le monde. Lui n'avait pas ouvert la bouche. Amalia l'avait aussitôt effacé de son esprit. C'est du moins ce qu'elle avait cru jusqu'à ce qu'ait lieu leur deuxième rencontre, deux ans plus tard.

Elle avait fait ses courses au Capo et ne se rappelait plus où elle avait garé sa voiture. Après avoir tourné dans le quartier comme une folle, elle avait fini par se retrouver Piazza Sant'Onofrio. Et là, exactement au centre de la place, dans ce minuscule espace laissé par les étals et les voitures, elle s'était retrouvée face à Vittorio, immobile, les yeux à demi-fermés, l'air mystérieux.

Que fais-tu donc ici ? avait-elle laissé échapper étourdiment. Ce qui l'étonnait le plus, c'est qu'elle l'avait reconnu sur-le-champ. Et réciproquement.

Vittorio, encore tout figé, avait légèrement écarté les bras, les paumes tournées vers le ciel, comme pour se justifier d'une faute dont il était seul à savoir qu'il l'avait commise, et il avait absurdement murmuré :

Je respire la ville.

Quatre mots seulement, mais prononcés comme s'ils avaient été les quatre derniers vocables d'une langue en voie de disparition.

Puis prenant conscience de la situation, il rougit des pieds à la tête. Amalia était restée debout devant lui, son bouquet d'aneth sous un bras et tenant de l'autre main un sac qui contenait des sardines et du safran. Soudain, elle se sentit fondre, d'autant plus que Vittorio s'appuyait sur une voiture blanche passablement cabossée : sa propre Cinquecento qu'elle avait perdue et qu'elle venait de retrouver !

Elle lui offrit de monter. Il accepta, même s'il était presque arrivé chez lui et qu'en vérité il ne savait pas dans quelle direction elle allait, ce qui l'obligea ensuite à faire une marche à pied un peu longuette du quartier Matteotti jusqu'à la Via Venezia : une marche qui ne lui laissa aucun souvenir, vu qu'il planait dans une sorte de lévitation, tout en étant secoué par une sorte de petit tremblement de terre émotionnel qui avait pour épicentre son portefeuille, dans lequel se trouvait le timbre fiscal au dos duquel il avait gribouillé le numéro d'Amalia. C'était elle qui le lui avait donné, posant une question qui l'avait électrisé jusqu'à la maison et même après :

Qu'est-ce que tu fais ce soir ?

De temps à autre, Spotorno exhumait en désordre des séquences de ce petit bout de film de sa vie. Il en possédait un beau répertoire, muet pour la plupart. Il maîtrisait très bien le défilement avant et arrière des souvenirs.

Les archives de Lorenzo La Marca, en revanche, semblaient être essentiellement orales. Et pléthoriques, du moins pour un observateur neutre.

Ce soir-là d'avant la Sainte-Rosalie, ses souvenirs semblaient être encore plus nourris que d'habitude, peut-être à cause de la fille américaine qui l'accompagnait, une certaine Darline, que Spotorno avait croisée dans le cadre de l'enquête sur l'affaire du pendu des Jardins botaniques.

Vu son aversion (trop ostentatoire pour être honnête) pour les grandes tablées familiales, avec maris, épouses, enfants et chiens, la présence de Lorenzo chez les Spotorno était un événement presque extraordinaire. Lorenzo soutenait que ce n'était pas un truc pour les hommes, les vrais. Pure affectation. En réalité, selon Amalia, ce genre de fête le rendait mélancolique, parce que c'était un célibataire malgré lui. Non que les occasions de se marier lui aient manqué. Mais suite à quelque – supposée – vieille tragédie amoureuse, il jouait le rôle du célibataire endurci, vacciné contre toute tentation matrimoniale… En tout cas, face à son Américaine, il se livrait à un florilège de bons mots, de citations de films, mais aussi de sarcasmes visant son vieil ami, père et mari irréprochables, flic pur et dur, incorruptible, parangon de vertu, notamment en matière de fidélité conjugale...

Spotorno riait *in petto*. Si Lorenzo avait su... Ou même imaginé... S'il avait soupçonné que l'incorruptible commissaire, le père affectueux, l'époux fidèle, exemplaire, son ami Vittorio, avait un beau jour... enfin qu'il s'en était fallu de peu qu'il n'ait une aventure. Aurait-il été, sémantiquement, plus juste de considérer cette histoire comme un adultère manqué ?

Détendu grâce à quelques verres de slivovitz qu'il s'était accordés, bercé par un morceau de Boccherini qui servait de fond sonore, il revit au ralenti toutes les séquences de cette histoire-là (qui remontait à quand ? quatre ou cinq ans peut-être ?).

On l'avait envoyé à New York participer à un séminaire réunissant des flics venus du monde entier sur les nouvelles techniques de recyclage de l'argent sale des mafias. C'était la première fois qu'il posait le pied aux États-Unis.

À la fin de la première semaine, après la clôture de la session du vendredi, il s'était retrouvé dans l'ascenseur, mélancolique, déprimé, suffoqué par le mal du pays, dans un état proche de l'angoisse.

Il devait vraiment avoir l'air malheureux, car une très avenante collègue italo-américaine, qui marchait en projetant ses seins comme un radar (une mission qui empiétait largement sur un territoire qui n'avait rien d'ennemi), lui avait adressé la parole dans un anglais parfait mélangé de ce qu'elle croyait être de l'italien, c'est-à-dire un sabir truffé de vocables siciliens, archaïques, inconnus de Spotorno.

Elle s'appelait Cathy Messana. Mais elle tenait à ce qu'il l'appelle Caterina, comme sa grand-mère maternelle, originaire de Joppolo Giancaxio. Et il n'avait pas été facile pour Spotorno de déchiffrer, à travers le salmigondis de la jeune policière, le nom de ce village, situé dans la province de Girgenti (autrement dit Agrigente !), terre d'émigrants.

Peut-être même cette grand-mère s'était-elle embarquée sur le *Saturnia*, s'était demandé Spotorno dans une de ces fulgurantes associations d'idées auxquelles sa mémoire était sujette.

C'est ainsi que, sans très bien comprendre ce qui se passait, il s'était retrouvé avec la jeune femme dans un de ces fameux taxis jaunes new-yorkais, en route pour un petit restaurant de Little Italy, qu'elle avait choisi, parce qu'elle était née et vivait à New York.

Spotorno avait commandé une bouteille de corvo rouge, et, sur un ton faussement scandalisé, la fille avait prononcé cette phrase qui lui avait semblé bizarre :

D'accord, seulement je dois me lever tôt demain !

Spotorno n'avait pas compris ce qu'elle avait voulu dire, vu qu'elle avait d'abord elle-même suggéré un chianti de Californie qui devait être tout aussi alcoolisé.

La fille, après avoir prononcé cette phrase énigmatique, s'était alanguie. Ses yeux – d'intenses yeux noirs, immenses, de Calabraise – ne quittaient pas ceux de Spotorno. Lui, pendant ce temps, parlait de ses enfants, d'Amalia, de son travail, de sa ville.

Dans le taxi qui devait la déposer chez elle, Caterina avait approché son visage de celui de Spotorno, déclenchant en lui une sorte de maelström propre à balayer toutes les mélancolies et les nostalgies. Durant un moment qui parut interminable à Spotorno, elle était restée les lèvres tendues vers lui. Il ne savait que penser de cet état stationnaire, en apparence, cependant, du moins pour lui, car il sentait que la tête lui tournait, et pas sous l'effet du vin, et qu'il voyait un autre lui-même, un double de l'irréprochable mari et commissaire de police, succomber dans un combat inégal, se tendre, lui aussi, vers la jeune femme. Trop tard : Caterina avait soupiré et, modifiant imperceptiblement sa trajectoire, lui avait déposé un baiser humide et fort peu chaste sur le front avant de descendre du taxi. Durant les cours, les jours suivants, Spotorno avait plus d'une fois surpris le regard de la jeune fille, regard dense, plein d'ironie affectueuse et de compréhension.

Dans l'avion qui le ramenait en Sicile, il avait eu une révélation. Sur son plateau-repas, on lui avait servi une demi-bouteille de corvo, et le collègue milanais, assis à côté de lui, lui avait dit de façon tout à fait innocente cette phrase terrible :

Tu sais qu'à New York, quand tu vas dîner avec une fille et que tu commandes une bouteille de corvo, ça veut dire que tu veux coucher avec elle ? C'est une sorte de code. Pour savoir comment elle réagit.

Si bien que, durant tout le reste du voyage, Spotorno n'avait pas réussi à se défaire de l'idée que la jeune fille avait raconté à qui voulait l'entendre sa sortie au restaurant en compagnie de ce collègue italien, mari vertueux et amant par omission...

Il eut envie de demander à Darline ce qu'il en était de ce code amoureux à propos du corvo mais il savait que, dans ce cas, Amalia aurait aussitôt lu en lui, même s'il n'y avait pas grand-chose à déchiffrer.

Elle lui rappelait Cathy Messana, cette Darline. Elle devait avoir le même âge, vingt-quatre ou vingt-cinq ans. Il se surprit à couver affectueusement du regard le couple qu'elle formait avec Lorenzo ; Amalia faisait de même. Est-ce que, par hasard, cette fille pourrait être la bonne pour La Marca ?

Mais pourquoi nourrir des illusions ? Et pourvu que Lorenzo ne s'en fasse pas ! Cette fille ne durerait pas. Elle avait l'Amérique dans chacune de ses fibres, chacune des cellules de son corps de fausse maigre. Et tôt ou tard sonnerait l'appel de la forêt. Forêt d'arbres ou de gratte-ciel. Réciproquement il n'existait pas de femme qui puisse détacher définitivement La Marca de cette ville d'amour et de haine et de ses habitants qui, si souvent, exaspéraient le commissaire.

Il espérait seulement que, le moment venu, l'inévitable rupture ne serait pas trop rude pour Lorenzo.

Tu sais qu'après-demain c'est fête ? dit Amalia. C'est le dernier jour du *Festino*.

Et donc ?

Et donc on dira sans doute une messe à la Chapelle des Dames. Inutile donc d'attendre dimanche si tu veux toujours que je t'accompagne.

La Marca venait à peine de partir avec son Américaine, et Spotorno et Amalia achevaient de débarrasser la table. Le commissaire avait la gorge un peu irritée. Peut-être, pour une fois, avait-il trop parlé, ou plus vraisemblablement trop bu : la slivovitz l'avait fait transpirer alors qu'il était justement resté toute la soirée dans un courant d'air traître. Il ne manquerait plus qu'il attrape la grippe ou une crise de rhumatismes en plein mois de juillet, lui qui n'était jamais malade !

Soudain, il se rappela l'engagement qu'il avait pris d'emmener Amalia et les enfants voir les feux d'artifice sur la mer, en bateau, avec Puleo. Dans son état ? C'était le coup de grâce.

En réalité, ce fut pire encore. Amalia, se sentant crevée, avait renoncé à l'expédition. En plus, elle avait remis au lendemain la préparation de la *pasta coi tenerumi*, alors qu'ici chacun raffolait de cette sauce aux pousses de courgettes. Quant à la balade en barque, la Marina était si pleine d'embarcations que Puleo avait dû godiller continuellement pour éviter d'être éperonné. Du feu d'artifice, il n'avait entendu que les explosions et aperçu les reflets. Pour compléter le tout, à un moment donné, un grand yacht blanc, dont le nom – *Laurent* – était inscrit sur la proue en lettres dorées, les avait frôlés de si près que les vagues qu'il soulevait avaient fait danser leur coquille de noix, au point que son cadet, Emanuele, avait bruyamment vomi par-dessus bord. Il s'en était fallu de peu que Spotorno ne l'imite. Il maudit le yacht et ce fut avec un vrai soulagement qu'il accueillit l'explosion du bouquet final.

C'est après cette exécrable expédition nocturne que Spotorno avait commencé à sentir des douleurs dans toutes les articulations. À peine allongé dans son lit, il tomba dans un sommeil comateux.

Chapitre x

# Giorgio de Chirico et Salvador Dalí en plein Palerme

Il se cramponnait à une vision en noir et blanc. Quelque chose d'instable (et d'inconnaissable ?) qui devait pourtant figurer, dès son réveil, dans son rapport destiné au préfet de police. Or, la scène se dérobait et, lui, lâchant prise, atterrissait sur le matelas fort peu élastique du lit de son patron.

Il sentait que c'était probablement la suite d'un rêve récurrent, une sorte de *soap opera* onirique (néanmoins assorti de vertiges), très lié – il en avait conscience à l'intérieur même de son rêve – à l'attente de sa première tasse de café de la journée. Du café noir dans une tasse blanche. Il entendait parfaitement le gargouillis de la cafetière. Donc, il était réveillé. Mais non : le gargouillis de la cafetière n'était jamais parvenu jusqu'à la chambre à coucher. Donc, il dormait. Ou alors, c'était le téléphone, ce nouveau modèle à clavier digital et à sonnerie bicolore. Lui aussi, noir et blanc. Comment diable une sonnerie pouvait-elle être bicolore ? D'ailleurs, où était Amalia ?

Il ouvrit les yeux et chercha les chiffres vert fluo sur leur réveil ultraplat. Les chiffres dansèrent devant ses yeux avant de se fondre dans un seul et grand cristal liquide et papillonnant. Des chiffres indéchiffrables (est-ce un oxymoron ? se demanda-t-il).

Il trouva l'explication de son état bizarre : quelqu'un lui avait évidemment mis du LSD dans son dentifrice hier soir. C'est-y pas la géniale déduction d'un flic génial, ça ?

Amalia fit son apparition. Spotorno en prit acte, de

même que du brutal et persistant silence du téléphone bicolore. Les deux événements étaient-ils liés ? Amalia annonça :

C'est pour toi. Une voix de femme. Une certaine Beltramini. Elle dit que c'est urgent.

Mais quelle heure est-il ?

Neuf heures. Cette nuit, tu as eu de la fièvre. Tu parlais, tu grommelais en dormant. J'ai débranché le réveil pour que tu puisses te reposer. C'est férié, aujourd'hui.

Mais qui diable était cette Beltramini ? Spotorno aurait juré qu'il s'agissait d'un nom d'homme. Il allongea péniblement le bras et s'empara du récepteur :

Allô, ici Spotorno.

Vittorio, je te dérange ?

Une voix préoccupée, qu'il reconnut, bien qu'elle fût plus aiguë que d'ordinaire. Il se réveilla aussi sec, sous l'effet d'une décharge d'adrénaline, comme à l'époque où il planquait de nuit pour arrêter les mafieux en cavale.

Tu ne me déranges pas du tout, Maddalena. Que se passe-t-il ?

Je suis navrée, et je me suis comportée comme une mégère avec ta femme. Car c'est elle qui m'a répondu, n'est-ce pas ? Je ne me suis même pas présentée. Je me demande ce qu'elle en a pensé. Présente-lui mes excuses, s'il te plaît. Mais, écoute, il s'est passé une chose… ou plutôt, non, il ne s'est rien passé. Seulement… Seulement ça fait deux jours que nous n'avons plus de nouvelles de Nunzia.

Nunzia ? Ah oui, cette exacte moitié de cette entité indivisible qui, pour Spotorno, était un peu comme une définition de mots croisés. Donc Nunzia et Grazia. Les « demoiselles ». Les ouvrières de la mère de Maddalena. Et de Rosario.

Deux jours ? Ce n'est pas grand-chose. Pourquoi es-tu si inquiète ?

Ce n'est pas son genre. Elle est toujours très ponctuelle. Elle a quitté l'atelier jeudi à une heure. Tu sais, depuis ce qui est arrivé à Rosario, personne ne travaille plus. Mais Grazia et Nunzia continuent à venir, l'une le matin, l'autre l'après-midi pour tenir compagnie à ma mère car il vaut mieux qu'elle ne reste pas seule. Or Manlio ne peut pas quitter son agence et moi je dois m'occuper des petits. Tu sais, ils sont encore bien jeunes. Les pauvres, ils aiment beaucoup leur grand-mère, mais ça sent vraiment trop la mort Via Zara, et je ne préfère pas qu'ils y aillent trop souvent.

Tu as raison. La vie doit continuer pour eux aussi.

Spotorno aurait voulu ravaler ces derniers mots. Pourquoi donc, dans des circonstances de ce genre, de telles banalités lui sortaient-elles de la bouche ? Maddalena ne s'aperçut de rien :

Nunzia devait revenir hier matin, mais on ne l'a pas vue. Ma mère, tu sais, c'est le genre de femme à invoquer les saints avant même que l'orage n'éclate, et, quand elle a vu qu'elle n'arrivait pas, elle l'a tout de suite imaginée sous les roues d'un bus. On a téléphoné, mais elle ne répond pas...

Quand l'avez-vous appelée ?

Hier, toute la journée. Et ce matin aussi, au point qu'à la fin on n'avait même plus la tonalité. Maman est maintenant persuadée qu'il lui est arrivé quelque chose : qu'elle s'est sentie mal et qu'elle gît inconsciente au fond de son lit ou qu'elle s'est cassé une jambe et ne peut plus se traîner jusqu'au téléphone, ou que... enfin... etc. Nunzia vit seule. Et je t'avoue que moi aussi je commence à m'inquiéter. J'ai peur que... Tu te rappelles ce que je t'ai dit après les obsèques ?... Qu'elle avait une telle adoration pour Rosario que j'en ai parfois eu des doutes, des doutes déplacés... Eh bien ! je n'aimerais pas qu'elle ait fait une bêtise... J'ai même envoyé Manlio chez elle ce matin. Il a frappé à la porte, il a sonné, il a appelé. Rien. Aucune réponse. Il a dû repartir, parce que, bien que ce soit fête, il avait un rendez-vous de travail.

Où habite-t-elle ?

Via Siccheria, au rez-de-chaussée d'une vieille maison à un étage, une petite maison à moitié branlante. Au premier, il y a une vieille dame clouée par l'artériosclérose et complètement sourde. Sa fille va la voir chaque jour et lui fait quelques courses. Si elle n'avait pas les clés pour entrer, sa mère ne lui ouvrirait même pas.

Nunzia n'a personne autour d'elle ?

Elle a quelques parents dans le Nord, des cousins au deuxième ou au troisième degré, mais ils ne sont guère liés. Ses vrais parents, c'est nous.

Elle est peut-être partie voir ses cousins ?

Sans rien nous dire ? Non, ça ne lui ressemblerait pas... D'ailleurs, je ne sais ni leur nom ni où ils habitent. Grazia le sait peut-être, elle. Mais même, je me vois mal prendre le téléphone et leur dire : Nunzia ne serait pas chez vous par hasard ?... Vittorio, ma mère se fait du souci et moi je suis très anxieuse...

Maddalena n'osait pas être plus explicite. Mais ses réticences étaient éloquentes. Spotorno aurait pu se contenter d'envoyer un agent en reconnaissance, mais ce n'aurait pas été la bonne solution. Et pas seulement parce qu'il aurait déçu Maddalena mais parce que ses capteurs, après la crise de cette nuit, s'étaient remis à fonctionner et que, depuis quelques minutes, ils vibrionnaient même en continu.

Écoute, Maddalena. Tu vas m'expliquer exactement où se trouve cette maison et je vais y faire un tour.

Non, il vaut mieux que je t'accompagne. Je ne sais même pas le numéro exact et presque toutes les maisons se ressemblent Via Siccheria. Tu peux passer me prendre en voiture ? Mais ça ne va pas contrarier ta femme ?... C'est la grande fête aujourd'hui. Vous aviez sans doute des projets... et moi je vous fiche tout en l'air...

Non, non, tu ne fiches rien en l'air. Ne t'inquiète pas. Nous allons y aller ensemble, toi et moi. Espérons que nous trouverons tout en ordre. Donne-moi simplement trois quarts d'heure. Où habites-tu exactement ?

Il écouta ses explications et raccrocha.

Tu ne peux pas sortir comme ça, lui dit Amalia, tu as encore de la fièvre.

Non, je suis remis. S'il n'y a pas de problèmes, je n'en ai que pour une heure.

Mais s'il y a des problèmes – et il y en aura, vu la tête que tu fais... Tu ne pourrais pas envoyer quelqu'un à ta place en évitant, si possible, pour une fois, de mettre à contribution ce malheureux Puleo : c'est fête aujourd'hui.

Spotorno se rasa de si près qu'il s'écorcha. Mais il se sentit mieux, bien que tout courbaturé, après une rapide douche brûlante. Et mieux encore après sa quotidienne demi-cafetière. Café noir dans une tasse blanche. Par précaution, il avala un morceau de pain rassis, et prit deux comprimés d'aspirine effervescents.

Amalia resta sur le seuil en attendant l'arrivée de l'ascenseur. Spotorno lui souleva le menton du bout du doigt :

J'ai dit des bêtises cette nuit ? Dis-moi ce que j'ai bien pu raconter...

Amalia eut un de ses sourires indéchiffrables. Assez rare, heureusement car il n'aimait pas – question de métier – les choses indéchiffrables.

Maddalena l'attendait en bas de chez elle, sur le trottoir, devant un de ces grands ensembles qu'on avait construits Via Serradifalco. Sa pâleur, ses yeux cernés disaient son inquiétude. Cependant, Spotorno eut l'impression qu'elle s'était reprise après la mort tragique de Rosario ; en tout cas, elle avait l'air moins abattue.

Quand elle fut dans la voiture, elle s'excusa encore de l'avoir dérangé. Elle se tordait les mains. Puis elle resta muette, retranchée en elle-même, durant le reste du trajet.

Spotorno déboucha sur la place Principe di Camporeale. Le jardin public était toujours éventré à cause du renouvellement du réseau d'égouts qui traînait en longueur. Il poursuivit par la Via Guglielmo il Buono et contempla la Zisa, sous son échafaudage de restauration. Il avait entendu dire par Amalia qu'on voulait en faire un musée islamique. Sur la place, qui à l'époque des rois normands avait abrité un jardin arabe et des jeux d'eau, on avait depuis peu planté une palmeraie.

Ce n'est qu'à ce moment-là qu'il se rendit compte qu'un grand nombre des éléments cruciaux de son enquête étaient concentrés dans ce quartier de la ville. La Via degli Emiri se trouvait à quelques centaines de mètres. Comme le domicile de Mancuso. Et maintenant celui de Nunzia.

Arrivé à la Piazza Ingastone, il s'engagea dans Via Cipressi, une des rares rues qui aient gardé son caractère historique dans une ville si prompte à refouler son passé. À tout refouler, au propre et au figuré, pensa Spotorno, sauf les voitures, notamment celles qui occupaient les places facilitant l'accès des handicapés.

Je suis en train de devenir sacrément pessimiste, se dit-il. Bon, ça doit être la fièvre de cette nuit !

Au-delà du mur d'enceinte du jardin du couvent, une rangée de cyprès séculaires justifiait le nom de la rue. À moins, pensa Spotorno, que les capucins aient planté les cyprès après que la rue eut été déjà baptisée ainsi.

Elle avait tout du coupe-gorge. Et d'ailleurs c'en était un, comme en témoignait une plaque commémorant l'assassinat d'un procureur de la République, un meurtre non élucidé, mais rapidement éludé. Une de ces nouvelles victimes de la stratégie mafieuse, selon les commentaires des chroniqueurs locaux à l'usage de leurs collègues de l'extérieur, soucieux de « comprendre ».

Il longea l'entrée des catacombes du couvent des Capucins et enfila la Via Siccheria Quattro Camere. En fait, il connaissait parfaitement le quartier : c'était là qu'il avait appris à conduire sous la surveillance d'une cousine plus âgée que lui. La rue avait bien changé depuis. Les petits jardins irrigués avaient cédé la place à des pâtés d'immeubles disséminés comme pour faire de la retape en faveur de leurs frères plus nombreux. Le tout semé de décharges sauvages : dans un de ces terrains vagues, quelques mois plus tôt, parmi des matelas crevés, des lave-vaisselle et des réfrigérateurs défoncés, Spotorno avait vu un cheval mort.

À l'arrière-plan, on apercevait de hautes cheminées, liées probablement à une briqueterie de la fin du XIX^e, vestiges désormais englobés dans les nouvelles structures industrielles qui passaient hier encore pour « futuristes », le tout, ancien et moderne, déjà voué au domaine de l'archéologie industrielle.

De l'autre côté se trouvait le vrai centre du quartier : une butte de terre en marge du terrain vague, une sorte de petite colline artificielle, une espèce de dinosaure endormi, sur l'échine duquel un joyeux luron avait planté, pour souligner sa crête, une rangée de pins vigoureux : cette barrière protégeait les locataires des immeubles voisins du voisinage du cimetière qu'on ne voit plus désormais que du treizième étage, lui avait expliqué avec beaucoup de fierté un vieil habitant du quartier.

Du rez-de-chaussée, on ne souffrait que de la proximité de l'herbe sèche, des poubelles brûlées, de détritus divers, des carcasses d'autos. Entre la rue et le dinosaure, un pan de mur incongru semblait séparer le rien du néant. Sur les côtés, des petites maisons d'un ou deux étages, modestes mais dignes, comme un reliquat de village : du linge séchant sur les balcons, du persil, de la menthe et du basilic prospérant dans de vieilles boîtes de conserve. Et les immanquables frangipaniers en fleur, l'emblème végétal de la ville.

Bref, une rue aux limites de la schizophrénie : un brin de Chirico ; une bonne dose de Dalí. Métaphysique et surréalisme. Était-ce une pure coïncidence si, un siècle plus tôt, à quelques mètres de la Via Siccheria, aux confins de cette irréalité, des hommes s'étaient avisés de bâtir les pavillons de l'asile de fous ?

Maddalena lui indiqua la maison de Nunzia. Spotorno gara sa voiture un peu au-delà de ce boyau désormais plein de méandres, sur une esplanade de terre battue. La maison de Nunzia était une des moins moches, des moins délabrées, néanmoins marquée par la négligence avec ses traces d'infiltrations et son crépi décoloré.

On accédait à la porte d'entrée – jadis peinte en marron – par trois quatre marches en granito, dont la dernière faisait office de palier. Sur les côtés, deux fenêtres fermées par des persiennes de la même couleur. Spotorno tenta de pousser la porte close et visiblement solide. Maddalena lui dit qu'elle donnait sur un vestibule en longueur desservant l'appartement de Nunzia et les escaliers qui conduisaient au premier étage.

Il n'y avait qu'une sonnette sans nom qui, toujours selon Maddalena, correspondait au rez-de-chaussée. Spotorno pressa plusieurs fois le bouton, mais n'entendit aucun son. Il frappa du plat de la main tandis que Maddalena criait le nom de Nunzia. En vain. De manière assez prévisible, la vieille du premier étage – du fait de son impotence ou de sa surdité – ne réagit pas. Les persiennes du balcon du premier, comme celles du rez-de-chaussée, étaient hermétiquement closes.

Spotorno longea le mur qui bordait la rue jusqu'à trouver une brèche permettant le passage d'un homme. De l'autre côté s'étendaient de riants petits potagers pleins de tomates tuteurées, de courgettes, d'aubergines, de poivrons, de laitues dont Spotorno respira avec volupté, malgré les circonstances, l'odeur; celle des tomates, tout spécialement – un parfum très particulier, découvert dans son enfance –, qui émanait de toute la plante, mais surtout des feuilles. Il passa par la brèche et vit qu'il n'y avait ni mur ni autre obstacle qui l'empêchât d'atteindre l'arrière de la maison.

Autant m'attendre dans la voiture, dit-il à Maddalena, qui l'avait rejoint. Il le lui dit sur un ton si naturel qu'elle acquiesça sans réticence.

L'arrière comptait deux fenêtres symétriques à celle de la façade sur rue. Un des volets céda sous une simple pression de la main. Avant d'enjamber la fenêtre, le commissaire animé d'un dernier scrupule cria:

Il y a quelqu'un?

Rien. D'ailleurs, pourquoi perdre du temps alors même

qu'il savait déjà ce qu'il allait trouver. Une prémonition confirmée par l'odeur. Une vieille odeur trop familière contre laquelle il n'avait jamais réussi à se blinder.

Il trouva Nunzia, étendue dans le corridor, devant sa chambre à coucher, les pieds tournés vers la porte, en chemise de nuit blanche, la tête fracassée. Un de ses genoux était replié, la chemise de nuit à peine remontée sur la jambe, comme si, dans un dernier sursaut de pudeur avant l'agonie, elle l'avait rabattue.

Bien qu'il ait ouvert la fenêtre, Spotorno suffoquait sous l'odeur du sang. Il chercha le téléphone dans la chambre à coucher. Et c'est de ce modèle noir, à cadran rond, qu'il appela le commissariat central, en prenant garde à ne pas effacer d'éventuelles empreintes.

Le pire, ce fut quand il revint vers la voiture pour informer Maddalena.

Comme beaucoup de gens qui reçoivent une nouvelle tragique, elle réagit en reléguant le problème principal dans un coin de son cerveau au profit d'un détail sans importance. Il se rappelait le commentaire d'une femme à l'annonce de la mort de son mari : « Je venais à peine de repasser ses chemises », avait-elle dit avant de s'évanouir.

Maddalena, plus sobre, dit seulement : « Qui va donc apprendre la nouvelle à maman ? » avant d'enfouir son visage entre ses mains.

La voiture de patrouille arriva en quelques minutes. Suivie par la Brigade scientifique et le magistrat. Il les conduisit à l'intérieur de la maison. Le bon dernier fut le médecin légiste, un type jeune, mais dont le métier avait déjà blanchi les cheveux et les moustaches. Spotorno et lui se tutoyaient.

Il avait donc échappé au docteur Laurent, non pas que Spotorno ne l'estimât point, bien qu'il nourrisse une sorte de malaise pour les femmes qui choisissaient ce métier, mais parce que, cette fois-ci, la victime était justement une femme : Spotorno éprouvait un certain embarras à l'idée qu'il aurait pu être contraint de parler de détails éventuellement scabreux devant cette grande dame. En outre, pourquoi se le dissimuler ? il courait dans son milieu cette vieille rumeur à propos d'une liaison qu'elle aurait eue avec La Marca. Certes, une liaison ancienne, brusquement et mystérieusement rompue. Néanmoins La Marca et le docteur Laurent s'étaient revus récemment en présence de Spotorno, quand La Marca avait découvert le pendu du Jardin botanique. Et Spotorno avait alors senti une vraie tension entre les deux.

Il pensa que, si Darline, l'Américaine, finissait par rentrer aux États-Unis, ces braises pouvaient se ranimer. Or, Spotorno pensait – à tort ou à raison – que, pour son ami et témoin de mariage, rien de bon ne pouvait vraiment sortir d'une relation avec le docteur Laurent, une femme mariée, qui plus est avec un des pontes de la médecine. Lui-même peu doué pour l'adultère – son épisode new-yorkais en témoignait – estimait que ses amis – à plus forte raison s'ils avaient été les témoins de son mariage – auraient dû avoir le bon goût de ne pas se lancer dans ce genre d'aventure. Il se rendit compte qu'il s'était encore laissé aller à des divagations hors propos, au détriment du problème principal, lequel gisait, sans vie, sur le sol.

Il chercha le magistrat auquel il raconta les circonstances de la découverte du corps. C'était un jeune homme qui faisait ses premières armes à Palerme en dissimulant mal son impatience de rentrer dans sa province d'origine. Faute de connaître les procédures d'enquête dans les cas d'homicide, on ne le sentait que trop heureux de laisser le champ libre à Spotorno. Il hasarda néanmoins une piste qui fit sourire le commissaire :

Ce sont des gitans, peut-être ?...

Spotorno ne prenant même pas la peine de répondre, le jeune magistrat rougit, sans doute jusqu'aux orteils.

Le commissaire n'eut pas besoin de donner de directives pour instruire la procédure normale en cas d'homicide :

chacun s'était déjà mis sur pilote automatique. Désormais, il n'y avait plus de Nunzia, seulement Nunzia Ingrassia, fille de Nicolò et de... Spotorno n'avait jamais su comment s'appelait la mère de Nunzia. Il se rappelait seulement que, dans son enfance, il l'avait parfois entendue évoquer son père, probablement parce qu'il était mort quand elle était enfant, mais il ne se souvenait pas qu'elle ait fait mention de sa mère.

Il s'efforça à l'impassibilité professionnelle, à l'indifférence envers le corps de Nunzia, notant cependant, avec une certaine stupeur, que c'était une femme encore plaisante malgré sa peau marquée par la claustration, et désormais par la mort. Un corps ferme, bien proportionné, malgré ses cinquante-six ans d'âge, justifiant les sous-entendus de Maddalena, selon lesquels Nunzia avait pu servir de navire-école au jeune Rosario. Il eut aussitôt honte de cette métaphore déplacée. D'autant que, jamais, il n'avait pensé aux deux demoiselles autrement que comme à deux ouvrières de la signora Rosa ou à des figures liées à sa propre adolescence. Le jour de sa visite de condoléances Via Zara, il n'était même pas sûr de ne pas avoir confondu les noms des deux femmes, toutes deux aussi mal fagotées dans leur pauvre petite robe noire de mauvaise qualité, témoignant de deuils anciens. Il chercha dans son passé des souvenirs : peut-être Grazia était-elle aussi une femme encore plaisante ? Pensées inutiles, surtout pour un flic.

Il erra dans la maison. Avant même de découvrir le cadavre, il avait noté le désordre indescriptible qui régnait partout, notamment dans la chambre à coucher dont on avait même retourné le matelas, qui était resté posé en équilibre contre le sommier.

En revanche, le meurtrier avait soigneusement évité de marcher dans le sang de Nunzia. Pourtant, à l'évidence, il n'avait tout fouillé qu'après l'avoir frappée. Un travail qui exigeait des nerfs solides. Un travail de professionnel. Rien à voir avec des gitans !

Il avait posé quelques questions à Maddalena avant de la confier à un agent pour qu'il la raccompagne Via Zara ou ailleurs. Selon elle, Nunzia gardait toujours un peu de liquide pour les courses de la semaine et possédait un livret d'épargne au porteur pour ses menues économies. Tout avait disparu, les espèces et le livret. Et les boucles d'oreilles ornées de perles de culture et de petits brillants, boucles que la signora Rosa lui avait offertes pour ses quarante ans. Rien de bien précieux, selon Maddalena, qui savait que le reste consistait en bijoux fantaisie eux aussi offerts, en majorité, par les Brancato Alamia.

Après le départ de Maddalena, Spotorno retourna vers la chambre à coucher : son esprit avait enregistré, et aussitôt enseveli, une sorte d'anomalie, aux limites de l'inconvenance.

Tous les meubles de l'appartement semblaient vieux et mal en point : une commode instable avec de petites poignées de métal branlantes, une armoire à glace au miroir terni, des chaises de Bivona au cannage détendu, une coiffeuse au plateau de marbre criblé de trous. Des meubles, à coup sûr, qui dataient du mariage des parents de Nunzia et dont elle avait hérité à leur mort, à l'exception d'une des machines Singer à pédalier, sans doute récupérée quand la signora Rosa s'était équipée de modèles plus récents.

Bref, tout semblait sortir de chez un brocanteur, sauf le lit. Un lit à deux places, neuf, avec ses deux coussins réglementaires et son matelas mousse. La tête, en fer forgé, d'un style rétro, était pleine de courbes dont les circonvolutions se terminaient, au centre exact de l'ensemble, en deux petits cœurs entrelacés.

Un objet dont l'incongruité était encore soulignée par deux petites tables de chevet branlantes, qui flanquaient probablement jadis le lit conjugal des parents.

Comment justifier la présence de ce lit ? Minauderies mises à part, si Nunzia avait dû changer de lit, n'aurait-il pas été plus pratique pour une vieille fille résignée au célibat d'acheter un lit à une place ? Mais, justement, qu'est-ce qui prouvait que Nunzia était seule ? Il faudrait évoquer ce point aussi avec Maddalena. Et peut-être même avec Grazia. Les demoiselles se connaissaient depuis toujours.

Le médecin légiste, qui avait procédé à un premier examen du corps, rejoignit Spotorno :

Elle a été frappée au moins deux fois, par-derrière, avec un objet contondant, comme on dit, probablement une barre de fer ou un tuyau de plomb. Des coups terribles. Un seul a suffi à la tuer. Elle a dans les cheveux des traces d'une poudre blanchâtre, à grains plutôt gros. Ça pourrait être de la chaux ou du crépi. Il y en a aussi sur le sol, autour du cadavre.

Spotorno se souvint qu'il avait vu un amas de tuyaux de ce genre, à demi rouillés et tavelés de ciment dans une des décharges de la Via Siccheria. Il le dit au médecin.

Oui, c'est possible qu'ils se soient servis là. Ce sera facile de contrôler.

Selon toi, à quelle heure a eu lieu le meurtre ?

Bah, comme tu le sais, on ne peut pas être très précis avant l'autopsie. Avec les éléments dont je dispose aujourd'hui, je dirais que la mort remonte à la nuit de jeudi à vendredi.

Spotorno opina du chef. La question était nécessaire, mais la réponse était superflue. Il avait déjà ébauché une reconstruction plausible des dernières heures de Nunzia.

Les meurtriers étaient entrés dans la maison une fois qu'ils avaient été certains que Nunzia dormait. Ils avaient forcé une fenêtre sur la façade arrière de la maison et s'étaient retrouvés dans la salle de bains, séparée de la chambre à coucher par un petit corridor.

Une opération sans risques, puisqu'un bon nombre de jardinets séparaient la maison de Nunzia des autres maisons du quartier. Peut-être avaient-ils commencé à fouiller la maison. Peut-être aussi Nunzia les avait-elle aussitôt entendus. Elle s'était levée. À peine était-elle apparue dans le couloir que quelqu'un, posté de l'autre côté de la porte, l'avait frappée à la nuque. Une fois, deux fois, peut-être plus. Puis ils avaient fini le travail en passant la chambre au peigne fin.

Visiblement, ils avaient embarqué le téléviseur, un petit modèle à en juger par les dimensions de la table. Il n'en restait que l'antenne. Peut-être avaient-ils volé d'autres objets de valeur, mais, vu l'état des meubles et le niveau de vie très modeste de Nunzia, Spotorno en doutait. Quoi qu'il en soit, là-dessus aussi il demanderait l'aide de Maddalena.

Pour l'instant, il s'agissait de savoir s'ils se trouvaient devant une tentative de vol qui avait dégénéré en meurtre accidentel ou devant un assassinat camouflé en vol. Difficile en ce cas de ne pas relier cette affaire au double meurtre de la Zisa. Nunzia avait-elle eu une improbable double vie ?

Les types de la Scientifique ayant fini leur boulot, des brancardiers emportèrent le corps. L'arme du crime n'avait pas été retrouvée, mais les hommes continuaient d'explorer les alentours de la maison, en élargissant toujours plus leur zone de recherche.

Bien sûr, Spotorno avait tenté de voir la vieille dame du premier étage, mais soit elle ne pouvait se déplacer, soit elle n'avait rien entendu comme le présumait Maddalena, en tout cas ses tentatives furent vaines. Mais il ne put s'empêcher d'écarter l'hypothèse que la vieille dame avait, elle aussi, été éliminée.

Finalement, on avait retrouvé sa fille : elle travaillait comme infirmière à l'hôpital Pisani. C'était une femme d'une quarantaine d'années, robuste et décidée, les cheveux teints, couleur d'étoupe : tout évoquait en elle le kapo... À peine glissa-t-elle la clef dans la serrure de l'appartement du premier étage qu'on entendit une voix plaintive qui disait :

Qui c'est ?

C'est moi, maman.

Spotorno eut l'impression d'entrer dans une serre de plantes tropicales. Les volets de l'appartement donnaient l'impression d'avoir été scellés depuis l'époque de la construction de la maison. Et, nonobstant la chaleur humide qui régnait, la vieille, minuscule et rabougrie, la bouche totalement édentée, était enveloppée dans une grande robe de chambre d'une impitoyable couleur fuchsia, fabriquée dans un tissu que les catalogues de vente par correspondance définissent comme « soie de polyester » cent pour cent. Quand l'infirmière ouvrit les fenêtres pour aérer, Spotorno eut l'impression de respirer après une longue période d'apnée.

Il tenta d'arracher à la vieille quelques réponses, mais cette dernière se contenta de le regarder avec un sourire doux et absent, que même sa fille ne réussit pas à dissiper.

Au commissariat central, Spotorno retrouva Schirosa devant la machine à café. Le vieux commissaire était en pleine crise. L'idée de devoir passer toute une journée en famille, au milieu des débordements affectifs suscités par un jour de fête, le jetait dans l'angoisse, et, qu'il soit ou non de garde, il passait plus de matinées dominicales à la Brigade qu'en famille. Personne ne se rappelait l'avoir jamais vu en vacances, à moins de considérer comme telles la dizaine de jours de congé de maladie qu'avait nécessités une opération de la vésicule biliaire.

Il se jeta sur son collègue pour essayer de lui tirer le maximum d'informations sur l'affaire de la Via Siccheria. Spotorno ne fit pas de rétention d'informations, à cela près que (sans même s'en rendre compte) il ne fit aucune allusion au lit de Nunzia et à ce que cet étrange meuble avait suscité en lui.

Mais l'autre anomalie, c'est Schirosa qui la nota :

Raisonnons, Vittorio. Si, comme tu le dis, ç'a été un travail de professionnels, pourquoi diable ont-ils volé le livret d'épargne ? Même si c'est un livret au porteur, aucun homme sain d'esprit n'aurait l'idée d'aller en retirer le montant à la banque.

Justement. Ils ont tenté de faire passer le crime pour une affaire de petits malfrats de rien du tout, de délinquants de quatre sous. À cela près que deux blancs-becs n'auraient jamais eu assez de sang-froid pour mettre la maison sens dessus dessous avec un cadavre entre les pattes.

Donc c'était, selon moi, des professionnels assez endurcis. Que cherchaient-ils donc ? D'après ce que tu dis, faute d'objet de valeur, il ne reste que deux hypothèses : soit ils cherchaient quelque chose de précis, et peut-être de compromettant, soit ils voulaient simplement la tuer. Mais, dans ce cas, pourquoi diable ne se sont-ils pas contenté de l'étrangler ? On aurait aussitôt cru à un cambriolage qui avait mal tourné : la bonne femme entend du bruit, elle se réveille ; eux, pris de panique ou pour ne pas être identifiés plus tard, l'étranglent. Pourquoi s'encombrer de ce truc métallique ? C'est comme s'ils avaient voulu montrer qu'ils étaient entrés dans l'intention délibérée de la tuer.

Pas sûr. Dans l'esprit des meurtriers, ce truc métallique pouvait aussi bien suggérer l'aspect fortuit de la chose : ils vont cambrioler une maison et, au dernier moment, l'un d'eux se baisse, ramasse un tuyau par terre, peut-être pour se rassurer. Mais les choses ne sont pas si évidentes. Tu connais le quartier de Via Siccheria ? Quiconque y est passé une seule fois sait que, parmi toutes ces décharges, on n'a que l'embarras du choix. À coup sûr, avant de passer à l'acte, ils ont fait des repérages.

Vittorio, de toute façon, ça veut dire qu'ils ne se sont rendus dans cette maison que dans le but de la tuer ; elle devait donc être impliquée dans le double meurtre de la Via degli Emiri.

Spotorno le savait depuis beau temps. C'est pour cela qu'il avait demandé que l'on compare les empreintes de Rosario et celles de Gaspare Mancuso, dit Asparino, avec celles qu'on avait retrouvées Via Siccheria. S'ils avaient fréquenté la maison avant d'être assassinés, on le saurait.

En attendant, Spotorno sentait que la fièvre remontait.

## Chapitre XI

# Il y a des crimes parce qu'il y a des policiers

Monsieur le commissaire, lui dit Puleo, ce matin, Spicuzza, de la Police scientifique, vous a demandé. Ils ont identifié trente-sept analogies entre une empreinte trouvée dans la maison de Nunzia Ingrassia et celle de l'index droit de Rosario Alamia.

Spotorno était arrivé tard à la Brigade. La veille au soir, à peine rentré, il avait sauté le dîner pour se mettre aussitôt au lit. Amalia lui avait glissé de force sous l'aisselle un thermomètre et, dix minutes plus tard, déclarant qu'il avait 39° de fièvre, elle avait de nouveau coupé le réveil. Il avait fallu que Spotorno se batte le matin pour la convaincre qu'il n'était pas à l'article de la mort et qu'il pouvait sortir.

Trente-sept analogies, c'est-à-dire une identification certaine tout comme son 37° de température matinale témoignait d'une fièvre insignifiante qui lui avait d'ailleurs valu l'*habeas corpus* d'Amalia, nota-t-il avec un de ces sursauts d'autodérision dont il avait le secret.

Où se trouvait-elle, cette empreinte ?

De Rosario, nous n'avons trouvé qu'une seule empreinte, assez nette, sur le bord du miroir dans la salle de bains.

D'autres empreintes ?

Seulement celles de Nunzia Ingrassia, un peu partout dans la maison. Des empreintes fraîches, car, selon Spicuzza, elle devait avoir fait depuis peu un grand nettoyage de printemps : il y avait même des traces de détergent sur la tête de lit, un détergent du type Sidol, qu'on utilise pour nettoyer les surfaces métalliques. Sur la tête de lit, on n'a pas trouvé d'empreintes, pas même celles de la victime : normal, c'est un matériau qui ne s'y prête pas parce qu'il est assez poreux ; et surtout, quand elles utilisent ce genre de produits, les femmes se protègent toujours les mains. Ma petite amie ne déboucherait même pas le flacon de Sidol sans ses gants de caoutchouc.

À en juger par la précision de Puleo, nullement requise par Spotorno, le jeune agent avait noté lui aussi l'incongruité de ce lit dans le contexte où il se trouvait.

Et sur le téléphone ?

Rien de notable, des traces confuses, superposées. La victime devait avoir aussi nettoyé les vitres et les miroirs, car même là, il n'y a rien, sinon une empreinte de Rosario Alamia. Mais en position marginale, à l'angle inférieur droit du miroir, probablement une portion qui a échappé au nettoyage. Exactement sous cet angle, il y a un porte-savon, il est facile de laisser une empreinte en saisissant la savonnette.

Ça coïncidait. Spotorno avait parfaitement en tête la topographie de la maison et la distribution des objets ; il avait d'ailleurs aussi noté plusieurs bouteilles d'un produit à base de lysoforme. Et une paire de gants en caoutchouc roses posés sur le robinet de la cuisine. Nunzia devait être une femme méticuleuse, ordonnée, probablement une maniaque de l'hygiène. Maddalena l'avait d'une certaine manière dit quand elle avait souligné combien Nunzia était scrupuleuse.

L'absence d'empreintes, autres que celles de la victime et de l'index de Rosario, confirmait également autre chose. Que ceux qui avaient fait le coup étaient de vrais professionnels déguisés en amateurs grossiers : eux aussi avaient dû mettre des gants !

Il résista jusqu'à midi avant d'appeler le médecin légiste. Lequel avait à peine fini d'autopsier le cadavre de Nunzia.

Que peux-tu me dire ?

Deux coups formidables, portés de haut en bas. Fracture de l'os pariétal et expulsion de...

Épargne-moi les détails. L'heure de la mort ?...

Vers deux heures du matin. Mort presque instantanée.

Quel a été l'instrument ?

Je dirais que les tuyaux que tu as remarqués sont l'hypothèse la plus vraisemblable. Il suffit d'attendre les résultats comparés des analyses qu'on est en train d'effectuer sur les substances trouvées dans les zones proches de la blessure et de les comparer avec les ferrailles prélevées sur la décharge. Nous aurons alors une quasi-certitude.

Quoi d'autre à signaler ?

Rien. À part que ta demoiselle n'était plus une demoiselle. J'espère que tu me comprends. Mais ce détail, de nos jours, qu'est-ce que ça signifie ?... D'ailleurs, cela dit en passant, malgré son âge, elle était plutôt pas mal. Biologiquement parlant, elle avait une dizaine d'années de moins que son âge légal. Pas un cheveu blanc, des seins fermes, des jambes...

Vous n'auriez pas des tendances nécrophiles, par hasard, vous les médecins légistes ?

C'est la profession qui veut ça, Vitto ! Si on n'est pas un peu nécrophile au départ, soit on le devient, soit on ne tient pas le coup. Est-ce que vous, les flics, vous n'avez pas, au tréfonds de vous, une forme de fascination pour les grands criminels, voire d'admiration ? C'est la même chose...

Une phrase, lue à l'époque de son service militaire, lui revint en mémoire : « Il y a des crimes parce qu'il y a des policiers... »

La phrase se trouvait dans un bouquin écrit par un Suisse, avec un nom invraisemblable, un auteur qui avait été une des premières passions littéraires d'Amalia. Personnellement, il trouvait que, sous son aspect séduisant, ce genre d'affirmation ne pouvait susciter que des courts-circuits dans les cerveaux (Qui est le premier de l'œuf ou de la poule ? Quel est le bruit d'une seule main, quand on applaudit des deux ? Comment faire pour retirer une oie d'une bouteille, sans tuer l'oie ni briser la bouteille, et autres stupides questions zen !). Il se souvenait encore très bien de sa réaction face à cette phrase : Qu'est-ce que les Suisses peuvent bien savoir des crimes ? Est-ce qu'il existe des assassins dans la Confédération hors des romans policiers ?

Il salua le médecin et raccrocha.

Puleo avait laissé une pile de documents à côté de l'ordinateur. C'étaient les listes des contacts possibles de l'ex-motard Salvatore Scannariato. À la fin, il avait resserré tous les noms en une seule liste, subdivisée en catégories et ordonnée alphabétiquement. La colonne des universitaires était la plus longue : un peu moins de quatre cents personnes, évalua Spotorno d'un coup d'œil, entre professeurs titulaires, assistants et autres vacataires. À côté d'un grand nombre de noms, on pouvait lire la qualification ou l'emploi de la personne en question. D'autres n'étaient assortis d'aucune information. Certains portaient au crayon quelques détails glanés ici ou là par Puleo : étudiant interne, assistant volontaire, chargé de cours, etc. Spotorno se promit d'examiner sérieusement la liste au plus tôt. Mais en reposant les feuillets, il remarqua que Puleo avait souligné un nom au crayon suivi d'un point d'interrogation. Nom : Manfredi Basile, assistant technique, niveau 06.

Il sentit une onde de chaleur lui envahir la nuque. La fièvre remonte, pensa-t-il. Mais non. Il continuait à regarder ce nom. Lui aussi l'aurait souligné. Mais pourquoi ? Où diable était passé Puleo ?

Comme pour devancer la question, le jeune agent entra silencieusement dans la pièce, en tenant entre le pouce et l'index un petit café brûlant qu'il tendit à son chef. Spotorno avala le liquide, jeta le gobelet au panier, et pointa le nom souligné de la liste.

Puleo s'éclaircit la gorge :

Monsieur le commissaire, vous rappelez-vous la carte grise de la Fiat 127 de Alamia ?

Avant même que Puleo n'ait continué, Spotorno revit mentalement le document en question et approuva de la tête :

Bravo, Save. La première propriétaire de cette bagnole s'appelait Anna Manfredi, domiciliée à Monreale...

Piazza dei Martiri della Resistenza, n° 12.

D'accord, mais, ce type-là, son prénom c'est Manfredi, et son patronyme Basile...

C'est ce que j'ai pensé moi aussi, monsieur le commissaire. Mais je me suis souvenu d'un détail lors de l'enquête que suis allé faire au département où travaille l'ex-motard.

Et alors ? Qu'est-ce qu'il s'est passé au département ?

Il s'est passé que j'ai entendu un professeur parler avec un type en l'appelant Basilio. Basilio, et pas Basile. Ce Basilio-là avait une trentaine d'années, il portait une chemise bleu clair, qui semble être une sorte d'uniforme pour les techniciens. C'était donc un type qui travaille dans le département, pas un visiteur occasionnel. Or, en vérifiant la liste du personnel universitaire, je n'ai vu aucun Basilio, mais en revanche un Basile...

Et alors ?...

Alors, j'ai senti qu'il y avait une erreur. Il m'a suffi de contrôler en appelant leur standard, mais sans dire que j'étais flic : aucun Basile, mais un Basilio Manfredi, agent technique, niveau 06.

Justement.

Une erreur, pensa Spotorno. Une foutue erreur de transcription. Ils ont interverti le nom et le prénom, et ont arrangé les choses en cours de route parce qu'à l'un de nous Basilio a semblé bizarre. Et nous, à cause d'un pisse-au-lit, nous avons perdu au moins une semaine. Inutile de chercher le responsable, pensa-t-il. Même ici, le sport national, c'est de renvoyer la responsabilité sur l'autre. Il faudrait les expulser du Corps. Et puis de l'âme.

Il ne comprenait pas l'origine de cet accès de rage muette qui était en train de l'envahir. Il dut admettre qu'il s'en prenait à lui-même. Est-ce qu'à la place de Puleo le Grand Enquêteur de la police nationale aurait été capable de saisir la connexion ? C'est moi qu'il faudrait expulser du Corps, pensa-t-il. Au diable, l'âme ! Il avait commis ce qui est pour un flic le péché capital : se laisser personnellement impliquer, au plan émotionnel, dans une enquête. La vérité, c'est que ce métier est en train de m'user plus vite que prévu, conclut-il.

Il se secoua. Puleo, qui pressentait bien des choses, avait pudiquement détourné le regard, embarrassé par le strip-tease mental de son chef. Un strip-tease supposé.

C'est bon, Save. Nous avons une piste. La personne qui a vendu la bagnole à Rosario, je veux dire à Alamia, possède le même patronyme qu'un type qui travaille dans le département où travaille aussi le propriétaire de la moto qui a servi à l'assassinat. C'est peut-être une coïncidence, peut-être qu'il n'y a aucun rapport.

Savez-vous, monsieur le commissaire, combien il y a de Manfredi dans l'annuaire ? Pas plus d'une douzaine. Ce n'est pas un patronyme très répandu, ni en ville ni dans la province. Enfin, deux noms sur une douzaine, ça me semble un peu trop pour une coïncidence.

Tant mieux. Si nous découvrons qu'il y a un lien entre la Manfredi de la 127 et le Manfredi de l'université, un lien de parenté par exemple, ça pourrait avoir du sens. C'est une trace ténue, extrêmement ténue, mais, si jamais un indice la confirme, alors il faudra passer les deux Manfredi au peigne fin, parentés, amitiés, bref, le toutim habituel. Il faut les suivre pas à pas, sans les perdre de vue une minute. Mais avec discrétion et sans précipitation.

Pourquoi préciser tout ça ? Se pourrait-il vraiment que je cherche à diminuer le mérite de mon subordonné ?

De fait, Puleo, pour une fois, ne put dissimuler un regard où se mêlait à part égale inquiétude et stupeur. Un cocktail qui ne lui réussissait pas du tout.

Spotorno était un grand théoricien des trois jours : trois jours pour un sirocco normal, trois jours pour une petite marée d'ouest, trois jours pour voir tomber une forte fièvre et trois jours au maximum pour venir à bout d'un homicide. En ce domaine, il ajoutait que le temps est l'ennemi numéro un d'une enquête. Et, concernant un homicide, Puleo l'avait toujours vu se jeter dans la bataille avec une détermination qui frisait la férocité.

Je sais très bien ce que tu es en train de penser, Save. Tu penses que je suis en train de devenir gaga.

Il arrêta d'un geste le signe de protestation que Puleo esquissait :

Peut-être suis-je vraiment devenu gaga. Néanmoins, écoute-moi bien : oublie pour une fois ce que l'on t'a enseigné et même ce que j'ai pu t'apprendre moi-même. Il y a des meurtres qu'il faut résoudre en trois jours sous peine de ne jamais en venir à bout. Ce sont des meurtres *fast food*. Mais celui qui vient de nous tomber dessus, on doit l'aborder comme une sortie le 15 août dans les jardins de la Favorita quand même la grand-mère toute décatie a la patience d'attendre son tour pour le plat de pâtes au four, assise sur une chaise, dans la caisse du triporteur, une pastèque dans les bras. Si tu te jettes de tout ton poids dans ce genre d'affaires, c'est comme si tu plongeais la tête la première dans une piscine vide. Cette affaire est une affaire lente. Au moment précis où je te parle, il y a des gens qui cherchent à prévoir les pions que nous allons avancer. C'est une partie d'échecs, et ils savent très bien que, dans cette maison, nous ne sommes pas tous des imbéciles. Le meurtre de Nunzia Ingrassia était probablement à leurs yeux une nécessité vitale car, en le commettant, ils savaient parfaitement qu'ils augmentaient, et de beaucoup, le risque d'être pris. Pour nous, ce n'est pas le moment de faire un faux pas. Tu l'as si bien compris que tu as fait en sorte de ne pas te démasquer en appelant le standard du département et de ne pas leur mettre la puce à l'oreille avec Basilio Manfredi. Et tu as bien fait. Cela dit, il faut être réaliste. Qu'est-ce que nous avons de concret à nous mettre sous la dent ?

Précisément, ce que nous étions partis chercher : un lien entre un collègue de travail de Scannariato et une femme qui, ayant vendu sa voiture à Alamia, pourrait ne pas être tout à fait étrangère aux meurtriers. C'est un lien qu'il faut certes vérifier. Serait-ce peu de chose à vos yeux, monsieur le commissaire ?

Spotorno avait remarqué avec satisfaction que Puleo avait écouté sa petite mercuriale sans se laisser démonter. Conscient d'avoir soumis son subordonné au régime de la douche écossaise, il esquissa un sourire, qu'il s'efforça de ne pas rendre sardonique :

Mais qui te dit que c'est peu de chose, Save ? Le problème est ailleurs. Le problème, c'est que nous cherchions le lien avec Mancuso. Or, quand nous découvrons un premier indice, nous nous avisons qu'il n'a pas de rapport avec la victime principale, mais avec la victime supposée secondaire. C'est à Rosario qu'Anna Manfredi avait vendu sa 127, pas à Mancuso. Mais là, nous perdons notre temps en bavardages. Avant de raisonner sur des hypothèses fondées sur d'autres hypothèses, il vaut mieux vérifier ce qu'il en est vraiment. Question n° 1 : est-ce qu'Anna Manfredi et Basilio Manfredi sont parents ? Nous penserons plus tard au reste.

Puleo acquiesça et fit mine de sortir du bureau. Spotorno attendit qu'il ait franchi le seuil pour le rappeler :

Save...

Il s'approcha de lui et lui tapa sur l'épaule :

Bravo, Save. Bravo : tu as fait du bon travail.

Puleo rougit. Spotorno se sentit épuisé.

Quand il rentra chez lui, trop tôt selon les règles de son surmoi de flic, la lumière était encore intense. Amalia feuilletait un magazine féminin, assise sur le balcon orienté au sud en écoutant une cassette de Guccini, passion juvénile qu'elle n'avait jamais reniée. Elle chantonnait les paroles d'une vieille chanson dont même Spotorno connaissait le titre : *Ophelia*.

En apparente contradiction avec les lois de la physique classique, les derniers rayons du soleil, ayant abandonné la ligne droite, enveloppaient les collines de San Lorenzo, sur lesquelles ils déposaient fugitivement une lumière rosée. Et sur le visage d'Amalia, ils semblaient gommer les marques du temps. Cette dernière surprit sur elle ce regard anormalement prolongé et leva la tête pour scruter à son tour son mari d'un air interrogatif.

Où sont les enfants ? demanda Spotorno.

Dans leur chambre. Emanuele a été casse-pieds toute la journée.

Stefano, l'aîné, était vautré par terre sur le tapis en coco, plongé dans un *Astérix* traduit en anglais, probablement piqué à sa mère qui utilisait ces albums – sans grand succès, selon elle – pour tenter de séduire ses élèves rétifs à l'étude des langues.

Emanuele, lui, était debout, devant son bureau en formica, tout occupé à l'effeuillage délicat d'un bouquet de fleurs presque fanées, mais d'un bleu encore intense. Il arrachait les pétales un par un et les faisait tomber dans une petite coupe remplie d'eau.

Que fais-tu ?

Je vais faire tremper ces pétales pendant une semaine, puis j'utiliserai l'eau pour arroser les roses blanches de maman. Elle m'a donné la permission.

Mais pourquoi faire ?

Parce que, quand les roses feront des graines, je les sèmerai en terre. Et nous verrons pousser des roses bleues.

Qui t'a raconté ça ?

Lorenzo.

Et tu l'as cru ?

Non, il raconte que des salades. Mais on ne sait jamais. Je n'ai rien à perdre et beaucoup à gagner, car tu sais que les roses bleues n'existent pas ? L'homme qui les inventera deviendra le plus riche du monde.

Et tu y tiens à devenir l'homme le plus riche du monde ?

Le garçon le regarda avec stupeur. On ne parlait jamais d'argent chez les Spotorno. Du moins, jamais devant les enfants.

Et si nous allions tous manger une pizza? lança Spotorno pour appâter son monde. Enfin, surtout lui.

Ce fut un dîner silencieux, malgré le chambard des fils. Amalia semblait absente, jetant tout au plus un coup d'œil mécanique sur les enfants déchaînés. Elle traversait une de ces phases, assez rares chez elle, dit de « repos du cordon ombilical ». Un cordon d'ordinaire tendu et hypersensible surtout quand les garçons se trouvaient hors de portée visuelle ou auditive. Mais, même en leur présence, ce cordon lui faisait souvent sentir son terrible manque d'élasticité. Repos !

Assis en face d'elle, à une table pour huit personnes dans une pizzeria à demi déserte de Resuttana, hésitant à finir son demi pression désormais tiède, Spotorno repensait aux informations que, non sans satisfaction, Puleo lui avait mises sous le nez dans l'après-midi avant que le commissaire ne considère sa journée de travail comme achevée.

Anna Manfredi était une sœur du père de Basilio Manfredi. Bien que presque du même âge, ils étaient donc tante et neveu.

Spotorno avait recommandé à Puleo d'élargir sa recherche. De considérer les deux Manfredi comme les pôles de deux spirales qu'il fallait reconstruire point par point: femmes, enfants, parents, parentèle élargie, amitiés...

Enfin, ce qu'il lui avait déjà dit le matin même.

Lui, en revanche, toujours prompt à expliquer aux autres comment ils devaient travailler, n'avait pas progressé d'un pouce vers l'unique objectif qu'il s'était personnellement fixé dans cette enquête: une incursion à la Chapelle des Dames. Et la fièvre, pas plus que l'assassinat de Nunzia, n'y était pour grand-chose

Spotorno se sentit graduellement gagné par une sorte de mélancolie, comme cela ne lui était plus arrivé depuis les années du lycée. Est-ce que je serais en train de subir un changement hormonal? se demanda-t-il avec un rien d'anxiété. S'agirait-il d'un début d'andropause ? Non, trop tôt, se dit-il, je suis encore jeune. D'ailleurs, il avait entendu dire que cette modification s'accompagnait de la chute des cheveux. Mais c'était Lorenzo qui le lui avait dit, et, comme l'avait froidement déclaré quelque temps plus tôt Emanuele, Lorenzo La Marca n'était pas vraiment une référence. Et, de toute façon, Spotorno, qui les portait courts, avait les cheveux noirs et bien fournis.

Comme ceux de Nunzia, à en croire le médecin légiste.

## Chapitre XII

# Les recettes de Spotorno

Les interactions entre la gastronomie et le commissaire Spotorno – Amalia en était convaincue – relevaient d'une relation de cause à effet. Ses crises d'inquiétude du samedi soir le conduisaient parfois à se mettre aux fourneaux. À la vérité, après toutes ces années de mariage, son épouse n'arrivait toujours pas à affiner l'articulation de la séquence et elle se demandait, parfois avec une pointe de résignation, si c'était l'inquiétude qui poussait son mari à faire la cuisine ou si, au contraire, ce n'était pas plutôt la cuisine – et ses succès frustrants – qui suscitait son inquiétude.

À présent, tandis qu'ils marchaient côte à côte sur le trottoir de la Via Ponticello à la vitesse de deux nœuds environ, allure de croisière dominicale, le commissaire passait en revue les ingrédients qui avaient pu entraver sa digestion au point d'avoir essuyé pendant la nuit une attaque gastrique, évaluée, à vue de nez, à 4 degrés sur l'échelle de Mercalli.

J'ai peut-être mis trop de pignons et pas assez fait tremper les raisins secs, pensa-t-il.

Par chance, malgré l'audacieux mélange d'aneth et de cumin, le sauté d'espadon était très bien passé, en tout cas à en croire la vitesse à laquelle le plat avait été vidé. Question de faim, peut-être : les deux garçons étaient de vrais goinfres. En tout cas, ils semblaient avoir passé la nuit sans problèmes. Et Amalia aussi.

Lui par contre... D'abord fièvre, puis digestion lourde... Lui qui n'avait jamais raté un jour d'école ou de travail pour raison de maladie !

C'est à cause de cette maudite enquête, décida-t-il.

Malgré la touffeur humide, il y avait beaucoup de monde dans la rue par rapport aux dimanches précédents. Des flux de touristes, le nez en l'air, éparpillés entre la cathédrale et les Quattro Canti et, autour de Santa Chiara, des petits groupes d'Africains qui discouraient dans une langue parfois rugueuse ou s'accordaient une bière glacée Piazza Bologni, devant le petit restaurant Carlo Quinto.

Spotorno y avait déjeuné une fois avec le vieux Schirosa, durant un coup de sirocco mémorable, et il était resté émerveillé par la fraîcheur qui régnait à l'intérieur, comme si ce brûlant vent d'Afrique n'avait pas existé. Ç'avait été un déjeuner austère, arrosé d'un petit vin âpre, produit d'une année bâtarde. L'idéal pour des clients assoiffés, surtout de travail.

Ils arrivèrent en vue de la chapelle. La grande porte était ouverte d'un seul battant, et Spotorno prit acte avec un certain désagrément de sa réaction presque désappointée. Un alibi de moins. Que ne voulait-il pas savoir ?

Instinctivement, il chercha des yeux la petite vieille du rez-de-chaussée, mais, cette fois, les volets étaient hermétiquement clos. L'entrée de la chapelle était gardée par un jeune homme en pantalon gris, veste bleu marine, cravate argentée et chaussures parfaitement lustrées. Au premier coup d'œil, Spotorno le catalogua comme le parfait représentant d'une faune qui le rendait très nerveux. Il sentit à nouveau un léger spasme, comme un souvenir de son embarras gastrique. Le jeune homme le toisa avec une légère méfiance, un air trop désinvolte pour la sensibilité du commissaire :

Êtes-vous invités ?

Il posa la question sur un ton excessivement poli, dans lequel Spotorno devina une nuance de dédain.

Le commissaire remarqua que le jeune homme portait un écusson brodé sur la pochette de sa veste. Uniforme standard, look de commis de magasin d'habillement pour hommes, pensa-t-il. Les couleurs de l'écusson et de son dessin arborescent brodé d'un fil d'or lui rappelaient l'emblème d'une équipe de football. L'équipe de Lecce, peut-être ? Il avait fait son service militaire à Lecce, et un jour on l'avait entraîné au stade pour assister à un match entre troufions.

C'est à cet instant qu'il aperçut l'arrière d'une limousine probablement fort longue, fort noire et brillante, brillant d'un noir menaçant, qui pointait à l'angle de la Piazza Ponticello, du côté de la Via Maqueda. Et d'autres voitures élégantes parquées autour de l'église de Notre-Dame de Lourdes.

Ah, il y a un mariage ! dit-il.

Vous êtes invités ? répéta le jeune homme.

Nous sommes venus visiter la chapelle, expliqua Spotorno. Plus il le regardait, plus ce type lui semblait indigeste. Un potentiel semeur de spasmes gastriques. Le jeune homme se détendit :

Ah, je comprends, dit-il après un coup d'œil à la tenue fort peu matrimoniale des époux Spotorno.

Le commissaire avait adopté un compromis entre sa tenue des jours de travail et celle, plus informelle, des jours de congé : un polo noir sous un complet couleur moutarde. Amalia ne se sentant nullement déplacée avec sa jupe en jean et sa blouse de lin écru, toisa à son tour le jeune type avec cet air doucement neutre, propre aux mères de famille contemplant des enfants qui, par bonheur, ne sont pas les siens.

Vous devrez attendre la fin de la cérémonie, dit un peu dédaigneusement le jeune homme. Dans une demi-heure environ. Vous pourrez alors visiter l'église, mais quelques minutes seulement : c'est une chapelle privée et, pour la visiter, il faut demander l'autorisation auprès de...

Spotorno prit son souffle et s'apprêta à lancer un de ces mots qu'on regrette à l'instant.

Amalia lui posa la main sur le bras :

J'ai envie d'un café, dit-elle.

Spotorno jeta au gamin un regard du type « Remercie le ciel de ta chance ». Ce qui l'énervait le plus, c'était de se sentir dans son tort. L'autre se contentait de jouer son rôle, même s'il l'interprétait d'une manière un peu ostentatoire.

Il guida Amalia par la Salita Raffadali et le Vicolo Castelnuovo. Ils débouchèrent Corso Vittorio et continuèrent vers la cathédrale, jusqu'au bar préféré de Spotorno. C'était un lieu qu'il fréquentait quand il n'avait pas envie de croiser les habitués du café de la Centrale, ou quand il devait voir des personnes auxquelles, soit par égard, soit par prudence, il voulait éviter le contact trop brutal avec les bureaux discrets mais intimidants de la Brigade. Il s'agissait parfois de types sur lesquels pesaient des soupçons très lourds, mais très atypiques, à examiner avec circonspection. Il lui arrivait aussi d'y convoquer quelque malfrat qu'il employait comme informateur. C'était rarement des hommes de bonne volonté, mais Spotorno s'abstenait rigoureusement de les juger.

Le bar avait une arrière-salle, le plus souvent déserte, où il était possible de parler tranquillement. Le doute qu'on ait pu y planquer un micro ne l'effleurait que comme une pure hypothèse de travail. Or il se fiait trop à ses capteurs pour y croire. En outre, le gérant du bar était un bon diable qui affichait chaque jour un air de fête, et il aurait suffi à Spotorno de lui jeter un coup d'œil pour lire sur son visage si quelque chose ne tournait pas rond.

D'autre part, ses informateurs étaient souvent connus de la partie adverse qui tolérait ce genre de pratique : elle-même les utilisait pour faire parvenir de façon détournée des messages sans équivoque pour les hommes capables de les déchiffrer. C'était tout un équilibre entre donner et recevoir. Cela faisait partie du jeu, d'une règle non officielle, non écrite, non dite. Il suffisait de comprendre où était la frontière, l'antique et presque indiscernable ligne rouge.

Le café le détendit.

La promenade leur avait pris plus de temps que prévu. Ils accélérèrent le pas, à une vitesse d'un nœud de plus, vers la Via Ponticello. Les invités commençaient à sortir de la chapelle. La longue limousine noire quittait la placette ; son moteur ronflait à très bas régime; assis derrière le volant le jeune homme dédaigneux attendait la sortie des époux.

Le jeune homme les vit et leur fit un geste cérémonieux de la main, un geste qui leur indiquait que la voie était libre. Mais Amalia voulait voir la mariée, afin de pouvoir lui lancer un bon vrai regard critique, un regard de femme à femme, en pleine lumière.

La mariée apparut. Une fille d'une vingtaine d'années, à la beauté convenue des épouses en robe blanche. Trop décolletée, pensa Amalia. Spotorno s'appesantit sur cette généreuse poitrine, qui le ramena, non sans ironie, à l'anatomie de la vieille fouineuse de la Via Ponticello et à l'évocation d'une hypothétique princesse de Tinchité noyée dans les crinolines.

Quelqu'un se mit à lancer du riz, mais avec retenue, comme il convenait à ce lieu.

Passé le portail, Spotorno fut stupéfait. Il n'y avait pas de chapelle, mais un petit couloir suivi d'une minuscule galerie à arcades. À droite, une porte était fermée; un peu plus avant, une seconde porte donnait sur un salon, lequel donnait à son tour sur deux grandes pièces où l'on voyait quelques nobles meubles fort délabrés. Trois ou quatre jeunes Asiatiques – des Indiens, ou des Pakistanais peut-être – se donnaient beaucoup de mal pour remettre tout en place, enlever les corbeilles de fleurs et emporter un grand nombre de chaises recouvertes de brocart cramoisi, sous les directives d'une dame âgée dont le sévère tailleur contrastait avec l'aspect maternel. Une femme plus jeune, grande, élégante, surveillait tout du coin de l'œil. Amalia avait l'impression que même ses talons répandaient un parfum d'aristocratie.

À gauche de la galerie à arcades, se trouvait une oasis privée, minuscule et inimaginable pour ceux qui n'avaient vu que la façade externe de l'immeuble de Via Ponticello. On y voyait, tout autour d'un grand ficus un peu mal fichu, de petits palmiers, des rosiers, des agrumes en fleur, des philadelphus, des pothos, des philodendrons, des papyrus, des cycas, une jeune glycine et même un amandier avec d'immenses feuilles et de petits fruits encore fermement attachés aux branches.

Voilà pourquoi c'est toujours fermé, dit Spotorno. Ils gardent ça jalousement pour eux. Et comment leur donner tort. Si c'était à moi, je mettrais même des barbelés!

Tu ne le savais pas? lui dit Amalia. On l'appelle familièrement la Chapelle des Dames, mais son nom officiel, c'est la Congregazione delle Dame del Giardinello al Ponticello. C'est le petit jardin. Un bel endroit, non?

Ils le traversèrent, foulant le vieux revêtement de majolique, orné de figures antiques et d'arabesques, et ils entrèrent dans la chapelle.

Amalia remarqua aussitôt la petite inscription gravée: *Viderunt eam filiae Sion.*

Spotorno, quant à lui, remarqua la femme qui se tenait debout.

Il n'y avait pas de bancs dans la chapelle, seulement des stalles précieuses disposées le long des murs et protégées par de longs cordons qui en empêchaient l'accès. La femme avait choisi l'angle le plus sombre, sur le côté. Une tentative de se fondre dans le mur, de se détacher du contexte joyeux d'une cérémonie nuptiale? Mais ce choix avait eu un effet contraire: il l'avait rendue plus visible. Notamment à cause de sa posture, car elle avait le visage enfoui entre ses mains, le corps pétrifié dans un digne abandon qui la rendait à la fois irrésistible et déchirante.

Sans y penser, Spotorno s'était immobilisé pour la fixer, comme un chien d'arrêt; et à force de la regarder, il lui sembla percevoir qu'un frémissement, presque un spasme, agitait ses épaules et la mantille sombre qu'elle portait sur la tête, comme si elle avait tenté de réfréner des sanglots.

Amalia, cessant de contempler les fresques de la voûte, intercepta le regard de Spotorno. Elle lui lança un signe interrogatif, à peine perceptible, en direction de la femme. Spotorno acquiesça de la tête.

Comme pour répondre à ce dialogue muet, la Dame blanche sembla réaffleurer au monde sensible et, après un dernier sanglot, elle retira à contrecœur les mains de son visage. Elle semblait ne rien remarquer autour d'elle, ne rien voir même, isolée dans une bulle qui ne laissait passer que la lumière.

Elle se dirigea vers une porte qui donnait peut-être dans un des salons, mais un prêtre, sorti du côté opposé, à pas nerveux, faillit la heurter.

Bien que l'homme portât une tenue de clergyman, et non la désuète soutane noire des jésuites, Amalia le catalogua sur-le-champ. D'ailleurs, les jésuites ne portaient presque jamais la soutane sans boutons à large ceinture noire d'autrefois : ils étaient trop émancipés et depuis trop longtemps. Les stigmates de l'ordre étaient inscrits dans leurs regards et dans leur langage corporel. Amalia n'aurait pas réussi à formuler ça en termes objectifs, mais cela ne faisait aucun doute. Cela lui arrivait également avec les homosexuels honteux. Et même avec ceux qui ignoraient tout de leur penchant. Amalia le savait avant eux.

Spotorno avait appris à évaluer à sa juste mesure le diagnostic de son épouse le jour où, devant un cinéma de plein air, lui-même avait été, non sans indignation, l'objet d'avances discrètes (et jamais renouvelées) d'un sous-préfet de police qu'Amalia avait, quant à elle, aussitôt catalogué.

Il est un peu « sinueux », avait-elle commenté en dépit de l'allure rigide de leur interlocuteur.

C'était sa manière à elle, son personnel *understatement* pour définir les homosexuels. Elle trouvait en revanche que les lesbiennes avaient « beaucoup d'affinités avec les dames ». Voilà les conséquences d'une éducation conventionnelle et petite-bourgeoise, assumée cependant avec beaucoup d'autodérision.

La Dame blanche parla avec le prêtre. Un murmure imperceptible. Le prêtre fit un pas en arrière, comme pour mieux la dévisager. Il ébaucha une protestation, mais changea d'idée et lui fit signe de le suivre. Ils disparurent tous les deux par la porte, dans le salon contigu.

Amalia s'approcha de Spotorno :

Elle est encore plus blanche que tu ne disais. On dirait vraiment qu'elle a besoin d'aide.

Spotorno hésita un long moment sur ce qu'il devait faire. Puis il lui vint une bonne vieille idée de flic.

Allons-y, dit-il. Il se dirigea vers la sortie, sans même chercher à savoir si Amalia le suivait. Outrecuidance de mâle arabe, grommela-t-elle au fond d'elle-même.

Avant de le suivre, elle se pencha pour ramasser quelque chose dans une des stalles : un bristol d'invitation plié en deux, illustré par une reproduction de la toile suspendue au-dessus de l'unique autel de la chapelle : une Madone entourée d'angelots et surmontée d'une figure barbue. Le tableau était encadré de festons et de feuilles d'acanthe, d'un rococo exubérant. À l'intérieur du bristol, deux pages remplies d'une écriture fine.

La lumière était rare dans la chapelle et Amalia avait oublié ses lunettes, qui lui étaient depuis toujours indispensables pour lire. C'était une coquetterie plus qu'un oubli, car elle ne tenait guère à montrer qu'elle en avait besoin. Elle mit le pli dans son sac ; elle le lirait plus tard.

Dehors, ils furent un instant éblouis par la lumière. Spotorno scruta rapidement les deux côtés de la ruelle, la remonta à pied sur quelques dizaines de mètres, passa la Casa Professa, jusqu'à ce qu'il trouve ce qu'il cherchait : une Y10 bleu nuit, rangée le long d'un rideau de fer baissé.

Il revint sur ses pas, rejoignit Amalia, et ensemble ils se dirigèrent vers la 131. Il nota, en passant, que la vieille fouineuse l'épiait derrière les lattes de ses volets. Il eut la tentation de lui faire un signe de la main, y renonça : foin des futilités !

Ils avaient laissé leur voiture dans la petite rue qui relie la Via dell'Università et la Piazza Casa Professa, dans laquelle débouchait la Via Ponticello. Gravée au burin, une plaque de marbre rappelait qu'elle s'appelait avant Via Rimpetto Casa Professa. Elle surplombait une nouvelle plaque imprimée en rouge sombre au pochoir : Via Nino Basile. Avec le temps, la peinture était passée, la gravure s'était encrassée et les deux noms, l'ancien et le nouveau, étaient devenus illisibles. Une tentative parfaitement réussie de brouillage de la mémoire, nota Amalia qui, des années plus tôt, avait retrouvé l'antique nom de la rue en interrogeant les habitants du quartier.

Ils montèrent à bord de la 131. Spotorno enclencha la marche arrière et, à contresens, vint garer le véhicule au coin de la Piazza Casa Professa. Là, il coupa le moteur.

Qu'est-ce qu'on attend ? dit Amalia.

La dame voilée de la chapelle.

Elle a un nom ?

Aurora Caminiti, trente-quatre ans.

Par un réflexe qui confinait à la pudeur, Spotorno avait gardé pour soi le nom qu'il lui avait donné : la Dame blanche.

Et pourquoi l'attendons-nous ? reprit Amalia, après un bref instant de réflexion.

Elle a laissé sa voiture un peu plus haut, vers Ballarò. C'est un sens unique, en pente. Elle doit donc nécessairement passer devant nous.

Et alors ?

Nous la suivons. Elle a une Y10.

Et ça te paraît professionnel, ça, d'emmener ta femme pour faire une filature ? Un dimanche en plus ? Est-ce que tu imagines le commissaire Maigret emmenant sa femme pendant une de ses enquêtes ? Moi, à cette heure, je devrais être à la maison en train de me reposer ou de m'occuper de problèmes domestiques.

Protestations purement formelles. Pourtant, à dire vrai, jamais une des affaires difficiles de Spotorno ne s'était à ce point immiscée dans leur vie commune. Mais ça rompait la routine. Et, en outre, Amalia ne parvenait pas à prendre très au sérieux ces surveillances et ces filatures qui sentaient décidément trop le roman policier avec leur détective un peu stupide. Qu'est-ce que pouvait bien attendre le commissaire de cette filature ?

C'est précisément à ce moment-là que le prêtre de la chapelle passa devant la 131. Maigre, osseux, soixante-dix ans environ, l'allure preste et nerveuse. Amalia enregistra avec une pointe de satisfaction qu'il se dirigeait vers l'entrée de la Rettoria, principale résidence des jésuites, située à gauche de l'église du Gesù et communément nommée Casa Professa. Un des deux portails peints en vert était ouvert : le prêtre le franchit et disparut.

C'était donc bien un jésuite !

Spotorno enregistra lui aussi le fait, pour l'avenir, pour d'éventuelles enquêtes plus sophistiquées sur la Dame blanche. Mais dans le domaine du clergé, les jésuites, il le savait, étaient des plus coriaces. Des murs de caoutchouc. Un cauchemar.

La jeune femme apparut quelques minutes plus tard. Elle avait retiré sa mantille, et une nouvelle fois Spotorno resta éberlué par la violente juxtaposition de noir et blanc, cet effet d'instantané trop contrasté comme un cliché surexposé sur du papier Brovira n° 6. Du temps du lycée, il s'était amusé à faire des essais de tirages aux contrastes très appuyés dans une salle de bains transformée en labo.

Tirés en arrière, les cheveux noirs de la jeune femme étaient séparés en deux masses, par une raie médiane, très fine et très blanche : une sophistication sans doute involontaire, mais en totale opposition avec sa recherche quasi obsessionnelle de discrétion. C'était du moins l'avis de Spotorno. Cette coiffure sévère mettait à nu les traits effilés du visage, des pommettes osseuses, un profil de statuette proto-hellénique qui aurait survécu au temps.

C'est à quoi devait ressembler Pénélope aux heures où elle défaisait sa tapisserie.

Elle frôla, elle aussi, la 131, et ce fut comme assister au passage d'une réincarnation caravagesque d'un mystère douloureux. Elle portait des chaussures fermées, noires, un peu lourdes, presque masculines, et une robe passée, en maille de coton, d'un bleu fatigué. Elle marchait à lentes enjambées, mécaniquement, en ligne droite, au point de contraindre les passants à s'effacer pour l'éviter.

Amalia retenait son souffle, et Spotorno, lui aussi, eut l'impression que les battements de son cœur ralentissaient.

La jeune femme disparut à leur vue et reparut deux ou trois minutes plus tard au volant de l'Y10 bleue. Spotorno attendit qu'elle passe lentement devant eux avant de démarrer. Il la suivit en restant à une vingtaine de mètres. Concentrée comme elle l'était, elle risquait peu de repérer sa filature. Et même dans le cas contraire, Spotorno était sûr que ça l'aurait laissée indifférente.

Ils passèrent devant la chapelle, qui avait retrouvé son aspect habituel, avec sa grande porte fermée. L'Y10 traversa la Via Maqueda et fila droit par la Via Calderai. Les touristes s'étaient raréfiés, chassés par un soleil de plomb qui les poussaient vers l'air conditionné des restaurants ou les terrasses ombragées des trattorias du centre.

La ville n'opposait à la lumière qu'une résistance formelle, juste pour le principe. Puis elle s'abandonnait en une reddition complète.

La Dame blanche tourna une première fois à droite, dans la Via Roma, et une seconde fois pour monter vers le Cassaro.

Elle conduisait lentement, mais distraitement, peu attentive aux autres véhicules et aux feux. Aux Quattro Canti, Spotorno craignit un instant qu'elle ne brûle le feu rouge, mais le passage d'un bus Via Maqueda la contraignit à freiner. Il laissa s'insérer entre eux deux voitures. Amalia décida de tirer le maximum de cette matinée et de profiter de cette excursion imprévue au Cassaro. Ce n'était pas fréquent que monsieur le commissaire et son épouse se promènent en plein jour dans les Quattro Mandamenti, et que madame n'ait pas à conduire.

Passé la cathédrale, ils tournèrent dans la Via Bonello,

puis traversèrent le marché aux Puces qui, à cette heure, connaissait un moment de relâche. Seuls quelques amateurs défiaient le sort ici ou là, fouinant dans la poussière. Parmi eux, Amalia reconnut un écrivain célèbre, amateur de gravures. Malgré la chaleur, il portait un complet de teinte claire, un peu démodé, et une cravate unie. Il avait l'air souffrant et se déplaçait avec précaution, appuyé sur une vieille canne à pommeau.

À partir de la Piazza Indipendenza, l'Y10 remonta le cours Calatafimi jusqu'au boulevard périphérique. Depuis un moment, Spotorno pressentait le but de la jeune femme.

Prenant la parole pour la première fois depuis le début de la filature, Amalia dit :

Tu ne m'offres jamais de fleurs.

Spotorno sursauta. Puis, du coin de l'œil, il vit disparaître derrière lui sur le trottoir les petits étals des vendeurs de fleurs à la sauvette, qu'Amalia avait aperçus avant lui. Depuis quand n'était-il pas rentré à la maison avec un bouquet de fleurs ?

La Dame blanche, pendant ce temps, s'était engagée sur le périphérique. Elle continua jusqu'à la sortie de Via Pitrè, la traversa et s'inséra dans l'allée opposée.

Le trafic était devenu plus dense et Spotorno dut se rapprocher de l'autre voiture au point de distinguer très nettement la raie si blanche dans la masse des cheveux si noirs. Bizarrement, il lui semblait que cette raie lui permettait de capter l'état d'âme de la jeune femme. Même sa voiture semblait triste, avec cette couleur nocturne que la lumière du soleil ne réussissait pas à aviver.

Quelques centaines de mètres plus loin, l'Y10 tourna dans la Via Nave.

Mais où va-t-elle ? dit Amalia.

C'était un changement brutal, inattendu. Elle était passée d'innombrables fois devant l'entrée de cette ruelle et n'avait jamais soupçonné qu'elle servait de frontière entre deux mondes. Une frontière matérialisée par une rangée imprévue de cyprès. Un Éden semi-rural, léché par l'enfer des poubelles débordantes, remplaçait d'un coup le chaos métropolitain et agressif des nouveaux quartiers qui avaient poussé sur le bord du périphérique. La rue, étroite et tortueuse, filait entre deux vieux murs couverts de lierre. De l'autre côté des murs, débordaient des néfliers, des figuiers de barbarie, des citronniers, des oliviers et même un figuier exubérant.

Spotorno laissa la jeune femme prendre de l'avance; ils étaient seuls dans cette rue. Ils longèrent un petit bâtiment industriel, puis de nouveau un vieux mur, haut et mal en point, bordé lui aussi de néfliers. Plus loin, à travers la faille d'un portail entrouvert, ils virent une grande ferme, peut-être inhabitée. De l'autre côté, le vieux mur de moellon qui servait autrefois de limite, et dont il ne restait plus que des vestiges semblables à d'antiques ruines, avait été remplacé par une maçonnerie couronnée de tessons de bouteilles.

De temps à autre, le mur était interrompu par de grands portails de fer à l'aspect rébarbatif, dressés pour veiller sur le fragile sommeil des résidents d'une série de maisons basses, à peine achevées: petites villas dotées d'un certain charme, villas d'une bourgeoisie en pleine ascension, avec leurs jardins étroits encore nus, et toutes peintes d'un crépi couleur brique. Pourtant, Amalia n'aurait pas été étonnée de voir pointer des nids de mitrailleuses entre des toiles de camouflage et des chevaux de frise.

Au-delà de ces villas, comme un mémento inéluctable, tôt ou tard, l'armée des grands ensembles se répandrait tout le long de la ligne de moindre résistance esthétique et urbanistique.

Soudain, l'Y10 tourna vers un des portails. La Dame blanche avait dû actionner une télécommande, car le portail s'ouvrit lentement laissant voir un espace bétonné où étaient garées quelques voitures. Elle s'engouffra dans l'entrebâillement, tandis que le portail poursuivait obstinément son mouvement d'ouverture, suivi d'une pose, puis amorçait la fermeture qui sembla durer une éternité. Spotorno et Amalia eurent ainsi le temps de noter que l'Y10 s'était garée face au muret de l'une de ces petites villas, muret surmonté d'une balustrade en métal peinte couleur de terre.

La jeune femme ne descendit pas aussitôt du véhicule. Elle ne semblait pas pressée de rentrer à la maison : elle n'avait même pas bougé de son siège quand le portail finit de se refermer avec bruit, la dérobant définitivement aux regards. C'est alors, seulement, que Spotorno et son épouse perçurent le bruit d'une portière qu'on claque.

Et maintenant que savons-nous de plus ? dit Amalia. Qui est l'assassin ?

Elle savait qu'elle était injuste. Il était bien possible (elle en avait eu l'intuition) que l'enquête de Spotorno ne soit pas seulement axée sur un objectif précis. Le commissaire était un être hybride, comme certains personnages de la mythologie. D'un côté, il y avait le policier rationnel, scrupuleux, tenace, logique, sans préjugés envers les ressources de la technologie. De l'autre, il y avait tapi le flic instinctif, chasseur d'atmosphères et analyste de caractères, connaisseur en psychologies et stratège des pulsions. Si cela lui avait été possible, il aurait vécu la vie des inculpés, des témoins, des coupables de ses plus sombres affaires, coupables à ses yeux même si la preuve de leur culpabilité n'avait pas été établie ; il aurait bu le même café, consommé les mêmes plats, regardé les mêmes filles. C'est par là que passait la vraie connaissance.

Amalia lui caressa légèrement le genou, un geste qu'elle n'avait peut-être pas osé depuis leurs premières années de mariage : elle lui était reconnaissante de ce morceau de vie si différent du quotidien ; de cette incursion dans ces parcelles de campagne presque inviolée.

Spotorno remit sa voiture en marche et continua à rouler jusqu'à une bifurcation. Il prit la voie de gauche, puis tourna à droite, et ils se retrouvèrent au milieu d'une campagne qui, n'étant qu'en partie cultivée, apparaissait comme à l'abandon, avec ce contraste de touffes de roseaux qui bordaient un fossé et les quelques palmiers et cyprès qui signalaient la présence d'une forme de domestication bucolique autour de quelques maisons rurales désormais transformées en entrepôts.

Amalia nota une plaque où était inscrit le nom de la voie : Strada Riserva Reale. La route semblait se perdre quelques centaines de mètres plus loin, sur les pentes de Poggio Ridente, le ghetto des privilégiés dont les villas surplombaient les restes de la Conca d'oro. Plutôt que restes, je devrais peut-être penser reliques, se demanda Amalia silencieusement.

Spotorno continua jusqu'à ce que l'asphalte se désagrège, se délite et finisse en un sentier plein d'ornières, qui un peu plus loin devenait une piste. Il profita d'un petit terrain devant un cabanon pour faire demi-tour. Trois ou quatre chiens de race incertaine sortirent de la carcasse ombreuse d'un fourgon Fiat 1100, qui n'avait plus ni vitres ni roues, agitèrent la queue en espérant – sans trop de conviction – qu'on leur jetterait quelque chose à manger.

Spotorno n'avait pas fini d'étonner Amalia. Sur le chemin du retour, il arrêta la voiture face au long mur de moellon derrière lequel, en venant, ils avaient entrevu une grande ferme.

Sous le regard stupéfait de son épouse, ce père si attaché à ses enfants, ce mari affectueux, cet irréprochable fonctionnaire de la Police nationale, l'irascible commissaire Spotorno, descendit de voiture, ôta sa veste, la jeta sur le siège arrière et s'approcha du mur. Il l'examina comme s'il y cherchait quelque chose de connu. Il le trouva aussitôt : une saillie usée, une grosse pierre sur laquelle il posa le pied pour se hisser jusqu'au sommet du mur.

Immobile, il regarda longtemps, comme s'il voulait imprimer sur sa rétine ce paysage, avec une précision photographique. À moins, pensa Amalia, qu'il ne teste sa propre mémoire, ne se livre à quelque vérification nostalgique.

Après un temps qui parut interminable à sa femme, le commissaire descendit du mur et revint vers la voiture avec des traces de terre sur son polo, bien mis à mal par cette gymnastique. Amalia détourna tout de suite le regard, ne posa aucune question et attendit une explication qui – elle le sentait bien – arriverait d'ici peu.

Spotorno attendit qu'ils se retrouvent sur le périphérique pour parler. Il lui décrivit l'immense noyer qu'il avait retrouvé derrière la maison abandonnée. Il lui raconta les DC3, les légendaires bimoteurs Dakota, que, perché sur ce mur, il voyait jadis atterrir une fois par jour, peu avant le coucher du soleil, sur la piste du vieux camp d'aviation de Boccadifalco, juste après la Via Pitrè. Il lui dépeignit l'immense champ de coquelicots, au milieu des chaumes qui remplissaient tout l'espace que n'occupait pas la piste d'atterrissage. Parfois, l'avion semblait atterrir au milieu d'une flaque de sang, quand le soleil faisait fulgurer les pétales, comme quand, enfant, il interposait sa main devant le rayon d'une torche électrique. Le vrombissement des deux moteurs passait exactement au-dessus de sa tête, à quelques dizaines de mètres, en une rumeur effrayante et exaltante à la fois, qui libérait une étrange énergie dans son cœur.

Un jour, dans son enfance, on l'avait envoyé en *villégiature*, comme on disait alors, dans une de ces maisons à présent en ruine. Il avait attrapé la coqueluche, et le médecin avait décrété que l'air de la mer lui était contre-indiqué, et que l'enfant « avait besoin d'un air plus sec ». Il n'était plus jamais retourné sur cette route.

Pour rentrer à la maison, le commissaire choisit de passer par le centre. Il haïssait de tout cœur le périphérique.

Via Leopardi, il acheta un bouquet de fleurs jaunes.

Amalia les huma longuement, même si elles n'avaient presque pas d'odeur.

Pauvre fille, dit-elle.

## Chapitre XIII

# Le football américain, le rugby et l'assassinat de la princesse Mafalda

À la limite, la bretelle de Casteldaccia aurait été un meilleur choix. Mais Spotorno préférait toujours sortir à Bagheria et traverser la ville jusqu'à la nationale 113.

Le soleil était bas, et, sous cette lumière rasante, le bref trajet de la nationale qui passait à l'est de Santa Flavia resplendissait de lauriers-roses, de palmiers, d'hibiscus, de bignonias et de bougainvillées, dans une débauche chromatique qui apparaissait en ces lieux comme une sorte d'acharnement thérapeutique (ou bien d'expiation tardive) envers les habitants de ces petites villas se succédant comme les grains d'un chapelet d'assez mauvais goût, entre la route et la côte Tyrrhénienne.

Les villas s'étaient mises à prospérer à l'époque où les carreaux de faïence avaient commencé à recouvrir les vieilles maisons de terre bâties sans permis de construire, marquant ainsi l'avènement d'une modernité polychrome et un peu tapageuse.

Distrait par la promenade laborieuse des hommes et des femmes, Spotorno faillit manquer la sortie, une bretelle étroite qui reliait la nationale à l'une des petites routes desservant les villas les plus proches de la mer.

Quelques poubelles débordantes s'exhibaient sur une sorte d'esplanade, comme un signe de bienvenue conçu par un artiste provocateur en veine d'allégories.

Le commissaire pointa sans hésiter vers une des villas les moins voyantes. C'était même la plus sobre de toutes, enveloppée par les buissons de jasmin qui tempéraient la violence des bougainvillées débordant des jardins voisins. C'était une maison normale, quatre pièces et une petite terrasse sur la mer, avec des murs chaulés. Rien de plus reposant, par rapport aux maisons avoisinantes.

À l'arrière du jardin, il vit tout de suite Donna Ersilia. Armée d'un sécateur, elle était fort occupée à tailler un rosier sans fleurs et elle portait son habituel chapeau de paille, sans lequel elle ne serait jamais sortie durant la journée. C'était peut-être pour cela que, bien qu'ayant passé les soixante-dix ans, son visage avait gardé cette couleur ivoire des vieux portraits du début du siècle, imprimés en sépia.

Spotorno soupçonnait qu'elle ne possédait même pas un maillot de bain. Les rares fois où il l'avait vue sur la plage, en été, elle portait des vêtements sans manches, unique concession au rituel du bain de soleil.

Il gara la 131 le long du muret d'enceinte. Donna Ersilia se retourna en entendant le bruit de ses pas. Elle cligna des yeux face au soleil et, le reconnaissant, elle s'illumina :

Vittorio ! Quelle surprise ! Et quel bon vent t'amène ?

La brise du levant, Donna Ersilia.

En réalité, elle savait très bien le motif de sa visite.

Le commissaire passa la grille, toujours entrouverte. Et sacrifia aussitôt au baisemain. Il ne le pratiquait que deux fois par an, au seul bénéfice de Donna Ersilia. Lui-même aurait été incapable de dire pourquoi, sinon que Donna Ersilia incarnait exactement le type de femme auquel son père faisait le baisemain. La première fois, ce geste lui était venu spontanément. À sa grande surprise, c'était devenu un réflexe.

Il lui tendit le paquet qu'il tenait par son bolduc. La vieille dame ne demanda même pas de quoi il s'agissait. C'était l'été, c'était donc à coup sûr une gelée de pastèque décorée de fleurs de jasmin et d'écailles de chocolat. Spotorno l'avait achetée dans une pâtisserie renommée de Bagheria.

Je vais la mettre au réfrigérateur. Pendant ce temps, va le voir. Il est en train de pêcher en face de la maison, mais il t'attend certainement.

Comment allez-vous, Donna Ersilia ?

Comme vont les petits vieux, Vittorio. On se défend. Il y a tant de choses à faire à la maison, et puis dans quelques jours les enfants descendent de la Haute-Italie. Je dois leur préparer la *caponata* en quantité industrielle et la mettre en bocaux quand elle est encore chaude, comme ça ils peuvent en rapporter chez eux. À croire qu'ils ne viennent que pour ça ! Non, je plaisante. Ils nous sont vraiment attachés. Je t'en mettrai deux bocaux de côté ; tu sais qu'Amalia adore ma ratatouille froide. Tu les prendras la prochaine fois.

La Haute-Italie. Le commissaire ne put s'empêcher de sourire de cette expression désuète de maîtresse d'école, que Donna Ersilia était en effet avant de prendre sa retraite. Quant aux « enfants », il s'agissait d'Umberto, leur fils, de sa femme, originaire du Nord, et leurs deux enfants.

Spotorno baissa la voix pour murmurer :

Et lui, Donna Ersilia, lui, comment va-t-il ?

Comme d'habitude. La tension. De temps en temps, il me fait une de ces peurs... Hier, il s'est mis en colère parce que les voisins avaient mis la musique à plein volume à l'heure de la sieste. J'ai dû lui donner une deuxième pilule. Mais va le voir. Pendant ce temps, je prépare les griottes.

Depuis que Don Tano avait pris sa retraite et s'était retiré avec sa femme dans cette petite villa, en partie achetée avec ses indemnités de départ, Spotorno allait régulièrement lui rendre visite deux fois par an. Quelques jours avant Noël et pour l'anniversaire de Don Tano. C'est à cette occasion qu'il avait apporté ce jour-là une gelée de pastèque, pour laquelle les deux vieillards éprouvaient une passion sénile, rendue plus aiguë encore par le souvenir d'anciennes privations.

À Noël, c'était les *buccellati*, que Spotorno achetait rituellement à Casteldaccia, chez Pizzuto. Une adresse qu'il tenait de Donna Ersilia qui ne plaisantait pas avec les petits gâteaux.

Il contourna la maison en rasant le mur du jardin.

Les fleurs de Donna Ersilia ne semblaient pas trop souffrir de la chaleur. En cas de sécheresse, elle aurait bien été capable de les arroser avec des bouteilles d'eau minérale. Dans l'angle le plus protégé du jardin se développait avec exubérance l'orgueil de Don Tano, un arbre que son propriétaire appelait l'« arbre technologique » : un grand bigaradier sur lequel il avait greffé un limettier, un citronnier et un pamplemoussier rose. Le résultat ne manquait pas d'étonner le visiteur qui voyait pour la première fois les trois fruits sur le même arbre. C'est qu'il n'y avait pas assez d'espace pour trois arbres, car Donna Ersilia s'entêtait à privilégier les plantes ornementales.

Spotorno sortit par la grille qui donnait sur la plage couverte de galets et de blocs de rocher. La mer était calme, trouble, un peu malodorante comme toujours en été, quand les villas, presque toutes des résidences secondaires, se peuplaient de familles entières. Une petite mer de rien du tout par rapport à celle de la côte de Mongerbino ou de l'Addaura, où se dressaient des villas d'une bourgeoisie plus solide et moins voyante.

Il aperçut Don Tano debout sur un large rocher plat, à quelques centimètres au-dessus de l'eau, vêtu d'un long short kaki, probablement taillé dans un vieux pantalon militaire, d'une chemise ouverte qu'il portait au-dessus du short, coiffé de son éternel chapeau de paille à gros-grain couleur havane. Don Tano en possédait plusieurs, venant tous de chez Pustorino, et c'était sans doute la seule frivolité qu'il s'était jamais accordée.

Il pêchait avec une longue canne de bambou à deux sections qu'il avait fabriquée lui-même en utilisant la douille de cuivre d'un pistolet Very, dont il avait scié le culot pour raccorder les deux segments.

Nous vous baisons les mains, Don Tano. Et bon anniversaire.

Ah, c'est toi, Vitto ! Tu t'en es encore souvenu cette année.

Comment allons-nous, Don Tano ?

Et comment devrions-nous aller, Vittorio ? Sur trois pattes.

Il retira le fil et dégagea les hameçons des résidus d'appâts. Spotorno se pencha pour regarder dans un seau en plastique dont le fond était recouvert d'une couche d'algues humides. Il les souleva et découvrit quelques petits poissons agités de vagues soubresauts.

Inutile que tu regardes. En été, ici, on ne prend rien que des saupes, des girelles, des vives, des gobbis. Je les donne au chat. C'est déjà bien beau qu'il en veuille. Le bon poisson, ici, on n'en trouve pas en cette saison. Et si même on en trouvait, qui oserait le manger ? Pas même si c'était du denti. À la fin de l'été, c'est différent. Au début de septembre, l'eau redevient propre et, au large, on commence à prendre des ombrines à la traîne, avec un flotteur. Et même quelques petits thons. Mais que fais-tu ? Allez, on rentre. J'en ai assez de faire le monument aux morts sur ce rocher.

Tout en parlant, il enroulait sa ligne et fichait les hameçons dans le bouchon de liège.

Malgré ses longs séjours au grand air, le rouge violacé propre aux natures apoplectiques prévalait sur le bronzage chez don Tano. Des mèches blanches s'échappaient de son chapeau. Il avait gardé un physique massif, à peine alourdi par quelques excès alimentaires.

Il se retourna pour prendre son seau et, au moment où il descendait du rocher, alors qu'il allait mettre le pied sur le quai de ciment, Spotorno fut soudain hypnotisé par quelque chose qui le paralysa au point de ne pas pouvoir crier un avertissement : le vieil homme allait mettre le pied sur une énorme tache de goudron, laissée par la dernière marée.

Par chance, Don Tano la remarqua à temps et posa le pied un peu plus loin. Il lança un regard moqueur à Spotorno :

Tu l'as fait exprès de ne rien dire ? De toute façon, j'ai à la maison une belle collection de pierres ponces. Ici, ça n'est pas rare de mettre le pied dans du goudron. Et, du reste, c'est grâce à une tache de goudron que tu es devenu ce que tu es. Tu te rappelles ? Si tu n'avais pas marché dans le goudron, tu ne serais pas resté sur ce rocher pour tenter de l'enlever, et je ne t'aurais pas vu, et il ne te serait jamais venu à l'idée de rentrer dans la police. Quel âge tu pouvais avoir ? Huit ans ? Dix ans ? Je m'en souviens comme si c'était hier. Je veux être commissaire de police, m'as-tu dit. Clair et net. Tu étais encore plus têtu qu'aujourd'hui. Commissaire. Comme moi, en ce temps-là, avant que je ne sois promu divisionnaire.

Était-ce vraiment pour ça qu'il avait décidé de devenir flic ? Il n'avait jamais voulu l'avouer à Don Tano, pour ne pas le décevoir, mais quelques jours à peine après cette première conversation, le petit Spotorno avait totalement oublié sa vocation de policier.

Alors, pourquoi ? Spotorno aurait eu beaucoup de mal à s'expliquer comment cette décision avait mûri, peu après avoir obtenu sa maîtrise en droit, avec félicitations du jury. Il ne s'agissait pas de ce qu'on appelle une vocation irrépressible. En outre, le concours d'entrée dans la police lui était apparu comme une sorte de monolithe trop lourd pour être abattu, trop dur pour être entamé et trop encombrant pour être contourné. Mais, à la fin de son service militaire, l'annonce de ce concours lui était tombée entre les mains de façon fortuite, oubliée par quelqu'un sur un siège, dans le train qui le ramenait chez lui.

En y réfléchissant, bien des années plus tard, il était arrivé à la conclusion qu'il avait fait ce choix pour « équilibrer » le Destin. Dans le faubourg où il était né et avait vécu ses premières années, c'était vraiment le sort qui décidait de quel côté de la barrière allaient tomber les gamins qui s'acheminaient vers l'adolescence. La subtile ligne rouge entre le bien et le mal. Il suffisait d'un rien pour tomber du mauvais côté et devenir un truand : un père qui mourait trop tôt, une famille trop pauvre, des études trop vite interrompues, de mauvaises fréquentations, un souffle de vent qui mélangeait les cartes et les redistribuait à l'aveuglette. Si sa famille ne s'était pas établie à Palerme, lui-même, peut-être... Qui sait ?

Spotorno ne croyait pas au patrimoine génétique. Et pas même au libre-arbitre. Son interprétation de la dialectique du bien et du mal le situait plutôt dans la variante policière d'une sorte de dérive situationniste. En cela, il différait de son collègue plus âgé, Schirosa.

Dans son métier, Schirosa était un disciple de Lombroso, le fondateur de la criminologie. Spotorno aussi, mais il appliquait cette théorie dans le domaine politique. Il lui suffisait de regarder un homme politique pour le cataloguer à l'instant. Sur le plan professionnel, en revanche, il partait du principe que mieux valait se méfier de sa première impression.

Don Tano était presque l'incarnation de ce principe.

À l'époque des échauffourées avec l'Armée volontaire pour l'indépendance de la Sicile et la bande de Giuliano, au terme d'une poursuite, le jeune commissaire Gaetano Calabrò, éraflé par une balle, avait reçu le baptême du feu, presque aussitôt suivi d'un second baptême, plus cuisant encore, administré par un vice-divisionnaire. En effet, sortant des urgences de l'hôpital, la tête enveloppée d'un gros bandage, il avait remis aussitôt son chapeau de paille à gros-grain havane, ce qui lui avait donné un air passablement louche. Son supérieur lui avait jeté un long regard et, faisant le geste de lever un chapeau imaginaire, l'avait salué d'un sarcastique « Nous vous baisons les mains, Don Tano ». La formule et le nom, propres à la mafia, lui étaient restés attachés. De ce jour-là, le commissaire Gaetano Calabrò était devenu Don Tano, pour tous et pour toujours, si l'on excepte un fade préfet de police qui faisait toujours le dégoûté et qui, du reste, n'avait pas fait long feu.

C'est Don Tano qui, des années plus tard, avait donné la bonne interprétation à Spotorno sur la vraie différence entre la police et les carabiniers qui relevait, selon lui, de « l'ironie transversale ». Comme, dès sa jeunesse, il avait l'air d'un gros bonnet aux yeux de tous, le commissaire Gaetano Calabrò était devenu le plus vraisemblable des Don Tano.

Un flic appelé comme un mafieux. Dans une caserne de carabiniers, ça n'aurait jamais pu arriver.

Ils s'acheminèrent vers la villa, Spotorno portant le seau à poissons. Le vieil homme regardait le couchant.

Que dit-on à la maison mère, Vitto ? Que dit Schirosa ? Lui aussi ne doit plus en avoir pour très longtemps : il est bon pour la montre en or et hop !, au bercail, pour y moisir tranquillement.

La maison mère, dans le langage de Don Tano, ç'avait toujours été la Brigade. Spotorno avait été surpris que le vieil homme ne fût pas mort de tristesse dans les premiers mois de la retraite qui sont les plus durs.

Il attendit d'avoir fait quelques pas, et répondit :

Tout est plus compliqué aujourd'hui, Don Tano. Les jeunes recrues sont toujours plus enragées. Et les vieux chefs de la mafia ont de plus en plus de mal à les contrôler. De temps en temps, ils se débrouillent pour nous en faire découvrir un, entravé comme un chevreau et déjà étranglé par ses propres cordes dans un coffre de bagnole. Mais il faudrait autre chose pour les mater. Il y a trop d'argent en jeu, trop d'argent facile, et qui en a senti l'odeur une seule seconde a vite fait de faire ses comptes et de comprendre que ça vaut la peine de prendre le risque de faire cavalier seul. Sans compter que les jeunes se croient inatteignables, invulnérables et se fichent bien de savoir sur quels pieds ils marchent.

Le vieil homme n'attendit même pas que l'écho des paroles de Spotorno fût évanoui :

Vitto, ceux-là, ils ont plus de cornes qu'un panier d'escargots et ils sont pires que la mauvaise herbe : plus tu l'arraches, plus ça repousse. Il n'y a rien à faire. Écoute-moi : fiche le camp. Va-t'en. Prends ta femme et tes gamins, et emmène-les. Fais-toi transférer dans un petit commissariat en Ombrie ou dans les Marches. Ici, sous peu, ce sera l'enfer. Tu n'as encore rien vu. Et, à Rome, les hautes sphères n'y comprennent rien. Ou, pire encore, ils ne veulent rien comprendre, surtout si ce sont des Siciliens. Ils ne sont bons qu'à faire tourner nos tragédies en farces et nos farces en tragédies. Tu te rappelles ce cardinal qui déclarait que la mafia était une invention des communistes, et que le vrai problème, c'était l'honneur bafoué des bons chrétiens qui craignaient Dieu ? Et dire qu'il était du Nord ! Il y croyait peut-être, du reste : les grosses légumes avaient dû réussir à le convaincre lui aussi. Crois-moi : à Rome, avec toutes ces têtes de bois, le problème, c'est les vers. À force de leur ronger le crâne, ils n'ont plus rien laissé là-dedans, pas même les mauvaises intentions. C'est peut-être ça l'essence de la « sicilitude ». J'ai cherché le mot dans le dictionnaire. Il n'existe pas. C'est un mot virtuel. Un mot forgé pour définir une chose qui ne peut pas être définie.

Spotorno ne prenait pas son discours au sérieux. Le vieil homme aurait été fort déçu si son jeune confrère avait suivi son conseil et avait déserté le champ de bataille.

Don Tano, à vous entendre, on ne dirait vraiment pas que vous vous contentez de lire les pages nécrologiques des journaux comme vous le prétendez.

La lecture des nécrologies est passionnante, à condition d'y trouver les noms qu'il faut. Ce qui, hélas, se produit rarement. Enfin, j'ai toujours mes informateurs. Mais qu'est-ce que tu as, Vitto ? Tu es bizarre aujourd'hui, sur la défensive. Tu n'es jamais très bavard, mais à ce point...

Depuis qu'il avait décidé de rendre visite à Don Tano, Spotorno savait qu'il finirait par se confier à lui, par lui raconter cette affaire qui l'obsédait comme aucune autre jusqu'alors. Il n'attendait pas une aide concrète de Don Tano, mais espérait que le fait même de lui raconter l'affaire depuis le début et de façon chronologique l'aiderait à clarifier ses propres idées.

Don Tano lui avait toujours servi de guide le long des voies, jamais linéaires, du métier.

Spotorno travaillait depuis peu dans les bureaux de la Brigade, quand, un matin, en allant au travail, il avait aperçu près de la préfecture de police une silhouette lui rappelant celle du commissaire qu'il avait rencontré enfant, lors de l'assassinat de mademoiselle Lo Giudice. Il l'avait repéré de dos, en partie grâce au fameux chapeau que Don Tano portait même l'hiver. Il s'était mis à le suivre, au bout de la Via Biscottari, peu avant l'arc qui s'ouvre sur la place San Giovanni Decollato. Après tant d'années, il hésitait un peu, mais quand il l'avait vu s'engouffrer dans les bureaux de la Brigade, respectueusement salué par les plantons et les collègues, il n'avait plus eu aucun doute.

Il s'était timidement présenté à lui quelques heures plus tard. Et l'autre l'avait toisé de haut en bas, en opinant du chef en signe d'approbation, car lui aussi avait reconnu dans le jeune Spotorno le gamin qui autrefois avait marché dans le goudron :

Tu dois être un type de parole. Tu l'avais dit et tu l'as fait. Du moins le premier pas. Mais sache qu'il te faudra manger pas mal de pain dur, si tu veux faire carrière dans la maison.

Don Tano l'avait tout de suite pris en sympathie, même si, au début, il le traitait un peu à coups de pied dans le cul. C'est ainsi que les anciens en usaient alors avec les jeunes qui promettaient.

C'était une autre époque. Don Tano se méfiait de certains flics de la nouvelle génération qui, à mesure que s'approchait pour lui l'âge de la retraite, sortaient de leurs cours de spécialisation et envahissaient en nombre toujours plus grand les préfectures d'Italie. On aurait dit des cadres d'entreprise. Ils parlaient un nouveau jargon, plein de mots américains. Et ils s'imaginaient qu'il suffisait d'utiliser les nouvelles diableries technologiques pour comprendre et résoudre n'importe quelle affaire.

Selon lui, ils manquaient d'humilité : un péché mortel

pour tout flic qui se respecte. Ces jeunes flics, au cours d'un interrogatoire, n'auraient jamais daigné flanquer une bonne paire de baffes à un inculpé, comme on le faisait naguère encore. Sans parler du petit jeu qui consistait à lui faire boire de l'eau salée... Méthode, pour dire la vérité, que Don Tano n'avait jamais tolérée. Mais il savait que parfois l'un ou l'autre de la vieille garde était pris d'une atroce crise de nostalgie.

Savez-vous l'unique chose qu'un vrai flic n'acceptera jamais ? disait-il souvent aux jeunes policiers frais émoulus. C'est l'idée de s'être fait entuber par un malfrat. Ça, ça le rend fou. Et si ça ne vous rend pas fou, alors vous pouvez tout de suite changer de métier.

Ils entrèrent dans la maison. Donna Ersilia avait rempli une carafe d'eau glacée pour couper le sirop de griottes qu'elle préparait selon sa propre recette. Elle scellait les bocaux de griottes, préalablement sucrées, et les laissait macérer lentement au soleil pendant des heures. Ce procédé permettait d'arracher aux fruits au sirop un arrière-goût délicat et persistant. Rien à voir avec les douceâtres produits industriels.

Spotorno avala une gorgée avant de commencer à raconter.

Il parla du double meurtre de la Zisa, avec le corollaire de la moto volée à l'université, évoqua sa première rencontre avec la Dame blanche, décrivit la mort de Nunzia, expliqua au vieux qui était Rosario. Et qui était le mari de la Dame blanche.

Don Tano haussa un sourcil. Il était bien sûr au courant des trois meurtres, mais, sans le compte rendu de Spotorno, faute d'éléments, il n'aurait pu relier les deux affaires ni faire le lien avec les gamins de l'affaire Lo Giudice, ni connaître le rapport de parenté entre la Dame blanche et Gaspare Mancuso, dit Asparino.

Sala Diego, Sala Diego... je m'en souviens, dit Don Tano. C'était le blond, celui qui avait des cheveux presque blancs. Il aimait jouer au caïd. Alamia, par contre, était roux.

À vous trois, c'est sûr que vous formiez une sacrée bande! Qu'est-ce qu'il est devenu, ce Sala? Qu'est-ce qu'il fait dans la vie?

Spotorno répondit d'autant plus précisément qu'il avait des informations de la Brigade le concernant:

Il a passé un diplôme de géomètre et possède une entreprise: déblaiements et transport à la décharge. À première vue, il a l'air tout à fait honnête. Avec les réserves de rigueur, bien entendu, sur les contacts qu'il doit garder pour pouvoir travailler dans son domaine: autorisations, protection, tribut, le *pizzo* habituel, quoi! Il vit avec sa femme dans une petite villa au nord du périphérique, Via Nave, entre le Corso Calatafimi et la Via Pitrè. Pas d'enfants. Le siège de son entreprise, en revanche, se trouve du côté de la Via Colonna Rotta. Ce qui signifie qu'elle se trouve à la limite entre les zones d'influence de la *famille* de Porta Nuova et celle de la Zisa. Je ne l'avais plus vu depuis l'époque du meurtre de mademoiselle Lo Giudice.

Il omit de raconter l'épisode de la filature de la Dame blanche, en compagnie d'Amalia, dont il avait un peu honte.

Sala Diego. Sais-tu que c'est lui qui m'a mis sur la bonne piste dans l'affaire Lo Giudice? Quand je lui ai parlé, comme je l'avais fait avec toi et avec Alamia, il m'a raconté l'histoire du mauvais œil.

L'histoire des Li Pani. Spotorno la connaissait bien. Ils habitaient, la mère et le fils, dans un minuscule appartement au rez-de-chaussée d'une maison bourgeoise. Santo Li Pani, à l'époque, avait une quarantaine d'années. Dans le faubourg, on racontait que sa carte d'identité portait la mention « individu dangereux pour lui-même et pour les autres ». Spotorno ne savait pas si c'était vrai; lui, il n'avait jamais éprouvé le moindre sentiment de danger face à Santo.

Santo disparaissait parfois de la circulation puis réapparaissait avec un costume neuf mais pas cher qu'on achète sur les marchés. C'étaient les dames de San Vincenzo qui le lui offraient chaque fois qu'il sortait de l'asile de fous de la Via Pindemonte. On avait diagnostiqué chez lui une schizophrénie résiduelle, détail que Spotorno n'avait appris que bien plus tard, quand il avait exhumé le dossier de l'affaire Lo Giudice pour satisfaire une curiosité longtemps inassouvie.

À l'époque des événements, si leurs pères avaient pensé un seul instant que Santo Li Pani était une menace pour leurs fils, ils leur auraient interdit de mettre le nez dehors, quitte à les attacher au pied de leur lit.

Santo parcourait la plage chaque matin à grandes enjambées. C'était une haute silhouette, dont la couronne de cheveux roux autour de sa calvitie évoquait la rade du Sacramento. Il portait toujours un costume, même les jours de sirocco, et il ne parlait jamais, sinon avec les yeux. Parfois ses yeux semblaient vides et éteints. Parfois, ils brillaient comme ceux des chats dans le noir. Alors son regard ne s'arrêtait sur rien, comme s'il avait voulu enregistrer fébrilement le plus d'images possibles en prévision d'un long internement.

De fait, ces phases amorçaient une absence prolongée. Puis il apparaissait, à l'une des extrémités du Sacramento, dans un nouveau costume boutonné jusqu'au col, le regard éteint.

De temps à autre, il s'asseyait sur un rocher et les regardait pêcher. Parfois, Spotorno lui proposait sa canne, avec les hameçons déjà prêts, en lui faisant signe d'essayer. Mais l'homme se levait et s'éloignait sans dire un mot. Ses yeux avaient un éclair d'intérêt quand un des garçons prenait un poisson. Ou de dégoût quand ils jouaient à se bombarder de limaces de mer, qu'ils ramassaient dans les basses eaux, près du rivage.

Certaines années, en été, les limaces de mer formaient presque un tapis sur les fonds sablonneux et chauds, et, quand on marchait dessus, elles crachaient leur encre. Une fois, Spotorno en avait vu une noire qui nageait entre deux eaux et il était resté fasciné par son élégance : une vraie métamorphose par rapport à l'aspect léthargique et répugnant de celles que ses copains capturaient nichées en masse dans les anfractuosités des roches. Un type qui avait une maison au Sperone et qui étudiait les animaux marins lui apprit un jour que son vrai nom était l'*Aplysia*. Depuis, le petit Vittorio n'en avait plus jamais maltraité une seule.

L'histoire du mauvais œil avait éclaté le jour où la mère de Santo, ouvrant sa porte, avait trouvé pendue à la poignée une poupée de chiffon, bourrée de paille et serrée avec une touffe de graminées. Elle avait été confectionnée de façon rudimentaire à l'image d'un homme. Sa tête était traversée d'une grosse épingle.

La vieille idiote avait entamé une interminable lamentation, qui tournait obsessionnellement autour de l'idée que c'était mademoiselle Lo Giudice qui avait jeté un sort à Santo. D'après elle, c'était une histoire qui remontait à l'époque où son fils ne cessait d'entrer et sortir de l'asile de la Via Pindemonte.

Analphabète, veuve depuis toujours, elle parvenait à survivre grâce à une pension ridicule, qui n'aurait pas suffi à les nourrir tous deux sans la solidarité du faubourg et, notamment, sans l'aide concrète et anonyme de mademoiselle Lo Giudice, qui les aidait secrètement *via* la paroisse. Mais la veuve Li Pani s'était persuadée que l'institutrice jetait des sorts à Santo par envie et par jalousie, depuis qu'elle avait perdu son fils unique, victime du typhus durant la guerre, à dix-neuf ans, faute de médicaments.

Spotorno connaissait cette histoire pour avoir entendu les grands la raconter sur un ton désolé. Comme tout le monde, il pensait que la veuve Li Pani était la vraie folle de la famille. Mais comme elle avait un grand ascendant sur son fils, à force de verser dans l'oreille de Santo un filet de paroles mortelles comme un poison, elle avait réussi à le convaincre d'assassiner l'institutrice à la retraite en l'étouffant une nuit sous un coussin.

C'est le blond qui m'a raconté l'histoire de la poupée piquée d'une épingle, dit Don Tano. Sans lui, nous aurions bien sûr trouvé la solution tout seuls, car certaines choses ne peuvent pas rester éternellement sous le boisseau, même dans ce milieu où l'*omertà* se confond avec la nature humaine. Diego Sala, je m'en souviens bien, parce qu'il avait l'esprit très fin pour son âge. Il savait se comporter dans ce genre de circonstances : il n'aurait jamais lancé une accusation de front. Il avait donc choisi une forme indirecte, mais sans équivoque. Il devait avoir une dent contre ce psychopathe.

Vous savez, Don Tano, Diego, il avait une dent contre le monde entier. C'était la base de ses rapports avec les autres. À l'école, il ruminait durant des semaines les réprimandes de mademoiselle Lo Giudice, avec ce fiel qui se nourrissait de lui-même, à l'opposé des brusques emportements de Rosario. Il est vrai que les remontrances de l'institutrice n'étaient pas rares. D'autant que Diego ne voulait même pas entendre parler d'étudier. Or, elle s'était mise en tête de redresser ce clou tordu. Je jurerais qu'à sa mort il a éprouvé une sorte de satisfaction. Pour lui, elle l'avait bien cherché. Évidemment, il ne l'avait jamais dit. Le plus curieux, c'est qu'il ramassait des huîtres pour elle. Il avait au fond de lui une ambivalence, dont d'ailleurs il n'a pas dû se défaire adulte. Il y a des choses dont on ne se libère jamais. Ce sont nos fondations. Au mieux, on les déguise.

Quoi qu'il en soit, après qu'il m'eut raconté son histoire, l'affaire fut bouclée en vingt-quatre heures. Quand nous nous sommes présentés au domicile des Li Pani, à la seule vue des uniformes, la vieille s'est mise à hurler des insanités à l'adresse de mademoiselle Lo Giudice, avant même que nous n'ayons ouvert la bouche. C'est cette fille de rien qui m'a abîmé mon petit, criait-elle. Son malheureux fils, en revanche, s'est laissé menotter et emmener sans broncher. Puis la police scientifique a trouvé ses empreintes un peu partout dans la maison de la victime. Il a fini à l'asile judiciaire de Barcellona Pozzo di Gotto. S'il n'est pas mort, il y est encore. La vieille, elle, s'en est tirée sans trop de problèmes. On l'avait classée comme débile mentale, cas aggravé par le contexte socioculturel. Du coup, elle a même échappé au procès. Elle a continué à vivoter quelques années, déversant ses lamentations au tout-venant, et puis, un beau jour, elle est morte dans son sommeil.

Spotorno savait tout ça. Il savait aussi qui avait confectionné la poupée de chiffon transpercée d'une aiguille. C'était Diego. Spotorno l'avait compris à la toile de jute qui avait servi à envelopper la forme vaguement anthropomorphique de la poupée. Diego l'avait arrachée à un récif où elle était restée accrochée.

Il l'avait vu ensuite cueillir les graminées, les *ddisa,* qu'il avait utilisées pour serrer le tissu autour de la paille. Il les avait tranchées avec le couteau dont il se servait pour ouvrir les huîtres et les avait enroulées pour les fourrer dans sa poche.

Spotorno n'en avait jamais parlé à personne. Avec le temps, il avait fini par se convaincre que Diego n'avait jamais rien tramé de secret. Le gamin ne pouvait pas avoir imaginé quel mécanisme fatal ce geste de bravade enclencherait. Il relevait de la méchanceté enfantine, de cette cruauté désinvolte qui traverse souvent la vie d'un être en marche vers une adolescence sans issue.

Affalé dans son fauteuil, les yeux mi-clos, Don Tano semblait épuisé. Spotorno pensa que ce n'était pas vraiment de la fatigue. Évoquer cette vieille affaire avait réveillé sa nostalgie pour ces temps héroïques à la Brigade. En vérité, il n'avait jamais surmonté le coup de la retraite. C'est pour cela qu'il avait rompu définitivement avec son passé et n'avait plus jamais remis les pieds dans les bureaux de la Brigade, Piazza della Vittoria.

Donna Ersilia arriva enfin de la cuisine avec la gelée de pastèque. Don Tano parut se réveiller.

Dis-moi, Vitto, comment va la famille ? Amalia ? Les petits ?

Spotorno lui donna rapidement des nouvelles.

Embrasse-les très fort de ma part, lui dit Donna Ersilia. Et amène-moi donc une fois les petits. Et sans attendre Noël, s'il te plaît !... En septembre, l'eau redevient propre. Ils pourraient venir prendre un bon bain avant de rentrer à l'école. C'est que nous sommes vieux, et, tu sais, les enfants...

Spotorno laissa ce bavardage devenir une sorte de bruit de fond relaxant et regarda autour de lui. Tout était à sa place, comme toujours, à l'exception d'une nouvelle gravure suspendue au-dessus du sofa. C'était une eau-forte de Federica Galli, une vue hivernale de la Bassa, une sorte de dentelle de toits et de peupliers dépouillés.

C'est Tecla qui me l'a donnée, pour Pâques, dit Don Tano.

Tecla était leur belle-fille, la femme d'Umberto, leur seul enfant.

Je l'ai mise à la place du portrait d'Umberto II. Le dernier roi d'Italie.

Le jour où le Parti monarchique avait fusionné avec le Mouvement social italien, Don Tano avait enlevé des murs de son appartement en ville la photo d'Umberto II et les portraits des autres membres de la maison de Savoie. Et quand sa femme et lui, après sa retraite, s'étaient installés dans cette petite villa sur la mer, ils avaient gardé exactement la même disposition des meubles et des tableaux – mais en remplaçant par d'autres gravures, au-dessus du sofa, les portraits de la famille royale. Le dernier emplacement vide était justement celui qu'avait laissé le portrait d'Umberto II.

Don Tano avait un jour confié à Spotorno les raisons de ce changement. Il lui avait répété le cri de douleur d'un vieux militant monarchiste au congrès où l'on avait voté la fusion :

Rappelez-vous que les fascistes ont assassiné Mafalda de Savoie. Ils n'ont pas levé le petit doigt quand les SS l'ont déportée, par la ruse, à Buchenwald !

Don Tano, lui non plus, n'avait pas digéré cette fusion :

Mis à part le cas de la princesse Mafalda de Savoie, tu ne crois pas qu'il aurait été plus digne de s'éteindre de mort naturelle plutôt que de s'allier avec les héritiers de ceux qui ont provoqué la fin de l'idéal monarchique ? Où sont passés les monarchistes aujourd'hui ? Qui les connaît encore ? Les Italiens sont désormais convaincus que la monarchie se résume à ces imbéciles qui alimentent les potins mondains des magazines *people*. Tu sais ce que j'ai fait, moi, le jour de la fusion ? J'ai pris ma carte et mon insigne, je les ai glissés dans une enveloppe que j'ai soigneusement fermée et que j'ai expédiée sans mot d'accompagnement à Falcone Lucifero, dernier ministre de la Maison royale, le meilleur de tous. Et je n'ai pas été le seul. Je suis sûr qu'il a compris, lui.

Spotorno sentit que le moment était venu de partir. Ces discours de Don Tano, réflexions d'existences sur le déclin, de nébuleuses proches de l'explosion, avaient le maudit pouvoir de le rendre terriblement mélancolique.

Depuis ce jour, je n'ai plus voté, reprit Don Tano. Et j'ai eu quelques ennuis comme fonctionnaire de la sûreté publique. Je ne m'en suis tiré que parce que j'ai les épaules solides, mais j'ai joué la fin de ma carrière. De toute façon, pour qui aurais-je dû voter ? Pour ces dévots de la Démocratie chrétienne ? Tu plaisantes ! J'aurais préféré voter pour les communistes ; eux, au moins, c'étaient des gens sérieux. Togliatti aurait pu faire tout sauter à la fin de la guerre, mais il a eu le courage et la force de tenir en laisse ses têtes brûlées. Tu imagines, avec les Américains… Tu te rappelles cette petite chanson que les démocrates-chrétiens avaient mise en circulation juste avant les élections, exactement à l'époque de l'affaire Lo Giudice ? Non, tu étais trop gamin. Mais tu connais la chanson de Modugno. Ils avaient seulement changé les paroles.

Et Don Tano se mit à fredonner d'une belle voix profonde :

Voter, oui, oui,
Voter pour la DC,
Le blason peint en bleu
Vote, toi aussi.
Et fiche-toi de Palmiro
Qui te promet la lune…

Ils envoyaient les 1100 avec l'insigne de la DC flanqué sur le toit et sur les portes, et les haut-parleurs à plein tube. Togliatti s'en foutait. Les communistes filaient droit comme des bolides. Dommage qu'ils aient été communistes !

Spotorno se leva. Donna Ersilia esquiva son baisemain et l'embrassa sur les deux joues.

Des fenêtres, on voyait briller les lumières de San Nicola l'Arena. Les *capidecina*, les représentants des *familles* mafieuses de la côte nord-est soutenaient que les *hommes d'honneur* de San Nicola étaient tous flics. Ou que du moins ils cherchaient la protection des flics quand ils se sentaient en danger. Don Tano s'était ménagé un beau poste d'observation pour sa retraite, pensa ironiquement Spotorno. Parce qu'un flic reste un flic, pour toujours. C'est comme les diamants : immuable.

Le vieux semblait perdu dans des pensées. Enfin il se décida à parler :

Vittorio, tu connais la différence entre le rugby et le football américain ?

Spotorno s'immobilisa. Don Tano ne parlait jamais pour ne rien dire. Il secoua la tête. Non, il ne savait pas.

C'est un des types de la Brigade antidrogue de New York qui me l'a expliqué, un type originaire de Bisacquino, un type têtu qui était venu faire un stage d'une semaine à la maison mère. C'est dans ces échanges bilatéraux en lesquels tout le monde fait mine de croire que les Américains sont plus forts que nous. Bon, la différence principale c'est que, dans le rugby, on ne peut plaquer que le joueur qui tient la balle, tandis que, dans le football américain, on peut faire des placages préventifs, c'est-à-dire qu'on peut plaquer un joueur même s'il n'a pas la balle, comme ça on le neutralise avant qu'il ne puisse la recevoir et marquer. Le double meurtre de la Zisa, ça me fait penser à un placage à l'américaine. À mon avis, c'est un assassinat préventif. Dommage que ton copain Rosario y ait laissé sa peau. Mais, en ajoutant ce que tu m'as raconté à ce que je savais déjà, il y a encore quelque chose qui ne colle pas. Mais je ne veux rien te dire de plus. C'est toi qui es sur le terrain. Tu as toutes les cartes en main, et peut-être bien que mes idées ne sont que les lubies d'un flic à la retraite. Mais, au fond, il y a quand même quelque chose qui cloche, une chose qui peut-être t'échappe. Fais mes amitiés à Schirosa. Dis-lui que je l'attends, quand il sera à la retraite. Je lui ferai pêcher des gobbis, à lui aussi. Est-ce qu'il a un chat ?

Chapitre XIV

# L'agent Stella, la Dame blanche et la Vierge noire

L'agent Stella avait belle allure en uniforme. Pourtant, à la Brigade, surtout certains après-midi d'été somnolents, nombreux étaient les flics qui s'exerçaient plutôt à deviner l'agent Stella sans uniforme.

L'agent Stella avait aussi belle allure à la TV, quand les porte-parole de la préfecture convoquaient les médias à des conférences de presse pour célébrer des opérations de police brillamment couronnées de succès. Ou, du moins, brillamment orchestrées. Parfois la présence de l'agent Stella était requise par le pouvoir judiciaire lui-même, surtout quand l'opération en question était de grande importance : sur les écrans défilaient alors les visages alignés des gens de la procure, du commandement provincial des carabiniers, du préfet de police puis, sur les extrémités, les magistrats, des policiers, des carabiniers, en ordre décroissant de photogénie : en position privilégiée, on trouvait toujours l'agent Stella.

L'agent Stella frappa à la porte du commissaire et entra aussitôt comme le voulait la tradition :

Puis-je entrer, monsieur le commissaire ?

Entre, Stelluccia. Que se passe-t-il ?

La voix de Spotorno avait changé de registre. Son humeur s'apaisait dès que son regard entrevoyait la silhouette de l'agent Stella, dont les courbes pourtant raidies par l'horaire de travail, triomphaient de la volonté répressive et sévère du drap réglementaire bleu cobalt.

Un photogramme fulgurant, tout de voile et de dentelles,

fouetta l'imagination de Spotorno : ce jour-là, sous son uniforme, l'agent Stella devait porter une combinaison noire, impalpable comme une toile d'araignée. Le commissaire déglutit deux fois avec difficulté. Il avait appris à vivre avec ces éclairs de désir pulsionnel qui faisait basculer du côté de l'inceste une relation qu'il voulait paternelle.

Spotorno la regarda onduler tandis qu'elle avançait vers le bureau. Ses cheveux noirs coulaient en vagues luxuriantes, retenus par un ruban assorti à son uniforme, ses lèvres sensuelles et ses grands yeux sombres portaient une légère touche de fard qui tentait inutilement de démentir l'air de grande fille toute simple émanant de toute sa personne. Elle se prénommait Mara, mais acceptait de bon gré le diminutif affectueux de Stelluccia.

Spotorno pensait que, si l'agent Mara Stella avait été un homme, elle aurait déjà conquis l'un des postes occupés par ses supérieurs hiérarchiques. Loin de se contenter d'être une présence décorative, elle participait avec régularité aux patrouilles de jour et de nuit et tirait comme une Diane chasseresse. Une fois, elle s'était courageusement prêtée au rôle d'appât afin d'arrêter un dangereux maniaque qui défigurait ses victimes à coups de scalpel, poussant l'audace jusqu'à lui passer les menottes avant l'arrivée de ses collègues qui planquaient alentour. Elle était intuitive, vive, rapide, déterminée, mais aussi réservée. Trop réservée aux yeux de ses collègues hétérosexuels, célibataires ou mal mariés, sans compter les autres.

Que se passe-t-il, Stelluccia ? répéta-t-il, quand elle fut devant lui.

Il s'agit d'une affaire un peu délicate, monsieur le commissaire.

Assieds-toi alors.

La jeune policière se cala gracieusement sur une chaise, tout en gardant le buste bien droit et les mains sur ses genoux serrés. Elle sembla méditer un instant puis déclara d'une voix claire :

J'ai examiné les photos des obsèques de Gaspare Mancuso.

Et alors ?

Alors, si j'ai bien compris, monsieur le commissaire, vous semblez nourrir un intérêt tout particulier pour une des personnes photographiées, une dame.

La Dame blanche, pensa Spotorno. Mais comment l'avait-elle appris ? Hé, bien sûr, par Puleo ! Beau garçon, fiancée lointaine, envie de signifier sa supériorité sur ses collègues dans leur tentative commune de séduire l'agent Stella... Il avait dû laisser entendre qu'il connaissait des détails inédits. Le reste, la fille l'avait compris toute seule.

Il se demanda si ce n'était pas l'occasion de passer un petit savon à Saverio Puleo, mais écarta cette idée sous la bénéfique influence de la jeune fille. Il ne dit qu'un mot :

Puleo ?

L'agent Stella acquiesça sobrement :

C'était un secret ?

Mais pas du tout. Continue.

Aurora. Aurora Caminiti.

Aurora ?

Oui, je l'appelle par son prénom, parce que je l'ai connue. Il y a trois ans.

Spotorno se laissa aller contre le dossier de son fauteuil. Une attitude trompeuse, suggérant la détente, alors qu'il s'agissait de la posture du lion s'apprêtant à bondir.

Ah ! Et comment l'as-tu connue, Stelluccia. Et où ?

Les pommettes dorées de l'agent Stella virèrent au rose pâle :

J'ai fait sa connaissance dans un cabinet de gynécologie.

Spotorno se relâcha. Il était presque déçu.

Chez un gynécologue ? Mais qu'est-ce qu'il y a d'étrange ? Toutes les femmes vont chez le gynéco, non ?

C'est-à-dire... Voyez-vous, monsieur le commissaire, c'est un gros cabinet, avec divers spécialistes. Ma gynéco, qui travaille à l'hôpital, y reçoit ses clients privés. Pour moi, vu mes horaires, c'est plus commode que l'hôpital. Mais

Aurora Caminati, elle, venait pour une raison bien particulière.

Explique-toi.

Avez-vous jamais entendu parler de fécondation assistée ?

Fécondation assistée ? Tu veux dire que, pendant que les deux époux...

Les pommettes de l'agent Stella s'empourprèrent.

Non, monsieur le commissaire. Il s'agit d'une technique d'insémination artificielle à laquelle les couples recourent quand la conception est empêchée ou difficile par les voies, disons, naturelles. Ces problèmes peuvent d'ailleurs provenir de l'homme ou de la femme.

Et Aurora Caminati ?...

Nous nous sommes retrouvées dans la salle d'attente, assises l'une à côté de l'autre. Et, comme ça se produit souvent entre femmes, nous avons commencé à parler. Elle était seule et semblait avide de s'épancher : elle était mariée depuis près de dix ans et n'avait toujours pas d'enfant ...

Et comme elle consultait seule, cela signifie que les problèmes venaient de son côté...

Pas du tout, monsieur le commissaire. Le problème venait de son mari. Sauf votre respect, le mari d'Aurora tire son coup sans succès. Enfin, presque. On appelle ça de l'oligospermie. C'est-à-dire que son liquide séminal présente une concentration insuffisante de spermatozoïdes pour assurer la fécondation.

C'est elle qui te l'a dit ? Vous avez dû attendre un sacré moment pour bavarder autant.

Il ne s'agissait pas de bavardage. J'ai eu l'impression qu'elle était dans un état d'équilibre précaire. Et, dans ces cas-là, il suffit de peu pour basculer.

Stelluccia, tu ne crois pas que tes études...

L'agent Stella, après sa maîtrise en droit, s'était réinscrite à la faculté de psychologie, et elle s'apprêtait à obtenir sa licence.

La psychologie n'a rien à voir là-dedans, commissaire.

Aurora Caminiti avait déjà fait deux tentatives manquées de fécondation assistée. Elle était là pour un simple contrôle de routine, et pour établir le moment favorable à une troisième tentative, après stimulation hormonale. C'est alors qu'elle devait revenir avec son mari. Pratiquement, quand le moment est favorable, on concentre les spermatozoïdes dans le liquide séminal, on l'enrichit avec des substances capables de les potentialiser et on le réinjecte à la femme.

Mais où ça nous mène, tout ça, Stelluccia ?

L'agent Stella comprit que le commissaire se demandait pourquoi elle lui racontait cette histoire. En réalité, il attendait la suite avec une impatience frénétique. Si la jeune femme avait jugé important de lui parler, c'est qu'il y avait une raison.

Tu l'as revue ? lui demanda-t-il avant qu'elle ne se ressaisisse.

Oui, six mois plus tard. J'en suis sûre, parce que ma gynéco me donne rendez-vous tous les six mois.

Et il n'y avait rien de neuf, vu qu'Aurora Caminiti n'a toujours pas d'enfant.

En effet. C'est elle qui m'a reconnue la première, mais seulement parce qu'elle était dans un coin. C'est une femme qu'on ne peut pas ignorer. Non pas qu'elle soit du genre voyant, au contraire…

Je sais, je sais, Stelluccia.

Elle était très abattue. Encore plus déprimée que la fois précédente, et ce n'est pas peu dire. Chez moi, on dirait *affunnata*. Effondrée.

Spotorno acquiesça. Ce recours insolite au dialecte et surtout la traduction de la part de la jeune femme le firent sourire intérieurement.

Elle était là pour une autre tentative ?

Oui, et sans résultat, si l'on en croit nos renseignements. Ce jour-là, elle m'a confié qu'elle s'était même rendue en pèlerinage au sanctuaire de Tindari. Comme je ne le savais pas, il s'agit d'une fameuse statue de la Vierge noire à laquelle on attribue un pouvoir particulier. Bref, les femmes qui n'arrivent pas à concevoir s'y rendent pour implorer l'intercession de la Madone. Mais ce n'est pas tout. J'ai revu Aurora une troisième fois. Lundi passé.

Lundi passé, c'était le lendemain du jour où Spotorno et Amalia s'étaient rendus à la Chapelle des Dames de la Via Ponticello, avaient croisé la Dame blanche et l'avaient filée.

Toujours dans la même clinique ?

Non. C'est ça qui est étrange.

Spotorno attendait en silence. Il avait les nerfs aussi tendus que des cordes de violon. Il glissa les mains dans les poches de son pantalon et se livra à un bon petit remuage, avant de se rendre compte de ce qu'il était en train de faire, à l'abri de son bureau, sous le regard innocent de l'agent Stella. Il retira ses mains et demanda, plein de bonne volonté :

Et qu'est-ce qu'il y a d'étrange, Stelluccia ?

Vous connaissez la clinique Bocciolo di rosa ? C'est là que je l'ai croisée. J'étais libre ce matin-là et je suis allée rendre visite à l'une de mes cousines, qui venait d'accoucher. Aurora Caminiti sortait du cabinet du chef de clinique.

Stelluccia, explique-moi quelque chose : qu'est-ce qu'il y a donc de si extraordinaire à ce qu'une femme qui ne réussit pas à tomber enceinte (et qui plus est, après Dieu sait combien de tentatives ratées avec ces diableries de fécondations artificielles) décide de changer de spécialiste ? Rien de plus naturel, non ?

C'est bien ça le nœud du problème, monsieur le commissaire. Dans cette clinique, on ne pratique pas la fécondation assistée et on ne s'occupe pas de stérilité des couples. Toutes les patientes qui y mettent les pieds sont déjà enceintes. C'est une sorte d'usine à accouchement. Mais c'est aussi un des rares centres où peuvent se rendre les femmes aisées qui ont eu, disons, un incident de parcours et qui veulent avorter. C'est, pourrait-on dire, le revers de la médaille. Tout le monde sait ça en ville.

Et Aurora Caminiti dans tout ça ? Elle est peut-être tombée

enceinte. Elle est peut-être allée prendre un rendez-vous pour le futur accouchement ? Ou pour le suivi de sa grossesse, tu sais, les échographies, les contrôles, les trucs habituels, quoi. J'ai eu deux enfants, il me reste quelques souvenirs.

Elle sortait du cabinet du chef de clinique, nous nous sommes croisées à peu près au milieu du couloir, et savez-vous ce qui m'a frappée ? C'est qu'elle a fait mine de ne pas me voir. En fait, quand elle m'a vue, elle a pâli et a détourné le regard. Est-ce que ça vous semble normal après ce que je vous ai raconté de nos deux premières rencontres ? Si elle était allée prendre un rendez-vous pour un accouchement, elle aurait dû danser de joie. Or, elle était encore plus déprimée. Ça sautait aux yeux. Et de toute façon, enceinte, elle n'aurait jamais obtenu un rendez-vous avec le chef de clinique : le professeur de Blasi Bosco ne reçoit personnellement que dans des cas exceptionnels. Ou pour des IVG. C'est la loi 194-78 qui l'y oblige. Avant de pouvoir pratiquer l'intervention, la structure sanitaire doit s'assurer des motifs qui ont conduit la patiente à sa décision. C'est une vaste hypocrisie, car en réalité cela se réduit à un entretien purement formel. Mais obligatoire, et le chef de la clinique Bocciolo di rosa s'y soumet rigoureusement. Comme ça, il a la conscience tranquille. Et il la négocie très cher, sa conscience. Malgré des honoraires qui sont les plus élevés de la ville, son cabinet ne désemplit pas, d'autant que le professeur de Blasi Bosco est un type plein de charme, qui plaît aux femmes. Vous voulez savoir comment je sais tout ça ? Parce que je suis une femme et parce que je suis un flic.

Spotorno était pensif. L'interprétation était vraisemblable, mais le comportement de la Dame blanche aurait pu s'expliquer aussi autrement. Mais il commençait à partager la thèse de l'agent Stella. La jeune femme reprit la parole après une petite pause :

Il y a encore une autre chose. Aurora Caminiti, quand nous nous sommes croisées, ne se dirigeait pas vers la sortie, mais vers le bloc où l'on procède aux petites interventions ambulatoires. Elle était accompagnée d'une infirmière. Et j'avoue que ça a piqué ma curiosité. C'est pourquoi, quand j'ai quitté la chambre de ma cousine, j'ai demandé au standard si madame Caminiti était déjà partie. On m'a répondu que non. Alors je suis sortie et j'ai attendu dans ma voiture, l'œil rivé sur la porte de la clinique. Je m'étais donné un quart d'heure au maximum, mais elle est apparue au bout de dix minutes seulement, accompagnée d'une infirmière. En tout, une heure et demie s'était écoulée. L'intervention en question, s'il s'agit de ce que je crois, n'est vraiment pas longue et ne nécessite pas d'anesthésie, mais ça ne veut pas dire qu'on en ressort comme si de rien n'était. Un instant plus tard, un taxi est arrivé, l'infirmière l'a aidée à monter en voiture. Elle tenait à peine sur ses jambes, et elle avait l'air bouleversée. Vous doutez encore, monsieur le commissaire ?

Spotorno ne doutait pas : il se sentait stupéfait, la bouche ouverte tel l'idiot d'un dessin animé.

J'ai décidé de vous raconter tout ça après l'avoir vue à la clinique, et après y avoir longuement réfléchi. Comprenez-moi, monsieur le commissaire, je devais choisir entre la conscience professionnelle et la solidarité féminine. À la fin, c'est le métier qui l'a emporté. Mais peut-être qu'à long terme je suis en train de lui rendre service. D'après ce que j'ai compris, votre intérêt pour Aurora Caminiti tient au double meurtre de la Zisa dont une des victimes, Gaspare Mancuso, était son cousin au premier degré. Disons que j'ai tenté de « contextualiser » son comportement déconcertant. Alors, si mon interprétation des faits est juste, si je ne me trompe pas, la véritable anomalie, la chose qui me donne à réfléchir, est la suivante : pourquoi une femme qui a investi toute son énergie dans la recherche obsessionnelle d'une grossesse, décide, au moment même où elle a obtenu ce qu'elle désirait tant, de détruire ce qu'elle avait si laborieusement construit ? Pourquoi ? Est-ce que vous sauriez me répondre, monsieur le commissaire ?

Il n'avait pas prononcé une seule syllabe durant tout le dîner. Un dîner inhabituellement rapide et silencieux. Pourtant, ce repas du soir, plus souvent de la nuit, était toujours le moment le plus détendu de la journée. Mais ce soir-là, Spotorno aurait pu jouer, dans une pub, le rôle d'un type sur le point de prendre un anxiolytique.

Amalia l'avait vu tout engloutir à la hâte, sans même prêter la moindre attention à ce qu'il avait dans son assiette. Et c'était bien dommage. Les *bavettes* au basilic, servies froides, étaient un véritable baume après une journée de chaleur écrasante. Et la tourte d'espadon aux olives noires et à la crème d'aubergine, servies entre des couches de rondelles de pommes de terre aux oignons roses et légèrement arrosées de jus d'orange, aurait mérité les honneurs militaires.

Mais rien. Aucun commentaire. Pas même un geste. Elle regrettait presque de ne pas avoir servi à monsieur le commissaire un plat de pommes de terre bouillies. Ses années de jeunesse féministe – ou du moins ses sous-produits et autres dérivés – avaient interdit à Amalia de devenir une de ces femmes qui font passer leur dignité après les prétendues obligations conjugales.

Si, l'année scolaire achevée, elle réservait quelques après-midi à la réactivation des vertus dites domestiques, c'était uniquement pour le plaisir d'exhumer, explorer et recréer les vieilles recettes familiales avec une inventivité toujours plus audacieuse. Et dans l'espoir d'obtenir un zeste de reconnaissance. Gare à ne pas sous-estimer la valeur de son élan culinaire, fût-il sporadique.

Qui donc aurait pu dire ce qui se passait dans la tête de monsieur le commissaire en cet instant ? Elle alluma sa cigarette vespérale et le scruta pensivement. Il devait encore penser à cette bonne femme toute blême qui réveillait l'instinct fraternel des uns et le goût de protection des autres.

Spotorno repensait à sa conversation avec l'agent Stella. Dégourdie, la fille ! Mais lui continuait à penser que l'hypothèse de l'avortement n'était pas la seule explication possible à ce passage à la clinique. Et si la Dame blanche y était allée pour se faire ôter un kyste ou quelque chose de ce genre ? La durée de l'intervention et la récupération post-opératoire n'auraient pas été différentes que pour un hypothétique avortement. Il le savait parce qu'il avait un jour accompagné Amalia pour une petite intervention qui avait nécessité une cautérisation.

Mais justement : lui, il avait accompagné sa femme. Bien que l'intervention soit sans gravité, elle n'était pas insignifiante : c'était tout de même une opération douloureuse qui requérait un peu de sollicitude conjugale. La Dame blanche, elle, était seule, à ce que disait l'agent Stella.

Même en admettant que Diego ait été bloqué par quelque affaire de la plus haute importance, était-il concevable qu'elle n'ait pas eu une amie, une parente à laquelle elle puisse demander de lui tenir compagnie ? Et s'il s'était agi d'un avortement thérapeutique ? Un cas de trisomie 21, par exemple : tous les couples n'ont pas le courage de mener à terme ce type de grossesse. Ou si la grossesse avait mis en danger la vie de la mère ? Mais là encore, pourquoi aller affronter seule quelque chose que, selon l'agent Stella, la Dame blanche ne pouvait vivre que comme une tragédie ?

Un mouvement périphérique le tira de sa réflexion : Amalia avait posé sa cigarette en équilibre sur le bord du cendrier, s'était levée sans un mot, comme rappelée à quelque chose d'essentiel. Elle revint avec une bouteille de moscato de Noto, deux verres à pied embués de givre, et un bristol de couleur crème plié en deux, qu'elle lui posa sous les yeux.

Spotorno examina la première face du bristol, tandis qu'Amalia emplissait les deux verres. À sa lecture, il reçut une si fulgurante décharge d'adrénaline qu'il s'envoya cul sec le verre de moscato qui répandit aussitôt une sensation de chaleur dans son œsophage. D'instinct, il tendit la main vers le verre d'Amalia, mais il perçut à temps son regard, mi-stupéfait mi-préoccupé.

Où as-tu pris ça ? lui demanda-t-il.

Je l'ai trouvé sur une des stalles de la Chapelle des Dames, le jour où nous y sommes allés. Je l'avais glissé dans mon sac sans le lire et je n'y ai plus pensé. Jusqu'à ce soir, avant que tu n'arrives. Alors ?

Spotorno hocha la tête. L'agent Stella avait donc peut-être vu juste. Peut-être. En réalité, ce bristol risquait de rendre les choses encore plus confuses. L'interprétation de la présence de la Dame blanche dans la clinique Bocciolo di rosa devenait encore plus incohérente.

Il examina encore la première face du carton, avec sa reproduction du tableau de la Madone placé au-dessus de l'autel. Il relut l'inscription : « Noble Congrégation de la Très Sainte Vierge de l'Attente de l'Accouchement ». Et, en plus petits caractères : « Dite des Nobles Dames du Giardinello al Ponticello ». Sur l'autre face était imprimée une prière à la Madone de l'Attente de l'Accouchement.

Il ouvrit le carton et lut attentivement le texte qui y était imprimé. Notes historiques sur la Congrégation, dont la création remontait à 1595. Histoire et description de la chapelle. Notices sur les dernières restaurations. Objectifs de la Congrégation, dont le plus important était la prise en charge des jeunes mères nécessiteuses de l'Albergheria, mais aussi la prière pour les parturientes et les sœurs défuntes.

Or, à sa connaissance, Aurora Caminiti n'était ni pauvre ni originaire du quartier de l'Albergheria, ni noble. Alors, comment se justifiait sa présence répétée dans la chapelle ? Une présence assidue, même, dans les derniers temps, si l'on en croyait la vieille fouine de la Via Ponticello.

Spotorno se rappela le jésuite que la femme avait intercepté dans la chapelle. Peut-être lui avait-elle demandé de l'entendre en confession. Il pensa que le moment était venu d'échanger quelques mots avec ce bon père. Cette affaire était décidément trop pleine de madones. La Dame blanche elle-même, quand il l'avait vue dans la chapelle, sous cette lumière froide, avait quelque chose des vierges peintes à fresque sur les murs de certaines églises d'Ombrie ou de Toscane, où Amalia l'avait traîné dans les premiers temps de leur mariage, avant la naissance des garçons. Des madones trop fines, trop effilées, dont le regard avait poursuivi Spotorno jusque sur le parvis.

Une pensée soudaine eut sur son cerveau l'effet d'un court-circuit. Pourquoi attribuait-il tant d'importance à la fertilité plus ou moins manipulée de la Dame blanche et de Diego Sala ? Qu'est-ce que tout ça avait à voir avec le double meurtre de la Zisa ? Pourquoi s'était-il laissé entraîner sans opposer de résistance sur cette pente qui risquait de le conduire sur une voie de garage ? Quels fantasmes avaient éveillé en lui cette femme lorsqu'elle avait croisé, par hasard, sa propre route ?

Amalia débarrassa la table et se retira sur le balcon, un livre à la main.

Il passa par le bureau avant son incursion à la Résidence des pères jésuites. Puleo avait été de garde cette nuit. Le directeur de la Brigade devait s'être levé du pied gauche à en juger par les hurlements qui traversaient la porte de son bureau. Il engueulait quelqu'un au téléphone. Spotorno entrouvrit la porte et fit un geste de la main qui voulait dire : « Mais à qui tu en veux ? » L'autre répondit en le saluant le poing fermé. Une vieille plaisanterie entre eux deux. Spotorno referma la porte et sortit. Ils étaient bons amis et se portaient une estime réciproque. La confiance et l'amitié avaient résisté à toutes les tentatives de les brouiller. Et Spotorno, sans arrière-pensée, avait été le premier à féliciter ce collègue, plus âgé que lui, de sa promotion au grade de divisionnaire.

Il évalua à l'oreille la circulation sur le Cassaro, et décida d'aller à pied. Il contourna les ruines de la chapelle de Sant'Annunziata dello Scutino, assiégée par les poubelles, et descendit par la Porta di Castro. Il ignora la confusion indocile du marché de Ballarò qui habituellement excitait ses glandes salivaires. L'odeur de pain chaud mêlée à celle des herbes aromatiques et des olives assaisonnées à l'origan déchaîna en lui une faim qu'il réussit cependant à dompter. Il mit une dizaine de minutes pour parvenir au portail ouvert de la Résidence des pères jésuites, où il chercha un interphone afin de s'annoncer puis, avisant un jeune prêtre de couleur, d'une taille imposante et portant lunettes, qui traversait la cour en diagonale, il le rejoignit et, tout d'un trait, se présenta, lui décrivit le jésuite qu'il cherchait et lui demanda où il pouvait le trouver.

Mais comment pourrais-je savoir de qui il s'agit ? Ici, tous les pères répondent à cette description, dit le prêtre avec un sourire digne d'une publicité pour dentifrice. Moi-même, je finirai par leur ressembler, ajouta-t-il.

Il ne manquait plus que ça, pensa le commissaire : un jésuite spirituel ! Le prêtre s'était exprimé dans un italien presque parfait, mais avec un accent raffiné, que le commissaire aurait défini comme celui de la diplomatie vaticane, un accent de futur nonce apostolique dans un pays problématique, d'évêque *in partibus*.

Dimanche dernier, il a dit une messe de mariage à la chapelle de la Via Ponticello, ajouta Spotorno.

Ah, la Chapelle des Dames ! Alors c'est le père Cuttita. Il n'y a que lui pour accepter de célébrer un mariage le dimanche. Mais il n'est pas là. Vous le trouverez à l'église. Voudriez-vous l'arrêter, par hasard ? Si c'est le cas, je vous recommande la discrétion.

Il indiqua du doigt l'église de la Casa Professa :

Essayez de demander là-dedans. Tout le monde le connaît.

Spotorno le remercia d'un geste et s'éloigna.

De l'extérieur, la Casa Professa était assez sobre. Mais l'intérieur était cauchemardesque. Spotorno n'y entrait jamais que par devoir, pour un mariage ou un enterrement, et il devait chaque fois dominer son envie de fermer les yeux. C'était un baroque triomphant, excessif, obsessionnel, accablant. Il ne restait plus un seul centimètre carré indemne de stucs, de dorures, de marbres polychromes, de statues, de fresques, d'angelots, de fioritures, de mosaïques. Dire que Spotorno aimait les églises nues, aux pierres apparentes, ou la puissance sévère mais non point écrasante du Christ Pantocrator de la cathédrale de Monreale !

Malgré sa ferme résolution, il ne réussissait pas à s'abstraire de cette débauche de dorures et d'oripeaux qui exerçait sur lui la fascination d'un cobra. Apercevant un groupe de dames âgées qui, debout, parlaient à voix basse dans une chapelle latérale, il leur demanda où il pouvait trouver le père Cuttita ; la plus jeune lui indiqua la porte de la sacristie, au fond de la chapelle. À peine avait-il esquissé un pas que la sèche silhouette, en tenue de clergyman, venait à sa rencontre. Spotorno s'avança vers lui et se présenta :

Commissaire Spotorno, de la Brigade mobile.

Dois-je m'inquiéter, monsieur le commissaire ? demanda le prêtre avec un petit rire affable qui respirait la tranquille assurance des jésuites au long cours.

Spotorno ne s'était pas préparé à cette rencontre, s'en remettant à l'inspiration. Impardonnable outrecuidance professionnelle, contrariée ce jour-là par l'insomnie. La veille, il avait longuement ruminé ses doutes sur la Dame blanche, puis, incapable de trouver le sommeil, s'était retourné dans son lit jusqu'à l'aube. On ne pouvait se mesurer à un jésuite, le commissaire le savait bien, comme on affronte un délinquant ou un quelconque bourgeois. Et le spécimen qu'il avait devant lui ne semblait pas constituer une exception à cette règle.

Il se surprit à reprendre l'expression utilisée la veille par l'agent Stella :

C'est une affaire un peu délicate, *monsignore*.

Je ne suis pas *monsignore*, monsieur le commissaire. À nous, jésuites, il n'est pas permis d'accéder à l'habituelle hiérarchie ecclésiastique. Mais je vous remercie de votre intention : je ne vous étonnerai pas en vous disant que nous, jésuites, nous ne sommes pas immunisés contre les vanités de ce monde. Mais, quoi qu'il en soit, je suis à votre service. Cela dit, seriez-vous d'accord pour que nous bavardions dehors ? Cette église me met mal à l'aise. Je n'ai jamais réussi à m'accoutumer à tout ce baroque, qui est devenu une sorte de provocation, de bannière, après la réadmission de la Compagnie de Jésus, interdite en 1767. Une belle démonstration de puissance de notre part. Mais tout cela est bien loin. Maintenant, c'est le tour de nos frères de l'Opus Dei, que Dieu les ait en Sa Sainte Garde.

Ils se promenaient de long en large, entre l'église et la bibliothèque communale, comme s'ils s'étaient trouvés dans la cour d'un couvent. Spotorno parla au prêtre de l'enquête très délicate qu'il menait autour du double meurtre de la Zisa. Puis, forçant un peu le lien logique, il évoqua le rapport de cousinage qui unissait la victime désignée de l'embuscade à une certaine jeune femme dont le nom était apparu au cours de l'enquête. Le prêtre l'écoutait sans l'interrompre.

C'est la jeune femme qui vous a abordé l'autre dimanche à la Chapelle des Dames, après la cérémonie de mariage. Je me trouvais là par hasard avec ma femme et je l'ai reconnue d'après les photos qui avaient été prises lors des funérailles de son cousin, expliqua Spotorno qui disait, en partie, la vérité.

Monsieur le commissaire, si je n'étais pas un pauvre prêtre lié à mes engagements par l'habit que je porte, je devrais me sentir flatté. Je suis d'un âge passablement mûr et je serais bien incapable de certaines choses. Vous savez, quand j'étais un jeune novice, une sorte d'aide-mémoire en latin circulait sous la forme d'une comptine :

Cave sacerdos a muliere,
oculos habet enim vocativos,
manus vero sunt ablativas, quod,
si tu fies dativus,
fiat ipsa prius genitiva,

dein autem accusativa,
e tu miser sacerdos,
tantum manebis porro nominativus.

On nous le faisait apprendre par cœur pour nous aider à mémoriser les déclinaisons latines. Ce que nos frères dominicains définiraient comme un exemple de la proverbiale duplicité des jésuites. On en a fait surtout une mise en garde, pour nous jeunes prêtres, contre les risques de la séduction féminine.

Je ne me serais jamais permis, *monsignore,* ce genre d'allusion ou d'insinuation ! Ce que je voulais dire, c'est qu'il nous serait fort utile pour résoudre cette affaire de connaître ce qui a poussé cette jeune femme à assumer certains choix, à adopter certains comportements qui sont apparus au cours de notre enquête.

Le jésuite se tut longuement, puis poussa un soupir. Spotorno eut peur qu'il ne l'appelle « mon fils », pour se venger sur un mode transcendantal d'une question formulée dans des termes si indirects.

Monsieur le commissaire, êtes-vous croyant ? exhala le prêtre, alors que Spotorno était en train de penser qu'il affecterait un silence hostile. Mais il comprit tout de suite où l'autre voulait en venir.

Disons que je ne suis pas pratiquant.

Même si vous n'êtes pas pratiquant, je suis sûr que vous n'ignorez pas un des préceptes les plus implacables du ministère sacerdotal. Vous appartenez à la génération qui a étudié Benedetto Croce au lycée. Moi-même je l'ai enseigné à tant de vos contemporains ! Mais vous n'avez pas été élève chez nous, non ? Sans cela, je vous aurais reconnu. Vous rappelez-vous ce que disait Croce à propos de l'impossibilité de ne pas se déclarer chrétien ?

Spotorno s'en souvenait.

Même les non-croyants se reconnaissent dans un système de références fondé sur le partage des valeurs éthiques du christianisme, dit le prêtre. Ces références ont en quelque sorte pénétré nos génomes, si vous me permettez cette image incongrue mêlant nature et culture. Dans ce cas d'espèce, je me réfère à l'interdiction absolue qui nous est faite de livrer le contenu du sacrement de la confession. Interdiction sacrée pour nous autres prêtres, jusque devant le bourreau. Mais vous, cher commissaire, vous n'avez pas l'intention d'en arriver là, n'est-ce pas ?...

Tout n'est pas confession, *monsignore*, répondit Spotorno. On parle avec un prêtre, on lui pose des questions, on obtient de lui des conseils, des réponses. Et ce en dehors de la confession.

Pour la seconde fois, le père Cuttita fit mine de ne pas entendre le titre que lui avait abusivement attribué Spotorno :

Nous sommes bien d'accord, monsieur le commissaire. Cependant, j'ai beaucoup de peine, croyez-moi, à trouver un lien, même ténu, entre votre enquête sur un assassinat mafieux et les problèmes que cette pauvre femme pourrait m'avoir soumis. Je souligne : qu'elle « pourrait » m'avoir soumis.

Spotorno entrevit une faille. Tout tenait dans l'expression « cette pauvre femme ». C'était admettre (il était difficile d'évaluer si c'était ou non délibéré) que les angoisses de la Dame blanche, qu'elles entrent ou non sous l'ombre protectrice du sacrement de la confession, n'étaient pas tout à fait anodines, du style « Mon père, j'ai répondu méchamment à ma bellemère » ou encore « J'ai envié le vison de ma voisine ».

Pardonnez-moi si j'insiste, mais, en laissant de côté la question de la croyance, quand j'étais enfant, moi aussi je suis allé au catéchisme. Il n'est pas nécessaire d'appeler Croce à la rescousse et je me garde bien de vous demander de violer quoi que ce soit. Je me contenterais d'une confirmation ou d'un démenti sur certaines hypothèses que j'en suis venu à formuler au cours de mon enquête. Ne me demandez pas à votre tour d'être plus explicite : nous aussi, les policiers, nous avons notre secret professionnel. En l'espèce, si je le violais, je risquerais d'exposer certaines personnes à de très sérieux ennuis.

Cette fois, Spotorno avait forcé la dose. Le jésuite parut s'en apercevoir.

Je ne me le pardonnerais jamais, monsieur le commissaire, répliqua-t-il ironiquement.

Permettez-moi de prendre les choses autrement, dit Spotorno. Je vais vous poser une question qui ne devrait pas interférer avec les principes de nos vocations réciproques, une question tout à fait inoffensive : la chapelle est-elle ouverte à tout le monde ? N'importe qui peut-il assister aux offices ou faut-il pour cela être membre de la Congrégation ?

Là-dessus, je peux vous répondre. Il n'y a pas de règle très rigide ; à l'occasion, on peut assister à la messe, même si l'on n'est pas membre de la Congrégation. Et puis, monsieur le commissaire, vous savez comment fonctionnent les choses sous nos latitudes : il suffit d'avoir une amie, de connaître quelqu'un… Il n'est pas indispensable d'avoir le sang bleu. Cette dame-là, en tout cas, c'était la première fois que je la voyais. Mais je ne suis pas le seul prêtre à officier dans cette chapelle. Quand vous m'avez vu, j'étais venu pour répondre au vœu d'un de mes anciens élèves du collège Saint-Louis-de-Gonzague.

*Monsignore*, il se trouve que je sais que cette dame a fréquenté la chapelle avec une certaine assiduité ces deux ou trois derniers mois. Et, ces derniers temps, dans un contexte que je définirais comme de toute évidence très douloureux. Je parle de son état moral. Croyez-moi, mon père, c'était visible à l'œil nu. Vous-même n'auriez pas manqué de le noter, même si cette jeune femme ne vous avait pas adressé la parole. Mais vous avez certainement été sensible à l'urgence de sa demande. L'urgence spirituelle, tout du moins. Autrement vous n'auriez pas accepté si rapidement d'accéder à sa requête.

Le prêtre est semblable au médecin et au policier, monsieur le commissaire. Nous ne pouvons pas nous dérober. Nous obéissons à la même déontologie.

Et je ne vous demanderai certainement pas de transgresser cette déontologie. Mais, si je pense que cette jeune femme était, disons... – excusez cette dramatisation – torturée par le doute. Si je pensais qu'elle s'était adressée à vous, *monsignore,* dans le but d'obtenir une sorte d'autorisation pour un acte qui devrait normalement l'exclure de la communauté des fidèles – naturellement je me réfère à une autorisation morale –, si je pensais cela, *monsignore*, pourriez-vous m'accuser de témérité ?

Mais pourquoi aurait-elle dû s'adresser à moi en personne ? Cette dame appartient certainement à une paroisse. N'aurait-il pas été plus naturel de s'adresser à son curé ou à une église plus immédiatement accessible ? Ma présence Via Ponticello dimanche dernier était fortuite, et donc cette dame n'est pas venue pour me rencontrer.

Vous touchez au cœur de l'affaire. Peut-être ne cherchait-elle pas un prêtre précis. Le prêtre (ne voyez ici aucune offense personnelle) n'avait dans cette histoire qu'une importance secondaire par rapport au lieu. Et l'importance, disons même la spécificité de ce lieu, je parle de la Chapelle des Dames, c'est la dévotion à la Madone de l'Attente de l'Accouchement.

Voyons, monsieur le commissaire, si j'interprète bien vos prudentissimes circonlocutions, il me semble découvrir une contradiction. Pourquoi donc une femme qui aurait *cette* intention que vous suggérez devrait, disons, *fréquenter* une Madone dédiée à tout le contraire ?

On demande pardon aux personnes envers lesquelles on a de graves torts. Surtout quand on est croyant, si ces personnes sont des saints et des Madones. En outre, s'il s'agit d'une demande de pardon... préventif. N'êtes-vous pas de mon avis, *monsignore* ? Surtout si l'on se trouve dans une situation émotionnellement insoutenable, si, dans le passé, on a *fréquenté* une Madone avec des intentions normales et je dirais même, dans ce cas, ferventes.

Spotorno était tout à fait conscient de marcher sur des

œufs. Il espérait seulement ne pas les casser tous. Le jésuite lui lança un regard intrigué, un long regard, où l'on pouvait lire une certaine considération:

Êtes-vous sûr que vous n'avez jamais été des nôtres, monsieur le commissaire? Et êtes-vous sûr que votre intérêt pour cette dame soit d'ordre purement professionnel?

Spotorno se sentit rougir.

J'ai toujours été à l'école publique, dit-il brutalement. Puis il reprit un ton plus doux pour dire: Peut-être suis-je en train de poursuivre un fantasme, *monsignore*.

Il réfléchit un instant, puis décida soudain de raconter au prêtre sa première rencontre avec la Dame blanche. Il se surprit à exhumer des mots désuets et des phrases à la syntaxe complexe qu'il croyait avoir oubliés depuis le lycée. Quand il eut fini, le jésuite se tut un long moment, si bien que Spotorno pensa qu'il voulait clore l'entretien. Et de fait le prêtre s'était arrêté devant le portail de l'église.

Voyez-vous, commissaire, dit-il enfin en se remettant à marcher, toute hypothèse, tout raisonnement que nous élaborons autour de la mort essaie de contourner un obstacle: la mort, comme le soleil, on ne peut la regarder en face. Le soleil, parce qu'il est trop lumineux; la mort, parce qu'elle est trop sombre, c'est-à-dire impénétrable. Ce que nous savons sur la mort se fonde sur ce que nous ne savons pas. Ne vous étonnez pas qu'un vieux jésuite vous dise que cela vaut également pour la vie. Dans la vie, il y a trop de lumière. Comme dans le soleil. Nous ne pouvons pas scruter la vie. Nous, prêtres, nous donnons des conseils sur les choses de la vie et de la mort. Parfois, nous insistons de telle sorte que ces conseils en deviennent des interdictions. Desquelles, le plus souvent, nous ignorons l'issue.

Spotorno opina longuement:

Merci, *monsignore*.

Il avait saisi le message. Procédé typiquement jésuite, pensa-t-il. Le père Cuttita avait évité toute référence directe à la Dame blanche et n'avait officiellement trahi ni le secret de la confession ni les limites du bon goût ; toutefois, dans son ambiguïté même, tout ce qui avait été dit était suffisamment explicite.

Donc la Dame blanche s'était ouverte au père Cuttita de son intention d'avorter, dans l'espoir de recevoir de lui une impossible absolution préventive. Ou bien – et c'était là l'hypothèse du commissaire – elle avait espéré trouver chez le jésuite un veto assez puissant pour l'obliger à mener sa grossesse à terme et résister à la pulsion contraire qui l'animait. Une pulsion insoutenable, celle qui l'avait transformée en allégorie de la Douleur.

À en juger par le rapport de l'agent Stella, le prêtre avait échoué. Mais il ne pouvait pas le savoir et Spotorno ne l'éclairerait pas. Le jésuite l'observait, peut-être conscient des rouages parfaitement huilés qui, en ce moment même, s'animaient dans la tête de Spotorno à coups de thèses-antithèses-synthèses.

Quand votre enquête sera terminée, dit-il enfin, venez me revoir, monsieur le commissaire. J'aime à parler avec vous. Dommage seulement que vous ne soyez pas des nôtres.

Spotorno esquissa une inclinaison de tête mi-formelle mi-ironique :

Tout le plaisir a été pour moi, *monsignore*. Et, naturellement, si d'aventure vous aviez la curiosité de visiter nos salles inquisitoriales à la Brigade...

Je ne pourrais rien souhaiter de mieux, commissaire.

Ils se serrèrent la main longuement. Spotorno s'était déjà éloigné de quelques pas, quand le jésuite le rappela :

Monsieur le commissaire.

Spotorno revint sur ses pas.

Monsieur le commissaire, je veux vous dire encore une chose. Mais promettez-moi de ne pas prendre ce que je vais vous dire pour les propos un peu délirants d'un vieux prêtre. Il y a quelques années, je me suis rendu dans le val d'Aoste, sur les lieux d'une tragédie. Une avalanche avait détruit le centre d'un village et provoqué de nombreuses victimes. Savez-vous ce qui est le plus étrange dans les avalanches ? C'est que parfois, en dévalant à une vitesse folle, elles créent une terrible turbulence sur les bords de la masse neigeuse. Un vent d'une grande violence, une espèce de souffle capable de déraciner des arbres, d'arracher les toits des maisons, d'emporter des hommes comme si c'étaient des fétus de paille. Souvent ces turbulences font plus de victimes que l'avalanche elle-même. On s'imagine être à l'abri, loin du front de l'avalanche, et puis c'est tout le contraire... Savez-vous pourquoi je suis en train de vous raconter ça ? Parce que cette jeune femme m'a donné l'impression de s'être trouvée sur les bords d'une avalanche de ce genre. Et elle a été entraînée – ou elle risque de l'être – par quelque chose qui n'est pas directement dirigé contre elle. Vous savez, elle me rappelle ces silhouettes au fond des grandes toiles flamandes : une dentellière dans un coin... Tenez-en compte, si vous rencontrez cette dame dans votre cadre professionnel. Et d'ailleurs, je vais vous donner quelque chose.

Il plongea la main au fond de la poche de son costume de clergyman et en tira un livre très mince :

C'est *Le Procurateur de Judée* d'Anatole France. J'en ai toujours un exemplaire sur moi. Ponce Pilate en sort les os rompus. Mais ce n'est pas pour cela que je vous l'offre. C'est un bref récit, très abouti, une espèce d'apologue sur la tolérance, fille du scepticisme. En théorie, un membre du clergé catholique – c'est-à-dire un être jouissant de Vérités absolues – devrait s'opposer à ce genre d'idées. Mais vous savez, nous, les jésuites, nous sommes souvent, comme le disent nos frères dominicains, en odeur d'hérésie. Moi je préfère interpréter cela comme une forme de rectitude dans le péché. La traduction du texte est de Sciascia. Il y a ajouté une longue postface, qui vaut peut-être encore mieux que le récit lui-même. À propos, on dit qu'il est souffrant, le saviez-vous ?...

Chapitre XV

# De la colle dans une serrure

La *frittola* lui était restée sur l'estomac. Il décida de ne pas en parler à Amalia, qui lui répétait sans cesse de ne pas manger de porc en été. Dans le passé, on ne trouvait de la *frittola* qu'à la saison froide, mais depuis l'invention du congélateur, on en consommait toute l'année.

Spotorno s'était laissé tenter sur la route, en traversant Ballarò, après avoir quitté le père Cuttita. Il ne savait même plus depuis combien d'années il n'en avait pas mangé. S'il avait cédé, c'était à cause des odeurs du marché, qui à cette heure excitaient les sucs gastriques chez toute personne non anorexique. Mais c'était le vendeur de *frittola* qui lui avait donné le coup de grâce.

Selon Spotorno, tout vendeur de *frittola* est un psychologue né. Il jauge son client et décide quel morceau lui convient. Il choisit. Il plonge la main sous le petit torchon à carreaux qui couvre la corbeille en jonc, fouille (du bout des doigts, comme le veut une très ancienne coutume), jusqu'à trouver le bon morceau et le dépose d'un air impassible sur le papier huilé qu'il glisse devant le client. Un jugement implacable. Une classification lombrosienne qui obéit à un code secret, ignoré de tous, sauf des membres de la corporation. Chaque client a la *frittola* qu'il mérite. Et réciproquement. C'est du moins ce que semblaient penser les vendeurs de *frittola* de son adolescence.

Cette fois encore, comme toujours, il avait essayé de guider la recherche du vendeur vers un morceau plutôt maigre, mais, indifférent à ses désirs, ce dernier lui avait donné le morceau qu'il avait choisi, lui.

Spotorno tira de la poche de sa veste le livre que lui avait remis le père Cuttita, le posa sur son bureau en soupirant. Et de trois ! À la maison, l'attendaient deux autres exemplaires identiques. Le premier lui avait été donné par Amalia, le deuxième par son témoin de mariage, Lorenzo La Marca, qui le lui avait tendu avec cet insupportable air de supériorité qu'il arborait de temps à autre.

Il avait lu et relu le récit et la postface, mais sans jamais comprendre pourquoi deux personnes qui lui étaient si proches et un prêtre qu'il connaissait à peine avaient choisi de le lui offrir. Il n'avait pas demandé d'explication à Amalia, par crainte que sa réponse ne lui déplaise. Quant à Lorenzo, il se serait foutu de sa gueule. Au début de leur liaison, quand Amalia commençait à entrer dans sa vie, il s'était demandé s'il n'y avait pas eu quelque chose entre elle et La Marca. Son indécrottable pudeur l'avait empêché d'approfondir ce doute. Puis il en était arrivé à la conclusion qu'Amalia traitait Lorenzo avec l'indulgence plénière et les sentiments maternels qu'on réserve à un frère ou à un oncle célibataire un peu débauché.

La sonnerie du téléphone interrompit ces divagations essentiellement dues à son entorse à la diététique :

Vittorio ?

Oui, Maddalena. Que se passe-t-il ?

Vittorio, pardonne-moi : je n'arrête pas de te téléphoner. Mais je ne connais que toi pour ces choses-là.

Quelles choses, Maddalena ? Que s'est-il passé ?

La pensée le traversa un instant qu'il était arrivé quelque chose à Grazia, la demoiselle survivante. Peut-être avait-il eu tort de ne pas réclamer une surveillance rapprochée, après la triste fin de Nunzia. Mais, quand on l'avait interrogée, elle avait clairement affirmé qu'elle ignorait les mobiles qui auraient pu expliquer le meurtre de sa collègue de travail. En dehors du chagrin réel qu'elle avait éprouvé, elle n'avait manifesté aucune crainte. Pour elle, à l'évidence, il s'agissait d'une tentative de vol qui avait tragiquement dégénéré.

Par bonheur, le problème de Maddalena concernait quelque chose de moins grave :

Hier matin, nous avons trouvé la serrure du rideau de fer de l'agence bloquée par une injection d'Attack, lui dit Maddalena.

Spotorno resta silencieux, le temps d'assimiler l'information. Si Maddalena ne l'avait appelé que pour lui communiquer cette nouvelle apparemment anodine, cela voulait dire qu'elle connaissait parfaitement le sens du message.

Depuis quelque temps, les jeunes recrues qui se consacraient à l'extorsion ou la collecte du *pizzo* pour le compte des sous-fifres de l'honorable Société avaient renoncé aux actions trop visibles, qui risquaient d'attirer l'attention de la police, des carabiniers ou de la magistrature. Au grand soulagement des boutiquiers, des commerçants et des artisans destinataires de ce genre de messages, qui redoutaient encore plus l'intervention et les questions des enquêteurs. La plupart préféraient se taire et payer.

Bloquer les serrures des rideaux de boutiques à la colle Attack avait le même effet paralysant qu'un pétard lancé devant la vitrine ou qu'un filet d'essence enflammé devant la porte. C'était un premier avertissement. Mais meilleur marché, moins visible et moins risqué. Il suffisait aux victimes de s'adresser à un serrurier digne de confiance, pour arranger ça : personne n'en saurait jamais rien. Et il ne leur restait plus qu'à attendre le contact suivant pour négocier un prix raisonnable avec les émissaires du chef local, en espérant que ce dernier ne les pressurerait pas trop.

Au cas où l'approche débonnaire d'un gramme de colle Attack dans une serrure n'aurait pas fait impression, on passait aux méthodes plus musclées.

Maddalena attendait toujours la réaction de Spotorno qui se reprit :

Qui s'occupe d'ouvrir l'agence le matin ?

Hier matin, j'y étais avec Manlio.

C'est la première fois que ça vous arrive, cette histoire de colle Attack ?

À vrai dire, je l'ignore, Vittorio. Si, hier, je n'avais pas accompagné Manlio, je n'aurais rien su de tout ça. Mais pas pour de mauvaises raisons, tu peux me croire. Manlio – comment te dire ? – cherche toujours à nous épargner. Surtout depuis ce qui nous est arrivé. D'abord Rosario, puis Nunzia. Moi, je suis terrorisée. Je ne pense qu'aux enfants. Il me semblait qu'après l'affaire d'il y a quatre ans il n'arriverait plus rien désormais.

Qu'est-ce qui s'est passé, il y a quatre ans, Maddalena ?

Comment ! Tu ne sais pas ? L'essence, l'incendie... C'était quelques jours avant Noël. Un veilleur de nuit a donné l'alarme et le feu a été aussitôt maîtrisé : seuls une table et un paquet de dépliants ont brûlé. Mais comment as-tu pu l'ignorer ?...

Spotorno chercha à se rappeler. Ce devaient être les types du commissariat de la Zisa, le commissariat local, qui étaient intervenus ; ou bien les carabiniers. Lui ne se rappelait de rien. Et les journaux n'avaient même pas dû en parler. Quelques années plus tôt, les événements de ce genre étaient si fréquents que, dans le meilleur des cas, on les reléguait dans les brèves et les chiens écrasés.

Je te téléphone en cachette de Manlio, reprit Maddalena. S'il savait que je t'ai parlé, ce serait un enfer.

Tu veux porter plainte ?

Non. Ce que je voudrais, c'est que tu parles à Manlio. Moi, je n'en peux plus de cette vie. L'angoisse me ronge. Chaque fois qu'il a dix minutes de retard, je sens comme une vrille qui me trépane le cerveau. Manlio me dit de ne pas me faire de mauvais sang, que tout va bien ! Mais il suffit de le regarder pour comprendre qu'il s'en tire encore plus mal que moi. Depuis la mort de Nunzia, je dois avaler des somnifères pour arriver à dormir un peu la nuit. Mais hier soir je n'ai même pas osé en prendre, tant j'avais peur de ne pas me réveiller s'il arrivait quelque chose. Je ne suis plus qu'une loque.

Spotorno réfléchissait à toute vitesse. Depuis les obsèques de Rosario, il s'était promis de faire un brin de causette avec le mari de Maddalena. Il avait trop tardé. Pourtant il décida d'attendre encore un peu. Juste le temps d'effectuer des recherches... Quelque chose commençait à le tarabuster...

D'accord, Maddalena, je vais parler avec ton mari. Mais, pour l'instant, ne lui dis pas que tu m'as appelé à cause de cette histoire. Faisons comme ça: dès que je peux me libérer de l'emmerde que j'ai entre les pattes, je t'appelle et nous nous mettons d'accord. C'est une affaire de deux ou trois jours, tout au plus. Excuse-moi, mais pour l'instant...

Maddalena avala ces vagues justifications apparemment sans le soupçonner de chercher à gagner du temps. Mais il sentait bien qu'elle souhaitait prolonger la conversation, qu'elle n'avait pas envie de raccrocher, qu'elle avait besoin d'être réconfortée. C'était une femme très seule qui lui parlait, il le comprit d'un coup en éprouvant un sentiment de pitié qui le frappa en traître.

Maddalena, lui dit-il, tu as bien fait de m'appeler. Il ne s'agit pas de sous-estimer le signal de ce matin. Mais, pour l'instant, il n'y a pas à s'inquiéter. Il ne se passera rien avant plusieurs jours. Ceux qui ont collé la serrure ne se manifesteront pas tout de suite: ils vous laisseront mariner, pour faire monter la tension. C'est une espèce de guerre psychologique. Si vous ne voulez pas porter plainte, nous ne pouvons pas faire grand-chose. Mais je demanderai aux patrouilles de nuit de passer plus souvent devant l'agence et d'ouvrir l'œil.

D'accord, Vittorio, faisons comme tu dis. Et fais-moi signe quand tu peux.

Elle dit ces derniers mots sur un ton de résignation qui ne fit qu'aggraver la culpabilité de Spotorno. L'absence de récriminations de la part de Maddalena l'avait touché. Elle n'avait pas posé la moindre question, pas osé le moindre reproche sur le peu de progrès de l'enquête sur les assassinats de Rosario et de Nunzia. Comme si elle avait mis en lui une confiance aveugle et indéfectible.

Il avait été sincère en minimisant le danger immédiat. La technique de l'intimidation relevait d'un procédé simple. L'Attack était un avertissement bénin. D'ordinaire, on tenait ensuite les victimes au bain-marie pendant quelques jours, avant de leur téléphoner ou leur envoyer un *picciotto* pour les inviter à se « mettre en règle ». Souvent l'invitation arrivait avant l'avertissement. Parfois, on ne le prenait pas au sérieux. Ou on ne le comprenait pas. Alors les malfrats montraient les dents.

Il convoqua Puleo :

Save, j'ai besoin des bilans des dix dernières années de l'agence Beltramini Travel, l'agence du beau-frère de Rosario Alamia. Et aussi de la liste complète du personnel de l'agence. Il me faut ça tout de suite. Brouille les pistes : choisis dans l'annuaire professionnel cinq ou six autres agences de voyages et demande également leurs bilans. Dis que c'est pour ton mémoire de maîtrise. Évitons d'éveiller les soupçons.

Cette vérification s'imposait. Durant sa conversation avec Maddalena, il avait commencé à ruminer certaines idées...

Il se demanda s'il n'aurait pas dû demander l'autorisation de mettre sur écoute les téléphones de l'agence et de la famille Beltramini. Mais il y avait bien peu de chances qu'on la lui accorde rapidement. Il y avait des priorités à respecter, des usagers du téléphone plus problématiques, bref des listes d'attente kilométriques. Mais le vrai motif de son hésitation, c'est qu'il aurait eu le sentiment de faire intrusion dans la vie privée de Maddalena. Déjà la seule idée d'examiner en douce les bilans le mettait mal à l'aise.

Jolis scrupules pour un flic ! pensa-t-il. Maddalena n'avait peut-être pas eu tort en lui demandant pourquoi il avait choisi ce métier, quand ils s'étaient quittés après les obsèques de Rosario.

Puleo posa sur son bureau les photocopies des bilans. Beltramini Travel, SARL, capital de vingt millions ; Manlio Beltramini administrateur ; siège social : Corso Camillo Finocchiaro Aprile, plus connu sous son ancien nom de Corso Olivuzza.

Il n'eut pas à chercher longtemps. Un coup d'œil sur la ligne des résultats annuels fut suffisant. Le bilan le plus récent, celui de l'année passée, présentait un chiffre d'affaires de presque deux milliards. L'avant-dernier, d'un milliard et demi ; le précédent, d'un peu plus d'un milliard. Mais en remontant dans le temps, les sept premiers bilans affichaient seulement quatre et cinq cents millions de lires.

Les profits des sept premières années étaient *grosso modo* d'une valeur égale, proche de zéro. Et parfois même au-dessous. Les trois dernières années en revanche présentaient des bénéfices croissants : deux, trois, quatre cents millions.

Il se rappela les paroles de Maddalena après sa visite Via Zara : les affaires allaient mal ; on souffrait de la crise ; il y avait trop de hauts et de bas. Il reconvoqua Puleo :

Save, fais tout de suite un saut à la Chambre de commerce. Demande le chiffre d'affaires moyen des agences de voyage, et ce en fonction de la dimension de l'entreprise et de la zone géographique : le nord, le sud, le centre et les îles.

C'est déjà fait, monsieur le commissaire. Et ça m'a pris un sacré temps ! J'ai tout copié à la main sur mon carnet, et je suis en train de le transférer sur mon ordinateur.

Laisse tomber l'ordinateur et sors tes notes.

Voilà, monsieur le commissaire. J'imagine que ce qui vous intéresse avant tout, ce sont les données concernant notre région, non ? Une petite agence de voyages, du type de la Beltramini Travel, doit avoir présenté l'année dernière un chiffre d'affaires moyen de six cent trente millions. Pour les années précédentes, on trouve des valeurs inférieures parce que l'inflation se fait sentir sur les derniers bilans. Et les derniers chiffres d'affaires ne devraient pas être fameux, vu que nous traversons une période de stagnation touristique.

Et comment le sais-tu, Save ?

Monsieur le commissaire, comme la copie des bilans m'avaient pris moins de temps que prévu, je suis passé voir une fonctionnaire de la Chambre de commerce. C'est une amie, une fille qui jusqu'à l'année dernière travaillait dans le secteur hôtelier. Je lui ai offert un verre et nous avons causé. Elle sait que je suis flic, mais je lui ai raconté que ces données m'étaient utiles pour mon mémoire. En deux mots, monsieur le commissaire, actuellement le tourisme connaît une période noire.

Mes compliments, Save ! Mais comment as-tu pensé à ça ?

Ce n'était pas difficile. Quand vous m'avez demandé les bilans, j'ai compris tout de suite ce que vous alliez en faire. Et j'ai aussitôt contrôlé le chiffre d'affaires année par année. J'ai passé, il y a quelques jours, mon examen d'économie d'entreprise et, depuis, je sais que deux plus deux...

... pour une fois faisaient vraiment quatre. Bravo. Mais l'apéro, ne le mets pas sur ta note de frais, s'il te plaît.

Spotorno transcrivit sur une feuille les données des bilans, de manière à obtenir un tableau synoptique. Il l'examina une fois de plus. Le dernier bilan présentant un chiffre d'affaires conforme à la moyenne régionale remontait à quatre ans plus tôt. L'année où l'on avait volontairement mis le feu à l'agence, comme le lui avait raconté Maddalena. Ça cadrait. Et ça cadrait aussi avec certaines autres choses qu'elle lui avait dites quand il l'avait raccompagnée Via Zara, après les obsèques de Rosario.

À présent, il était prêt à rencontrer Manlio Beltramini.

Il appela Maddalena chez elle, le lendemain, au début de l'après-midi, quand il était sûr que son mari serait au travail. Elle ne sembla pas s'en étonner :

Merci d'avoir tenu parole, Vittorio. Qu'est-ce que je dois dire à Manlio ?

Dis-lui que le commissaire Spotorno de la Brigade mobile veut lui parler. Et qu'au nom de ma vieille amitié pour ta famille, au lieu de le convoquer officiellement à la préfecture, comme je devrais le faire, je me propose de le rencontrer de façon informelle et en privé. J'imagine qu'actuellement c'est la période où les agences de voyages ont le plus de travail. Vois si ce soir lui convient. À quelle heure ferme-t-il ? À sept heures et demie ? Très bien, s'il est d'accord, je le verrai à huit heures moins le quart.

Il donna à Maddalena l'adresse exacte du bar près de la cathédrale qu'il utilisait parfois comme base logistique. Le même bar où il avait conduit Amalia le jour de leur visite à la Chapelle des Dames.

Mais ne dis rien à ton mari de la raison pour laquelle je veux le voir. Dis-lui seulement que c'est une chose personnelle et que je n'ai pas voulu me déboutonner devant toi.

Quelques minutes plus tard, Maddalena le rappela pour lui confirmer le rendez-vous.

Une demi-heure avant, Spotorno tira de son bureau les bilans et les examina une dernière fois, jusqu'au moment de descendre. Il arriva un peu en avance, inspecta rapidement le bar et vérifia que l'autre n'était pas encore arrivé. Il sortit et fit nerveusement les cent pas, en utilisant les vitrines des boutiques comme rétroviseurs.

Deux ou trois minutes plus tard, il vit Beltramini déboucher sur le Cassaro de la Via delle Scuole. Il devait avoir laissé sa voiture Piazza Sett'Angeli ou dans une des ruelles des alentours de l'église Sant'Agata alla Guilla. Il avait l'air déprimé et ses moustaches tombantes accentuaient son visible accablement. Beltramini repéra tout de suite Spotorno. Il n'y avait guère de monde dans les rues, et les ruelles autour du Cassaro semblaient dans un état de suspension, dans l'attente de cette effervescence nocturne engendrée par l'ouverture des pubs. Il en naissait sans cesse, au rez-de-chaussée des vieux *palazzi* ou dans les locaux autrefois occupés par des ateliers ou de petites entreprises artisanales désormais disparues.

Ils se serrèrent la main devant la porte du bar. Spotorno le précéda jusqu'à l'arrière-salle.

Que puis-je vous offrir ?

Un gin tonic.

Spotorno commanda pour lui une eau minérale. Il s'aperçut que son interlocuteur l'examinait.

Beltramini était pâle et tendu, méfiant et comme déjà résigné. Ils échangèrent quelques banalités. L'homme, au cours des années, avait attrapé un curieux accent : voyelles un peu traînantes, selon l'usage local, mêlées aux *s* sonores du parler du Nord. Son discours était émaillé d'argot de sa région d'origine et d'expressions siciliennes.

Spotorno attendit l'arrivée de la commande pour affronter le sujet :

Vous ne savez pas pourquoi j'ai demandé à votre épouse de vous rencontrer ?

L'autre secoua la tête sans conviction.

Écoutez, Beltramini, vous venez d'une région où l'on ne tergiverse pas, j'entrerai donc dans le vif du sujet sans détours et sans rhétorique : j'ai appris qu'on a bloqué votre serrure à l'Attack.

Comment le savez-vous ? C'est Maddalena qui vous l'a dit ?

Non, mentit Spotorno. Je suis flic, Beltramini : je suis bien placé pour savoir ce genre de choses.

L'homme pâlit davantage et son front s'emperla de sueur. Il esquissa un vague sourire, un sourire d'histrion déchu.

Des enfantillages, commissaire. Une blague.

Comme la tentative d'incendie de l'agence il y a quatre ans ? Allons, Beltramini, trêve de plaisanteries. Vous vivez dans cette ville depuis trop longtemps. Et surtout vous y travaillez.

Il tira de la poche de sa veste la feuille où figuraient les bilans de l'agence, la déplia et la poussa sous les yeux de Beltramini qui n'y toucha pas, comme s'il avait peur qu'elle lui saute à la figure.

Vous reconnaissez ces chiffres ?

L'autre secoua la tête. Il n'avait pas encore entamé son gin tonic.

Ce sont les chiffres d'affaires de l'agence Beltramini Travel, depuis dix ans. Alors, expliquez-moi ce phénomène très étrange : comment se fait-il que les sept premiers bilans présentent des chiffres d'affaires conformes à ceux de vos confrères dans la région puis que, brutalement, dans les trois dernières années, ce chiffre d'affaires décolle jusqu'à quadrupler ? Vous pouvez m'expliquer cet envol des profits ?

L'autre déglutit avec peine. Il jeta un regard autour de lui, à la recherche d'un point où s'accrocher. Finalement il le trouva dans son verre. Il le saisit et en avala la moitié d'un coup.

L'agence s'est développée, commissaire. Pour nous, c'est une période en or.

Ce n'était pas la réponse sèche, orgueilleuse, de qui a conquis sa place au soleil, mais un balbutiement pénible, à peine intelligible. Cet homme avait peur. Mais pas nécessairement de Spotorno. Ou pas seulement de lui. Spotorno laissa passer quelques bonnes secondes, avant de reprendre doucement :

Ne me racontez pas de conneries, Beltramini. Il est notoire que votre secteur aujourd'hui ne se porte pas bien du tout. Je sais aussi qu'en plus votre agence connaît une période de vaches maigres : peu de clients qui, en outre, cherchent à dépenser le moins possible. Mais passons. Vous savez où je veux en venir : durant sept années consécutives, vous présentez un chiffre d'affaires compatible avec la taille de votre agence, avec un maximum de cinq cents millions et quelques lires. L'année suivante, brusquement, sans raison, vous atteignez un milliard cent. Que s'est-il passé dans l'intervalle, entre le dernier chiffre d'affaires normal et le chiffre d'affaires miraculeux ? Que s'est-il passé à part cette tentative d'incendie de Beltramini Travel, qui ne peut-être qu'une coïncidence, n'est-ce pas ? Allons, Beltramini, nous sommes adultes et vaccinés, et ni vous ni moi ne pouvons croire sérieusement que les coïncidences existent dans une ville comme la nôtre. Ce serait à peu près comme croire aux sorcières qui chevauchent des manches à balais.

Beltramini acheva son gin tonic, ce qui sembla lui donner un peu d'assurance. Spotorno eut l'impression qu'il ruminait un discours intérieur.

Commissaire, dit-il d'une voix ferme, je vais vous raconter une petite scène à laquelle j'ai assisté voilà quelques années, peu de temps avant la tentative d'incendie de mon agence. J'avais été invité à un congrès de PME à laquelle était associée une délégation maghrébine, une de ces initiatives promotionnelles de la Région qui ne promeuvent rien, mais favorisent la connaissance entre les peuples. Le congrès se tenait au Palazzo dei Normanni, à l'Assemblée régionale. Au cocktail final, je me suis retrouvé en train de discuter à bâtons rompus avec quelques collègues des agences locales, nos confrères maghrébins, mais aussi plusieurs députés à l'Assemblée régionale, tant de la majorité que de l'opposition, d'autres notables, sans compter vos collègues, en uniforme – et en civil. À un moment donné, on finit par parler des difficultés du boulot, du contexte spécifique dans lequel travaille une entreprise de petite ou de moyenne dimension dans cette ville. Et puis voilà qu'un type que je ne connaissais pas, un directeur d'usine de Brancaccio, sort une phrase qui me glace le sang. Le vrai problème, déclare-t-il, ce n'est pas de payer, mais de savoir *qui* payer. Il faisait référence au *pizzo*. Vous le savez mieux que moi, c'était une période de transition dans l'organisation des clans : il y avait eu des arrestations, des assassinats, des recels… – enfin ce que vous appelez les *lupare bianche*, les cadavres qui disparaissent. Bref, on ne savait plus très bien qui dirigeait. Moi, je ne connaissais ces choses-là que par les journaux. L'entrepreneur raconte qu'un jour c'était un type qui passait à la caisse, et le lendemain un autre, et ainsi de suite. Chacun prétendant naturellement être le bon. Et lui finissait par payer tout le monde. Peu, mais chacun. Jusqu'au jour où son fils rentre à la maison en lui disant qu'à la discothèque deux gars lui ont mis un couteau sous la gorge en lui demandant sa montre. Il l'enlève. Eux la prennent, la fracassent sous leurs talons et s'en vont. Le lendemain, un type lui téléphone à l'usine pour lui annoncer la visite d'un émissaire, le seul qui soit habilité désormais à toucher le fric pour qui il savait. Et si tu ne payes pas, lui déclare le type au téléphone, la prochaine fois, on coupe vraiment la gorge à ton fils. L'entrepreneur comprend alors qui commande vraiment. Les autres étaient des électrons libres.

Beltramini marqua une pause. Il saisit son verre et l'approcha de ses lèvres avant de se rendre compte qu'il était vide. Spotorno fit signe au garçon de renouveler les consommations.

Beltramini semblait transformé. Il avait retrouvé son aplomb. Une vraie métamorphose.

Mais savez-vous ce qui m'avait glacé le sang ? reprit-il. C'est que ce type racontait tout ça en public, d'un ton normal, sans se soucier des gens qui l'écoutaient, exactement comme s'il était en train de se vanter auprès de ses potes du club de s'être tapé une jolie gonzesse. Et à en juger leur tête, la plupart des gens présents connaissaient ça par cœur. Seul un député qui, la veille, dans les journaux, avait tonné contre le racket s'est éloigné discrètement, en faisant mine de n'avoir rien entendu. À votre avis, qu'est-ce que j'ai éprouvé quand on a tenté d'incendier mon agence ?

Dites-le-moi vous-même, Beltramini, qu'avez-vous éprouvé ?

Comme aurait dit ma belle-mère, ça m'a tourné les sangs. J'ai pensé à mes enfants, à Maddalena.

Et qu'est-ce qui est arrivé après l'attentat ?

Il est arrivé ce qui devait arriver. Une semaine plus tard, alors que nous avions fini de réparer les dégâts et que nous commencions à peine à respirer, il y a eu un coup de téléphone. Toujours la même voix.

La même voix que quoi ?

Avant la tentative d'incendie, on avait reçu des appels

téléphoniques. Et avant cela, un beau jour, un type s'était présenté à l'agence. Un type sur la trentaine. Un truand. Mais ça, je ne l'ai su qu'après. Il voulait savoir si nous étions en règle. Il tenait des propos obscurs, indirects, allusifs, tournait autour du pot sans jamais en venir au fait. En toute bonne foi, commissaire, je ne comprenais rien de ce qu'il me voulait. D'ailleurs, aujourd'hui encore, je ne me suis toujours pas habitué à votre façon de raisonner et d'affronter les problèmes. Ça doit être une de mes limites. Voilà trois mille ans que vous faites de la politique. Vous l'assimilez avec le lait de vos mères. Vous parlez peu, mais quand vous le faites, personne n'y comprend rien et Dieu seul sait ce que vous avez dans la tête. Vous ne parlez que de femmes, mais votre devise nationale, c'est : Commander vaut mieux que baiser. Pour moi, c'est un vrai slogan d'impuissants. Comme l'histoire du renard et du raisin. Sans vouloir vous offenser, ça me semble mieux chez nous. Les gens de la Ligue du Nord mis à part, ça va de soi. Ceux-là, ils me donnent de l'urticaire et, pourtant, je suis de bonne composition. Parfois je me demande si je ne devrais pas rentrer là-haut, pour faire changer d'air aux enfants, et puis je pense à ces gens-là... Ils ne sont que quatre pelés, mais vous verrez quel bordel ils vont réussir à mettre d'ici quelques années.

Revenons à ces coups de téléphone, si vous le voulez bien.

Oui, excusez-moi. Le premier est arrivé le soir même, après la visite de cette tête de lard dont je vous ai parlé. Et là ils m'ont parlé clair et net : ils voulaient de l'argent, un certain montant tous les mois, si je voulais pouvoir travailler tranquillement.

Et qu'est-ce que vous leur avez répondu ?

C'était une sale période, commissaire. Pas l'ombre d'un client. Et nous étions fauchés comme les blés, endettés jusqu'au cou. Le peu de bénéfices que j'arrivais à tirer servait à payer les intérêts à ces foutues banques. J'ai dit ça au type.

Il m'a raccroché au nez. Puis il y a eu deux autres appels, toujours la même voix, avec un accent terrible, à foutre la trouille à quelqu'un qui n'est pas d'ici. Vous avez vu *Le Parrain* ? Vous vous rappelez Luca Brasi, le *killer* ? À peine j'entendais la voix de ce type que je voyais devant moi Luca Brasi. Un cauchemar. Puis il y a eu l'incendie. Qui était destiné à me convaincre définitivement.

Et ça vous a convaincu ?

Convaincu ? Mais je l'étais depuis le début. Seulement l'agence était au bord de la faillite, et je ne pouvais rien en tirer de plus.

Et l'idée ne vous est jamais venue de porter plainte, de vous adresser à la police, aux carabiniers, à la magistrature, comme on le fait dans tous les pays civilisés ?

Parce que vous vous croyez dans un pays civilisé, vous ! Après la scène du Palazzo dei Normanni que je vous ai racontée, j'étais sûr que, si j'étais allé porter plainte, on m'aurait pris pour un fou et on m'aurait enfermé au lieu de poursuivre les autres.

Pourtant il y a des gens qui se sont adressés à nous.

Et qu'est-ce qu'ils ont obtenu, commissaire ? De vivre claquemurés dans la terreur que tôt ou tard votre protection leur soit retirée ?

Et vous, qu'est-ce que vous avez obtenu ? répliqua Spotorno sans pouvoir dissimuler une pointe de mépris. Il suffisait de jeter un œil sur les bilans pour savoir ce qu'il avait obtenu. Même si tout ne devait pas avoir été rose…

Beltramini sursauta :

Ne me blâmez pas, commissaire. Pour vous, c'est facile de dire portez plainte, portez plainte. Et puis, dans les tranchées, c'est nous qui y restons. Que fait l'État ?

Spotorno eut envie de l'attraper par la pointe de ses moustaches et de les arracher. Il pensait à ses collègues assassinés. Est-ce que ça valait la peine de se sacrifier pour protéger tous les Beltramini du monde ? Il se domina en pensant à Maddalena.

Revenons à la tentative d'incendie, reprit-il. Qu'est-ce qui s'est passé après le coup de téléphone ?

C'est là le plus extraordinaire. Je me suis mis en colère contre ce type. Je lui ai crié qu'il me ferait plaisir en m'assassinant et que, s'il osait se montrer, je lui ferais voir, moi, l'état de tous mes comptes. Les découverts bancaires. Les dettes. Il m'a écouté sans m'interrompre, et puis il a raccroché. Le lendemain, je ne sais pas comment j'ai eu le courage de sortir de la maison. Je m'attendais à trouver l'agence dévastée, en ruine. Et durant toute la matinée j'ai tremblé chaque fois que le téléphone sonnait, qu'un inconnu poussait la porte.

Et puis ?

Et puis c'est Rosario qui est arrivé.

Rosario ?

Vous savez bien, commissaire, qu'il a travaillé à l'agence pendant une brève période. Un vrai désastre : inapte à toute relation publique. Pour peu, il était capable de dire à un client que sa gueule ne lui revenait pas ! Moi, je suis un type sociable, je parviens toujours à trouver un terrain d'entente avec tout le monde, mais avec Rosario je n'ai jamais réussi à être d'accord sur quoi que ce soit. Nous avions des caractères totalement incompatibles. Bref, ce jour-là, j'ai été très étonné de le voir débarquer. Il n'avait même pas donné signe de vie après la tentative d'incendie. Par la suite, Maddalena m'a dit que c'était elle qui l'avait appelé. Elle avait entendu mon engueulade téléphonique avec le type de la mafia et elle était terrorisée. Elle n'est pas au courant des affaires de l'agence. Elle sait seulement si *grosso modo* les affaires sont bonnes ou mauvaises, mais rien d'autre. Elle ne connaît pas les bilans. C'est tout récemment qu'elle s'est mise à venir avec plus d'assiduité ; elle me donne un coup de main, elle bouche les trous.

Revenons à Rosario.

Rosario, c'était vraiment un type unique en son genre. Aussi peu fiable dans les choses pratiques que généreux sur le plan des sentiments, de l'amitié, de la solidarité. Il m'a tiré les vers du nez, et j'ai vidé mon sac. Il faut dire que j'étais dans un tel état que ce n'était pas difficile de me faire parler... Il ne savait pas à quel point l'agence s'effilochait. À la fin, j'ai dû lui avouer que, si je ne trouvais pas vingt-cinq millions dans les quarante-huit heures, je pouvais aussi bien me tirer un coup de revolver dans la tête. Une façon de parler, parce que je n'avais pas d'arme à feu, et je n'en ai toujours pas. Lui, qui par nature était déjà renfrogné, il est devenu encore plus sérieux. Il s'est tu quelques instants, puis il m'a dit de ne pas bouger jusqu'au lendemain, et d'attendre de ses nouvelles.

Et le lendemain ?

Le lendemain, Rosario me téléphone et me dit de le rejoindre dans un endroit précis, sur le littoral de Ficarazzi : un bout de route qui descend et puis remonte en longeant la mer. Je pars à l'instant, et, à l'endroit indiqué, je le trouve avec un type d'une trentaine d'années, dans une 127 bleu clair.

La bagnole du guet-apens ?

Exact. Rosario l'avait achetée d'occasion l'année précédente.

À qui ?

Je n'en sais rien.

Et l'autre type était Gaspare Mancuso, dit Asparino. L'autre victime.

Oui, mais je ne le savais pas encore. Croyez-moi, commissaire, je n'ai su qui il était que lorsqu'ils ont été assassinés tous les deux. Quand je me suis installé dans cette ville, j'ai vite appris à ne pas poser de questions inutiles. Le type avait une tête et des façons qui n'invitaient pas à la confidence. Mais il me tendit un sac en toile cirée qui contenait vingt-cinq millions de livres en petites coupures usagées.

Exactement ce qu'il vous fallait. Ce n'était pas de la charité, j'imagine.

Non, un prêt. Juste pour me permettre de respirer et de tenter de me remettre à flot.

Et quelles garanties avez-vous dû donner ?

Aucune. La parole de Rosario. Moi, pour ainsi dire, je n'ai pas ouvert la bouche. C'est lui qui a tout fait. Parlons clair, commissaire : je ne me suis pas imaginé une seule seconde qu'il le faisait pour moi. Il le faisait pour Maddalena et les enfants. Les liens de sang, dans ce pays, sont sacrés. Ça aussi je l'ai appris tout de suite. Je me suis seulement engagé à rembourser l'argent en deux ans, avec un intérêt à peine plus élevé que celui des banques, ce qui était la moindre des choses, vu les circonstances.

Beltramini, s'il vous plaît : dites-moi quelque chose qui accrédite cette histoire absurde. Vous voulez me faire croire qu'un *picciotto* de banlieue, un petit mafieux, vous a remis vingt-cinq millions en se contentant de la parole de votre beau-frère, avec lequel vous entretenez des rapports notoirement distants ? Allons, Beltramini, un peu de respect, comme on dit chez nous.

Je vous le jure, commissaire. Les choses se sont passées exactement comme ça. Et puis, à l'époque, qui aurait imaginé que Mancuso était ce qu'il était ? Je peux seulement vous dire une chose. Je me pique d'être un peu psychologue, j'observe les gens, leurs rapports mutuels, notamment les rapports de force. Ce Mancuso était plus jeune que Rosario, mais il avait de l'autorité et du charisme. Ce qui manquait à Rosario. En apparence, Rosario avait l'initiative, mais, en réalité, c'était l'autre qui menait le jeu. Rosario se tournait vers lui après chaque phrase ; il épiait ses réactions, pour voir s'il approuvait ou désapprouvait ce qu'il était en train de dire. Maddalena m'a expliqué que Rosario et vous aviez fait l'école primaire ensemble et qu'il était déjà comme ça quand il était gamin.

Comment, comme ça ?

Je vous l'ai dit : ingénu, généreux. Un type qui mettait tout dans l'amitié, mais sans trop se poser de questions sur ses fréquentations. Et il finissait par se faire complètement entuber. D'autant qu'il en remettait, toujours prêt à aider ses amis, toujours prêt à leur en promettre. Des amitiés de fraîche date, si je puis dire, et qui ne duraient pas longtemps. Mancuso et lui, ils ne devaient pas beaucoup se connaître.

Assez et depuis assez longtemps pour qu'ils soient assassinés ensemble quatre ans plus tard, pensa Spotorno.

Revenons à ces vingt-cinq millions et à vos bilans, dit-il. Qu'est-ce qui est arrivé après ?

C'est là qu'a eu lieu le changement. Un vrai coup de chance. À peine une semaine après (on était au début de janvier, je m'en souviens), je reçois du directeur adjoint d'un lycée une demande de devis pour un voyage scolaire à Londres. Deux cent cinquante adolescents et accompagnateurs ; pension complète, voyage et excursions. Un grand coup. Ç'a été le début de la renaissance. Je me suis lancé de toutes mes forces dans cette affaire, en serrant au maximum mon budget pour arracher la commande. Il est vrai que j'avais un avantage grâce à mes excellents contacts à Londres. En un mot, j'ai réussi un montage fabuleux, entre charters et hôtels bon marché. Et j'ai emporté le contrat.

Spotorno eut un vague geste :

Et où se trouve cette école ?

À La Noce.

Le quartier même des Mancuso, pensa Spotorno. Une coïncidence ? Difficile à croire...

Beltramini l'épiait.

Non, Mancuso n'avait pas la voix de Luca Brasi. Ce n'était pas lui qui m'appelait au téléphone.

Spotorno se demanda s'il n'avait pas sous-estimé son interlocuteur : incapable, de son propre aveu, de comprendre le discours des Siciliens, il semblait deviner leur pensée. Éludant la remarque, Spotorno enchaîna :

Ce voyage d'étude n'a tout de même pas pu relancer l'agence à lui tout seul ?

C'est vrai. Mais ça n'a pas été le seul. Vous voyez, commissaire, quand on vous a signalé que peu de gens entrent dans mon agence, on ne vous a pas trompé. Mes clients sont relativement rares, mais certains d'entre eux représentent des centaines de clients. Les atouts majeurs de l'agence Beltramini Travel, c'est l'organisation et la gestion de voyages de groupes. Notre réputation circule. Nous nous sommes fait un nom. De temps en temps, nous organisons même des trains pour Lourdes. À cette occasion, certains adolescents qui ont participé aux précédents voyages viennent nous offrir leurs services bénévoles. Pas par mysticisme... Il faut tenir compte du coefficient sexuel...

Beltramini en remettait. Il savait parfaitement quand parler et quand se taire. Et ce qu'il taisait, il le dissimulait sous le bavardage. Spotorno en avait assez. Il décida de changer de stratégie. Il aurait pu menacer Beltramini d'un contrôle méthodique des bilans de l'agence, qui aurait mis au jour ses embrouilles. Mais la requête d'intervention aurait dû passer par le substitut du procureur, De Vecchi. Et Spotorno se méfiait de lui : sa manie de jouer des menottes risquait de tout faire tomber à l'eau. Du reste, il ne se fiait pas davantage à la Brigade financière, qui trouvait toujours quelque chose, même là où il n'y avait rien. Et qui de plus marchait comme un seul homme dans la foulée de De Vecchi.

D'ailleurs, une intervention de la Brigade financière aurait risqué d'alarmer les hommes de l'Attack (qui étaient-ils ? se demandait Spotorno), lesquels ne soupçonnaient pas encore qu'ils avaient le commissaire sur le dos.

Mieux valait que Beltramini s'imagine qu'il avait tout gobé. Enfin tout, non. Ça n'aurait pas été crédible. Il allait lui administrer un de ces petits discours elliptiques que l'autre ferait semblant de ne pas comprendre.

O.K., Beltramini. Pour l'instant, ça ira. Mais rappelez-vous que la nature a horreur du vide. Là où se crée momentanément un espace creux, il se présente aussitôt quelque chose pour le remplir. Cette loi physique vaut aussi pour les hommes. Quand ça se présentera, n'en faites pas à votre tête cette fois. Vous savez où me trouver. Mes amitiés à Maddalena.

Chapitre XVI

# Le sentiment de culpabilité d'Amalia. Et celui de Spotorno.

Amalia était à son dîner dit de « conscience de soi » qui réunissait deux fois par an, dans un restaurant rigoureusement interdit aux maris, un petit groupe de vieilles copines de lycée qui avaient réussi à ne pas se perdre de vue. Tard dans la nuit, chacune rentrait dans la sphère d'influence conjugale, avec un taux d'alcoolémie nettement supérieur à la moyenne. Et gare à qui leur demanderait des détails.

Spotorno mangeait donc tout seul devant la TV, dont il avait coupé le son. Sur l'écran défilaient des visages d'estivants béats dont on devinait les pensées et les propos ineptes.

Les enfants jouaient chez Maruzza La Marca, la sœur de Lorenzo. Son mari, Armando, était passé les prendre en voiture la veille. Les trois garçons de Maruzza et Armando, et les deux Spotorno auraient constitué une parfaite bande de voyous capables de mettre à bas l'antique patio en un rien de temps.

Après sa discussion avec Beltramini, il avait longuement hésité entre revenir directement à la maison ou mal manger en vitesse dans un troquet sinistre quitte à faire passer la pilule grâce à une promenade digestive dans le centre-ville. En fait, ce qu'il avait surtout besoin de digérer, c'était l'excitation de son entretien avec Beltramini qui l'avait mis dans un état proche de l'euphorie.

À la fin, il avait décidé de rentrer chez lui et bien lui en avait pris car Amalia lui avait laissé une casserole de boulettes de sardines à la sauce tomate et à la menthe, qu'il avait mangées froides avec ravissement, en les accompagnant d'un petit rosé bien frappé. Un vrai baume.

Amalia vivait toujours ses réunions entre femmes avec un sentiment de culpabilité, qu'elle compensait par la gastronomie. Les boulettes de sardines étaient un des plats préférés de Spotorno. Il ne lui en voulut pas, bien au contraire, d'avoir omis de mettre de l'ail dans les boulettes : le commissaire le savait bien – Amalia rentrerait à la maison dans un état de grâce langoureux, qu'elle entretiendrait, avant de se mettre au lit, en vaporisant délicatement son corps d'eau de Parme...

Spotorno se remémora son entretien avec Beltramini et le visualisa plan par plan, son et image. Il repensa aussi à la phrase qu'un expert italo-américain en sécurité bancaire avait prononcée durant son premier stage aux États-Unis : Découvrir ou prévenir le recyclage d'argent sale revient à peu près à clouer de la gélatine sur un mur.

Sans l'appel de Maddalena, il n'aurait peut-être jamais su que l'agence Beltramini Travel était une des innombrables entreprises utilisées pour le recyclage du narcotrafic, des extorsions, de la contrebande de cigarettes, des paris clandestins, du racket, de la prostitution et de Dieu sait combien d'autres sources d'argent indéclarables.

Ce n'était pas pour rien que les Américains avaient forgé ce mot nouveau : *laundering*. À la fin du processus, l'argent sortait aussi pur que du tronc d'une église luthérienne. Et l'enveloppe régulièrement glissée au fisc lui conférait une sorte de légalité définitive. Un pedigree de respectabilité. Monseigneur l'argent pouvait marcher tête haute sur les routes du monde.

Une agence de voyages à vocation européenne offrait l'avantage notoire de transférer des fonds à l'étranger au moyen de factures gonflées ou même de fausses factures pour des services fictifs. Spotorno aurait parié que, si les gens du fisc avaient épluché les documents relatifs aux voyages organisés pour les écoles, on aurait découvert que les sommes transférées à Londres étaient bien supérieures au paiement des participants. La différence, c'était l'argent à blanchir.

Pour réduire les risques d'être découvert, mieux valait opérer avec discrétion, sans exagérer, c'est-à-dire blanchir des sommes raisonnables d'argent sale derrière les modestes vitrines de magasins et autres petites entreprises que de recycler des flux importants à travers une seule grosse société. Dans le Sud, les grandes entreprises étaient trop dans le collimateur et elles étaient si peu nombreuses qu'elles ne pouvaient guère passer inaperçues.

Avec les petites entreprises, en revanche, même si les enquêteurs réussissaient de temps en temps à en repérer une, les dégâts restaient limités. On versait une larme, et puis basta. Au pire, l'exercice commercial était mis sous séquestre, mais il pouvait arriver que quelque juge naïf et ignorant en confie le contrôle à des administrateurs qui entretenaient des liens occultes avec le clan auquel appartenait le bien sous séquestre ! Ça s'était vu. Une solution pirandellienne. Et l'ordre régnait de nouveau à Varsovie.

Spotorno n'ignorait pas l'existence d'opérations plus ambitieuses. Mais le contexte était différent. Il s'agissait alors de haute finance. De sanctuaires *off shore*. Rien qui soit à la portée de gens comme Gaspare Mancuso, dit Asparino, et sa bande. Même en tenant compte du charisme que Beltramini lui attribuait, Mancuso restait un petit mafieux des faubourgs, un *picciotto* d'arrière-boutique, dont les ambitions avaient été prématurément pulvérisées à coups de calibre 38.

Ce qui avait le plus frappé Spotorno durant leur conversation, c'était le changement progressif de registre qu'il avait perçu chez Beltramini. Au début, le mari de Maddalena semblait effrayé, puis, peu à peu, il s'était raffermi. Peut-être au début avait-il vraiment eu peur de Spotorno et puis il s'était rendu compte que le commissaire ne disposait que des bilans que lui-même avait produits. En fait, comme Spotorno, il avait sous-estimé son adversaire. D'autre part, s'il s'était montré « raisonnable » à l'époque de la tentative d'incendie, pourquoi n'aurait-il pas dû l'être avec les hommes de l'Attack, qui tôt ou tard se présenteraient pour remplir l'espace laissé vacant par la disparition de Mancuso ? À présent, il connaissait les règles. Ceux qui suivraient n'auraient aucun intérêt à démonter un mécanisme qui fonctionnait si bien. Après la peur provoquée par la mort de Mancuso et de Rosario, réactivée par l'histoire de l'Attack, Beltramini devait être arrivé à cette conclusion durant leur entretien.

Il imagina les raisons qui avaient pu conduire Mancuso à devenir l'associé occulte – sinon le *vrai* patron – de l'agence Beltramini Travel. La version de Beltramini paraissait crédible, jusqu'à un certain point. Après, son récit ne cadrait pas avec l'expérience de Spotorno. S'il s'était agi d'un film, il aurait pu presque en écrire mot à mot le scénario et les dialogues. Cette histoire d'un prêt de vingt-cinq millions sur deux ans à un taux raisonnable ne tenait pas debout. L'amitié entre Rosario et Mancuso, quelle qu'en soit l'origine, n'aurait jamais pu constituer une garantie. Avec l'argent des clans, on ne badine pas. C'était bel et bien de l'usure : une cravate avec un beau nœud bien serré, un nœud coulant… Vingt-cinq millions rubis sur ongle, avec obligation de restitution sous une échéance très proche. Trop proche. Et avec des intérêts insoutenables.

C'est ainsi que Beltramini s'était retrouvé entre les griffes de Mancuso. Et, comme cela se produit parfois, après une période de panique, il avait dû se faire à la situation. L'agence agonisait. On lui offrait là une issue possible.

Spotorno était sûr qu'au cours des tractations quasiment unilatérales entre Mancuso et Beltramini aucun mot malsonnant ou compromettant, du type recyclage ou prête-nom, n'avait été prononcé.

Il était également sûr que le directeur, ou le sous-directeur, ou la secrétaire de cette première école qui avait permis à l'agence de renaître de ses cendres n'avaient jamais soupçonné qu'on les avait dirigés en quelque sorte vers l'agence Beltramini Travel. Ç'aurait été trop risqué. L'hypothèse la plus probable, c'est qu'un représentant des parents d'élèves avait le nom de l'agence et l'avait recommandée chaudement pour ses tarifs économiques et sa fiabilité. Et Beltramini, préalablement averti, avait proposé un devis auquel il était impossible de dire non. Une offre à prix cassés. Le reste était venu tout seul.

Beltramini avait été récompensé. Spotorno avait enregistré le chiffre prévu pour l'administrateur, sur le dernier bilan : cinquante millions bruts. Pas de quoi mener la grande vie, mais pas non plus de quoi crier famine. Maddalena n'avait-elle pas dit que les choses n'allaient pas très fort, mais sans crier au désastre ? Elle ne connaissait que la pointe de l'iceberg et elle ignorait tout le reste, la partie submergée, la plus consistante. Mais, sur cette partie-là, même son mari n'avait pas vraiment voix au chapitre.

Il regretta d'avoir laissé les bilans au bureau et il eut la tentation d'aller les chercher, mais il était presque onze heures du soir et la fatigue lui pesait : l'idée de traverser deux fois la ville, aller et retour, le calma.

Il lut quelques pages de Boulgakov sur la migraine de Ponce Pilate, un de ses fragments préférés. Puis, malgré la fatigue, il peina à trouver le sommeil et ne cessa de se retourner dans son lit.

Les sorties nocturnes d'Amalia le rendaient toujours nerveux. Il perçut son retour à travers un demi-sommeil peuplé d'ombres mais étrangement vigilant. Ce retour dut en quelque sorte le rassurer, car lorsque Amalia se glissa dans le lit, il dormait profondément. Elle le laissa dormir.

Monsieur le commissaire...

Puleo passa la tête à la porte, une feuille à la main. Spotorno lui fit signe d'entrer.

J'ai ici la liste des personnes qui travaillent à l'agence de Beltramini. La liste que vous m'aviez demandée. Il y a donc Manlio Beltramini, l'administrateur; Cristina Mangano, Sabrina Lo Sicco, Filippa Alfano et enfin Sebastiano Sanfilippo qui fait office de coursier et de factotum.

Save, je veux savoir les moindres faits et gestes de tout ce beau monde. Qui ils sont, où ils habitent, depuis combien de temps ils travaillent à l'agence, qui sont leurs parents, conjoints, amants, maîtresses, frères, sœurs, la pointure de leurs godasses. Tout.

Bien.

Une chose encore. Je veux connaître la répartition des actions de l'agence Beltramini Travel: les associés et leurs parts respectives. En un mot: à qui appartient vraiment cette agence. D'ailleurs, fais passer ça avant le reste. Et, par pitié, Save: discrétion absolue! Ventre à terre et couteau entre les dents. Procède comme l'autre fois: fais mine de t'intéresser à cinq ou six sociétés, et ne te limite pas aux seuls associés. Continue à raconter que tout ça te sert pour ton mémoire.

Ne vous faites pas de bile, monsieur le commissaire. Cela dit, il y a quelques autres nouveautés...

Parle.

Spicuzza, de la Brigade scientifique, m'a appelé. Il dit – mais c'est encore officieux – que les armes qui ont servi à descendre Alamia et Mancuso semblent ne jamais avoir été utilisées auparavant. C'est à la Zisa qu'elles sont apparues pour la première fois.

Cette information diminuait les chances de découvrir des connexions. Dans le cas contraire, on aurait pu remonter jusqu'aux commanditaires du guet-apens. Les clans possédaient leurs propres arsenaux. Spotorno observa Puleo. Il semblait avoir encore quelque chose dans sa besace:

Quoi d'autre, Save?

Rien de concret, monsieur le commissaire, mais j'ai réussi à obtenir quelques informations sur la vie d'Aurora Caminiti avant son mariage avec Diego Sala.

Spotorno dressa l'oreille:

Je t'écoute.

Voila. Selon mes informateurs, jusqu'à ce qu'elle ait vingt ans, sa famille – elle est fille unique – habitait La Noce, dans la même rue que les Mancuso. Mieux encore, les deux maisons étaient contiguës. Enfants, Mancuso et Aurora passaient beaucoup de temps ensemble. Ils étaient très unis. Ils ont même été condisciples à l'Institut technique Duca degli Abruzzi, mais une année seulement. Mancuso a ensuite interrompu ses études, tandis qu'elle a continué jusqu'à l'obtention de son diplôme. Elle est comptable, mais elle n'a jamais travaillé. On murmurait même qu'il y avait de la tendresse entre eux. Mais les parents de la fille ne voyaient pas la chose d'un bon œil. Son père appartient à une famille de vieille tradition socialiste – mais, attention, pas les socialistes d'aujourd'hui, monsieur le commissaire! Si bien qu'à la fin ils ont décidé de changer d'air et ont déménagé à l'Acquasanta. Officiellement parce que le père d'Aurora avait été engagé comme charpentier aux Chantiers navals et que ça le rapprochait de son travail. Un prétexte évidemment pour ne pas vexer les Mancuso. Le vrai motif, c'est qu'ils avaient de sérieuses réserves sur le compte du jeune homme. Non sans raison, si vous me permettez de donner mon avis. Voilà, c'est tout.

Spotorno se gratta pensivement le menton. Il ne savait pas quelle importance attribuer aux informations qu'il venait de recevoir sur les deux cousins, Gaspare et Aurora. En additionnant les renseignements de Puleo et le compte rendu de l'agent Stella, on aurait pu hasarder une hypothèse audacieuse... Mais privilégier l'aspect psychologique au détriment de l'enquête était trop risqué.

Il remisa provisoirement tous ces éléments dans une zone un peu périphérique de son cerveau, en attendant de nouvelles données.

Il savait qu'il était en train de forcer un peu la main au destin: il aurait dû depuis longtemps informer le substitut De

Vecchi de l'avancement de l'enquête, mais il s'était limité à une communication de pure forme. De Vecchi l'avait d'ailleurs engueulé au téléphone, avec sa voix stridente, en l'accusant d'incompétence. Et Spotorno avait remercié le ciel de s'être contenté de téléphoner et de ne pas s'être rendu en personne à la préfecture de police où la tentation aurait été forte de le provoquer. De Vecchi était médiocre et orgueilleux. Deux péchés capitaux dans l'échelle de valeur du commissaire.

Puleo revint avec de nouvelles informations :

Voilà, monsieur le commissaire. Les actions de l'agence Beltramini Travel sont détenues à cent pour cent par la société DigiInvest sarl. Cette société existe depuis cinq ans déjà : je vous ai apporté les quatre bilans disponibles.

Magne-toi, Save. Rien qu'à ta mine, je vois que tu as gardé le meilleur pour la fin.

L'agent rougit de satisfaction :

Savez-vous qui contrôle la DigiInvest ? Sebastiano Sanfilippo. Le factotum de l'agence ! La totalité des actions est à son nom.

Spotorno, croisant les mains derrière la nuque, se laissa aller contre le dossier de son fauteuil et allongea les jambes.

Mais, ma parole, il fume des couilles, pensa Puleo ! Cette expression triviale lui venait spontanément chaque fois qu'il voyait le commissaire prendre cette position avec ce regard brasillant.

Spotorno resta muet une seconde, un silence assourdissant pour Puleo, si sensible aux voix intérieures du commissaire.

Save, dit-il enfin, celui-là, tu me le retournes comme un gant. Mais reste à couvert. Officiellement, nous ne savons même pas que ce type existe. C'est clair ?

Parfaitement clair.

Puleo sortit et Spotorno s'attaqua à l'étude du dernier bilan de la DigiInvest.

C'était une société d'investissements et, outre l'agence

Beltramini Travel, elle contrôlait un restaurant à la mode en ville, un supermarché, un garage, une école privée et une entreprise de terrassement. La société Sala et C^ie^.

Quand, par la suite, Spotorno repensa à ces instants-là, ce qui le déconcerta le plus, ce fut le souvenir de la réaction qu'il avait eue en voyant apparaître le nom de Diego dans l'enquête.

Cette réaction, c'était une absence de surprise, l'impression d'avoir atteint le point de confluence de trois lignes divergentes, parcourues inconsciemment par chacun d'entre eux, vers un nouveau point d'intersection. Comme si, dès l'instant où il avait découvert que Diego était le mari de la Dame blanche, il avait été convaincu que le troisième élément de leur trio enfantin – Rosario, Diego et lui-même – se trouvait inéluctablement impliqué dans l'enquête.

Donc les bénéfices de l'entreprise de Diego Sala confluaient eux aussi vers la DigiInvest. Le factotum Sebastiano Sanfilippo était un homme plein de ressources. Du moins sur le papier.

Spotorno éprouva un furieux besoin d'agir, qui se concrétisa de manière dérisoire : il saisit l'annuaire téléphonique, chercha le numéro de la société Sala et C^ie^, le composa avec calme. Dès la première sonnerie, on décrocha :

Qui est à l'appareil ?

Une voix rauque, grossière, emphysémateuse, affligée d'un lourd accent citadin, presque un grognement. Une voix apte à donner des ordres brefs et désagréables.

Je voudrais parler à M. Sala, le géomètre, improvisa Spotorno, mon nom est Macaluso (le premier nom qui lui était passé par la tête). Il entendit que son interlocuteur couvrait de la main le récepteur et répétait à quelqu'un : Macaluso. Et deux ou trois secondes plus tard, une autre voix remplaça la première :

Allô, je vous écoute.

Quatre mots, mais plus que suffisants.

Une voix bien posée, qui respirait l'assurance – une assurance contrôlée, d'un bleu froid comme de l'acier – et un certain degré d'instruction.

Spotorno ne prononça pas une syllabe. Il se limita à respirer de façon très calme, sans forcer sur le souffle, l'oreille collée au récepteur.

Allô ? reprit l'autre. Qui est à l'appareil ?

Spotorno resta coi. Il sentit que Diego était devenu prudent : il n'avait rien ajouté, mais il n'avait pas non plus raccroché. Ce duel acoustique, dont l'arme était le silence, équivalait au défi de regards où c'est à qui baissera les yeux le premier. Mais Spotorno avait un avantage : il savait qui maniait le silence à l'autre bout du fil. Ce fut Diego qui raccrocha le premier. Sans un soupir.

Spotorno réfléchit quelques instants. La voix de l'homme qui avait décroché lui avait rappelé un commentaire de Beltramini.

Il reprit l'annuaire téléphonique, trouva le numéro de l'agence et le composa. Ce fut une voix juvénile et féminine (Cristina ? Sabrina ? Filippa ? s'interrogea-t-il un peu oiseusement) qui lui répondit. Il demanda à parler à Beltramini, lequel répondit d'une voix circonspecte.

Écoutez, Beltramini, vous allez faire quelque chose pour moi. Je vais vous donner un numéro de téléphone, que vous appellerez aussitôt. Inventez-vous un nom, n'importe lequel sauf Macaluso, puis faites semblant de vous être trompé et raccrochez aussitôt. Dès que c'est fait, rappelez-moi.

Et qu'est-ce que je gagne ? Une poupée ? C'est un nouveau jeu, commissaire ?

Beltramini, faites ce que je vous dis. Attendez. Vous pouvez téléphoner en privé, sans être entendu de vos employés ?

Oui, bien sûr, j'ai mon bureau.

Alors appelez de votre bureau. C'est important, j'insiste.

Il lui dicta le numéro de la société Sala et C$^{ie}$, puis de sa ligne directe.

L'autre le rappela deux minutes plus tard :

C'était lui, commissaire ! L'homme qui me téléphonait il y

a quatre ans, quand on a voulu mettre le feu à mon agence, l'homme du *pizzo*. Je suis bluffé. Comment avez-vous fait ? Qui est-ce ?

Laissez tomber, Beltramini. Ne cherchez pas plus loin. En revanche, vous êtes sûr de n'avoir rien de plus à me raconter ?

Commissaire, tout ce que j'avais à vous dire, je vous l'ai dit hier. À présent, si vous le permettez, je vais prendre congé. C'est une chance que vous m'ayez trouvé. Je devrais déjà être sur la route de Punta Raisi.

Ces derniers mots donnèrent une idée à Spotorno. Si Beltramini était sur le point de partir, il pourrait profiter de son absence pour aller humer l'air de l'agence, se faire passer pour un client potentiel et voir la tête de Sebastiano Sanfilippo. Le faux factotum de la Beltramini Travel. Ou le faux patron de la DigiInvest. Ou quoi d'autre encore ?

Jetant un coup d'œil à sa montre, il comprit qu'il risquait d'arriver après la fermeture de l'agence pour le déjeuner. Mieux valait attendre la réouverture de l'après-midi. En espérant ne pas tomber sur Maddalena.

Il ne tenait plus en place, mais il s'obligea à s'accouder à la fenêtre, à contempler le jardin de la Villa Bonnano et la façade de la Faculté de théologie. Le zénith n'était pas sa meilleure heure. Spotorno préférait le début du crépuscule, quand les rayons du soleil, presque horizontaux, arrachaient aux feuillages et aux vieilles pierres du palais archiépiscopal une sorte d'aura lumineuse, tendre et dorée. Mais il s'interdisait de s'attarder à cette contemplation, de crainte d'en affadir le plaisir. Heureusement, au bureau, il n'avait jamais de temps à perdre.

Il s'accorda juste quelques instants pour épier un jeune couple lancé dans une âpre discussion et tenta d'interpréter leurs mimiques. Discussion d'amoureux, ça allait de soi, qui lui inspira un sursaut d'envie bienveillante mais nostalgique. Heureusement, personne dans les environs ne risquait de surprendre sa mimique figée de statue impassible.

Il descendit au bar pour prendre un sandwich et un jus de fruit, qu'il fit suivre de deux cafés. Hormis un salut de bienvenue, personne ne lui adressa la parole. Quand le commissaire arborait cette tête-là, tout le monde comprenait et respectait le message. Comme si un néon déclarant « Ne pas déranger » lui clignotait sur le front.

Il sortit très en avance, en prévision de la circulation chaotique du Papireto. Arrivé Piazza Marmi, il confia sa voiture au gardien noir officieux, mais doté d'un sifflet très réglementaire et se dirigea vers le Corso Olivuzza qu'il remonta jusqu'à trouver l'enseigne de l'agence Beltramini Travel.

Elle était encore fermée. Il passa devant, en cherchant à voir au travers du rideau de fer, derrière les vitres. C'était une petite agence, sans luxe et sans ostentation inutile. Il traversa la rue et se posta sur le trottoir d'en face. Elle n'allait pas tarder à rouvrir. La circulation s'intensifiait sans cesse, augmentée par le flot des gens qui, sacrifiant encore au rite du déjeuner chez soi assorti d'une petite sieste, faisaient l'aller-retour entre bureau et maison. D'ici peu, pensa-t-il, la révolution du *fast food* méditerranéen, déjà amorcée dans les arrière-boutiques des bars et chez les buralistes, frapperait cet ultime rempart de la classe des cols blancs, et s'étendrait jusqu'aux banlieues éloignées, diminuant le contrôle – intégral parce qu'alimentaire – des femmes sur les hommes. Une illusion de liberté, d'émancipation du matriarcat.

Il regardait nerveusement l'heure quand il aperçut un motard sans casque sur une grosse BMW, pas neuve, mais parfaitement tenue. Le conducteur ralentit et grimpa avec sa machine sur le trottoir, à la hauteur de l'agence, le tout avec beaucoup d'aisance, du moins aux yeux de Spotorno, lequel se méfiait de tous moyens de transport ayant moins de quatre roues. Le type souleva sa machine pour la mettre sur sa béquille et l'enchaîna à un panneau indicateur. Puis il s'approcha du rideau de fer, ouvrit une énorme serrure qui la bloquait en bas, après quoi il glissa une clé dans un petit bloc placé latéralement contre le mur : le rideau, mû par un moteur électrique, commença aussitôt à remonter.

Spotorno pensa que ce ne pouvait être que Sebastiano Sanfilippo. Si les informations de Puleo étaient justes, à part Beltramini, il n'y avait pas d'autres hommes qui travaillaient à l'agence.

Il attendit que l'autre ait allumé l'enseigne, avant de traverser la rue et d'entrer. L'homme le regarda avec une légère expression d'ennui. Il attendit que Spotorno le salue le premier et répondit avec une certaine suffisance.

Je voudrais des informations sur les croisières que vous proposez, dit Spotorno.

Ce n'est pas mon rayon, répondit le type. Il faudra attendre l'arrivée des employées.

Spotorno le toisa sans en avoir l'air. Âge : trente-cinq ans environ, cheveux noirs et très fournis, physique trapu, musculeux, mais vif. Vêtements conventionnels, peu recherchés : une chemisette et un pantalon de coton, des chaussures de ville noires à lacets. Un soupçon d'arrogance, que rien ne semblait justifier. Un type coriace, mais banal. Un prête-nom, un subalterne. Mais de qui ? Probablement pas de Beltramini. Spotorno aurait aimé voir les deux hommes ensemble dans ce bureau, devant les employées, pour vérifier le rapport de force.

Dans combien de temps arriveront-elles ? demanda Spotorno.

Très bientôt, répondit l'autre avec hauteur.

Il prit son temps pour répondre, comme pour marquer sa condescendance.

Les trois employées arrivèrent quelques minutes plus tard, et presque en même temps. L'une avait la quarantaine, l'air un peu cynique et désabusé d'une mère de famille qui a largué à quelqu'un d'autre deux ou trois adolescents agités. Elle salua Sanfilippo sans lâcher sa cigarette, qui lui pendait au coin des lèvres : Bonsoir, monsieur Sanfilippo.

Sanfilippo se contenta d'un signe de tête. Les deux autres

employées étaient beaucoup plus jeunes ; elles avaient environ vingt-cinq ans, et elles étaient assez mignonnes. Elles allumèrent leurs ordinateurs avant même de s'asseoir dans leurs fauteuils tournants, derrière le bureau, et les écrans furent rapidement saturés de caractères vert phosphorescent.

L'homme n'avait plus ouvert la bouche. Il alluma une cigarette et alla la fumer sur le trottoir. Une des filles adressa un sourire encourageant à Spotorno. Il lui répéta sa question, très générale, sur les croisières, et la jeune femme lui remit un beau paquet de dépliants sur papier glacé, en l'invitant à les examiner tranquillement et puis à revenir quand il aurait les idées plus claires sur ce qui le tentait. Malgré son jeune âge, elle avait déjà appris à flairer les clients qui vous font seulement perdre du temps et ne leur prêtait que peu d'attention. Mais elle fut aimable.

Spotorno sortit. Sanfilippo, planté sur le trottoir, les jambes un peu écartées, l'ignora et continua à fumer imperturbablement. Le commissaire lui jeta un dernier coup d'œil fugitif et s'éloigna vers la Piazza Marmi.

Arrivé à la hauteur de sa voiture, il décida de ne pas rentrer tout de suite au bureau. Il avait besoin de « métaboliser » les informations de la journée. Une jolie promenade, voilà ce qu'il lui fallait.

Il continua son chemin par la Via Volturno jusqu'au théâtre Massimo. Il se rappela la dernière fois qu'il y avait mis les pieds. Amalia l'avait traîné à un spectacle donné par une troupe espagnole de flamenco, avec ce célèbre danseur... Comment s'appelait-il déjà ? Gades ? Malgré sa réticence initiale, il s'était finalement laissé prendre par la musique et la chorégraphie. En un mot, il avait aimé ce spectacle. Vraiment aimé.

Peu de temps après, le théâtre avait été fermé pour quelques petits travaux de restauration, qui n'auraient dû durer que deux mois. Mais les années étaient passées, et le théâtre n'avait jamais rouvert ses portes. Sans motif apparent.

Spotorno contourna le théâtre par la droite, déboucha

Piazza delle Stigmate, et fila droit vers le souk de la Via Sant'Agostino, débordant d'étals de vêtements à bon marché. Il redescendit la ruelle jusqu'à se retrouver Via Maqueda, pratiquement bloquée par la circulation, saturée de klaxons.

Qui est le patron de Sanfilippo ? pensait-il. Diego Sala ou le défunt Gaspare Mancuso ? Mais cette question équivalait à en poser une autre : était-ce Mancuso qui dominait Sala ou le contraire ? Le nom de la petite holding suggérait l'hypothèse d'un partage à égalité : DigiInvest, c'est-à-dire DG Invest. D comme Diego et G comme Gaspare. Est-ce que ça n'était qu'une coïncidence ?

Il se retrouva à l'entrée de la Via Venezia. Ses yeux se tournèrent automatiquement vers son vieil appartement. Il y avait habité presque jusqu'à la fin de ses études universitaires. Chaque année, au premier orage d'automne, un torrent d'eau dévalait la Via Candelai, rejoignait le flux de la Via Maqueda, et ensemble ils s'engouffraient comme une cascade dans Via Venezia. Et, comme il y a un destin des noms, la Via Venezia se transformait en canal, d'abord tumultueux puis rapidement apaisé. Parfois, les plaques d'égout sautaient, et le flux entraînait des hordes de rats épouvantés. Alors, le *panellaro* transportait sa matière première et ses ustensiles à frire jusqu'à l'étage supérieur et, de là, à l'aide de corbeilles et de cordes à poulie, il continuait à servir ses petits pains garnis de *panelle* de pois chiches brûlants aux affamés des heures de pointe, chaussés de bottes ou pieds nus, les pantalons retroussés. Un peu plus tard, l'eau refluait lentement et chacun reprenait ses habitudes.

Il ne s'était pas rendu compte de tout le chemin qu'il avait parcouru. Et il avait perdu le fil de ses pensées. Tournant les talons, il traversa la rue et continua par la Via Candelai, prit des raccourcis à travers les ruelles latérales de la casbah du Capo : les étals de poissons étaient à demi vides et ceux des primeurs semblaient dégarnis. Il acheta un gros cédrat pour les enfants.

On commençait à démonter les éventaires, dévoilant

ainsi les fragments d'une ville trop pudique, qui couvrait sa beauté sous une incroyable circulation automobile ou la dissimulait derrière des ruines, en espérant que la poussière des siècles – ou l'oubli – finisse de l'ensevelir. Une ville suspendue entre agonie et excès de vitalité.

Spotorno déboucha Via Volturno en passant sous la Porta Carini. Il éprouvait une espèce de tristesse, celle qui le prenait chaque fois qu'il se sentait proche de la fin d'une enquête particulièrement difficile. Une sorte de tristesse *post coitum* que, personnellement, il n'avait jamais éprouvée.

Puleo avait rassemblé les informations disponibles sur les employés de l'agence Beltramini. Ses yeux brillaient :

Commençons par les femmes, monsieur le commissaire. Filippa Alfano est la plus âgée et la plus ancienne dans la maison. Elle travaillait à l'agence avant que Beltramini ne la rachète. Elle a beaucoup d'expérience, et Beltramini, en bon administrateur, l'a conservée. Les deux autres...

Saverio, tu me mets les nerfs en boule. Viens-en au fait. Je me fous complètement des employées. Tu sais qui m'intéresse...

Sebastiano Sanfilippo, monsieur le commissaire. J'y viens. Sanfilippo a été engagé il y a quatre ans...

Je parie que c'était au début de l'année...

Exact. En février.

Il faisait partie du lot, pensa Spotorno. Il était là pour compléter la conquête de l'agence Beltramini Travel par... mais par qui, au fond ? Par Mancuso ? Par Diego ? On tourne en rond.

Puleo n'avait pas fini. Il exultait, très content de lui...

Allez, crache le reste, Save !

Tout de suite, monsieur le commissaire. Savez-vous qui est la femme de Sebastiano Sanfilippo ?

Spotorno sentit que les battements de son cœur ralentissaient :

Non !

Anna Manfredi, résidant à Monreale, piazzale dei Martiri della Resistenza, n° 12. Vous vous rappelez, monsieur le commissaire ? C'est elle…

Qui a vendu la 127 à Rosario Alamia, compléta Spotorno. Et la boucle était bouclée. Bien qu'elle ne fût guère plus âgée que son neveu, Anna Manfredi était la tante de Basilio Manfredi, probable organisateur du vol de la Kawasaki qui avait servi au guet-apens de la Zisa. Et elle était la femme du patron formel de l'agence Beltramini, à travers la Digi-Invest.

Dans ce joli cercle, quelqu'un avait vendu Mancuso à quelqu'un d'autre, confirmant une fois de plus la tradition de l'honorabilité mafieuse. Une honorabilité entretenue à coups de trahisons, d'embuscades, de balles dans le dos, d'empoisonnements en famille, d'étranglements, de dissolutions de corps dans des cuves d'acide, négociés en général par les amis les plus proches des victimes et futures victimes à leur tour. Un cercle sans fin.

Quelles informations avons-nous sur Sanfilippo ?

Pas grand-chose. Une tentative d'extorsion, quand il était très jeune. Comme Gaspare Mancuso. Puis il a filé droit. Du moins en apparence. Il habite avec sa femme et ses deux petites filles à Monreale et fait l'aller-retour à moto deux fois par jour entre son domicile et son travail.

Son travail. L'emploi qu'il avait à l'agence – ou plutôt le salaire qu'il en tirait – devait correspondre à son activité réelle : être l'homme de paille de la DigiInvest. Et peut-être l'avait-on placé là comme un avertissement vivant à l'usage de Beltramini. Pour être sûr que personne ne tente de faire des blagues. Sa présence rappelait qui était le vrai maître, dessinait les hiérarchies, en dehors des titres officiels.

Quoi d'autre ?

C'était un bon copain de Gaspare Mancuso. Ils se fréquentaient. Sanfilippo allait parfois le retrouver à l'épicerie familiale. Mais, ces derniers temps, il s'était aussi rapproché de Diego Sala. Il passait souvent au siège de l'entreprise et parlait longuement avec lui.

Spotorno ne put dissimuler un sourire d'approbation. Puleo savait faire parler ses indics. Mais ce qui le laissait perplexe, c'était le rébus Sanfilippo. Il semblait que ce type ait accusé sans trop de problème la mort de Mancuso. Alors que ce meurtre aurait dû être une sorte de séisme, un événement dont certains effets dévastateurs étaient encore à venir. Si, comme Puleo l'avait dit, il était aussi lié à Mancuso, il pourrait tout à fait devenir la prochaine cible de deux motards en veine de fusillade. Et voilà qu'à l'agence il affichait une tranquille assurance. Un air d'intolérable suffisance même. Il se souvint de la dernière information que lui avait transmise Puleo : à savoir que, ces derniers temps, Sanfilippo s'était rapproché de Diego. Peut-être avait-il fini par devenir une espèce de point de raccord ou même de garant entre Mancuso et Diego. Le commissaire prit aussitôt une décision :

O.K., Save, c'est le moment de lâcher les chiens. Écoutes téléphoniques sur les lignes de l'agence de Beltramini, sur la société Sala et Cie, et sur les appels domestiques chez Sanfilippo et Diego Sala. Ne t'occupe pas de la DigiInvest : ce n'est qu'un siège social purement légal, qui se trouve chez un notaire. Il n'est même pas dit que le notaire en question soit au courant. On verra ça plus tard. Et fais poser des micros partout y compris les voitures. Il faut convaincre De Vecchi d'activer en urgence la procédure d'autorisation. Ça, je m'en occupe. Et je veux que Sala et Sanfilippo soient suivis vingt-quatre heures sur vingt-quatre. Qu'on sache où ils vont, ce qu'ils font, qui ils rencontrent. La totale.

Il faudrait quelques jours pour rendre opérationnelles les écoutes. À moins que monsieur le substitut du procureur ne se décide à leur mettre des bâtons dans les roues, ce qui lui réussissait à tous les coups.

Le plus délicat était de rédiger un rapport qui fournisse une justification implacable à sa demande, mais sans trop se mouiller. Un exercice d'équilibrisme qui dans le métier était connu sous le nom « pas de la tarentelle ». Il se mit immédiatement au travail.

Les autorisations demandées pour les écoutes étaient arrivées trois jours plus tard. Trop tard, d'où une dispute avec De Vecchi. Dehors le ciel était bleu violacé. Spotorno faisait furieusement les cent pas dans la pièce. Il avait rencontré Schirosa dans l'escalier et l'avait invité dans son bureau. Schirosa s'était affalé dans le fauteuil tournant, derrière le bureau. Spotorno lui apprit tout de suite la nouvelle.

Comment : disparus ? demanda Schirosa.

Volatilisés, lui répondit Spotorno.

Mais quand ? et comment ?

Il y a deux jours. Sanfilippo est descendu comme tous les jours en moto de Monreale après la pause du déjeuner, pour retourner à l'agence. Mais il n'y est jamais arrivé. Beltramini était en voyage, et les employées ne se sont pas inquiétées parce que ce n'était pas la première fois que Sanfilippo s'absentait sans prévenir. Elles n'ont même pas téléphoné chez lui pour demander des nouvelles. C'est sa femme à lui qui a donné l'alerte, hier matin. La moto, on l'a retrouvée il y a peu, stationnée sur le trottoir de la Piazza Indipendenza, près du bar Santoro. Personne n'a rien vu, inutile de le préciser.

Et l'autre ?

Diego Sala a reçu un coup de fil à son bureau, peu avant la fermeture, en fin d'après-midi, et il est aussitôt sorti à pied. Depuis, plus personne ne l'a revu. Sa voiture est restée garée sur le parking de la société, où se trouvent deux camions de l'entreprise. L'employé qui répond au téléphone déclare qu'il n'a aucune idée de la personne qui a appelé Sala ; la personne n'a pas donné son nom et a dit qu'elle appelait de la part de Sanfilippo. Sala lui a parlé à peine trente secondes, il a enfilé sa veste et il est sorti sans dire où il allait ni avec qui. Piège classique du style *lupara bianca*.

Qu'en penses-tu ?

Que nous ne les verrons plus. Pas vivants, du moins.

Dans le coffre de la moto de Sanfilippo, on avait trouvé un tube de colle Attack, à demi vide. Mais ça, Spotorno ne le dit pas à Schirosa. Il n'avait parlé à personne de l'histoire de la serrure de l'agence bloquée à la colle, et ça n'avait plus de sens d'en parler maintenant. Désormais, il avait compris que cet épisode n'avait été qu'une tentative de diversion. Mais qui ne lui était pas adressée.

Le coup de téléphone anonyme arriva au standard de la préfecture le soir même. La voiture de patrouille la plus proche, aussitôt avertie, confirma qu'elle avait retrouvé l'auto en question. L'équipe se cantonna à monter la garde près de la bagnole en attendant l'arrivée de Spotorno et de ses hommes.

Les deux cadavres avaient sur eux leurs papiers d'identité. Ils avaient été massacrés à coups de pied et de poing, et enfournés, ficelés comme des chevreaux, dans le coffre de la voiture. Ils étaient si mal en point que même leurs parents auraient du mal à procéder à leur identification. Diego était le plus amoché des deux. Spotorno ne l'aurait pas reconnu s'il n'avait pas déjà su que c'était lui.

La voiture qui contenait les deux cadavres avait été garée le long du trottoir, Via Damasco, presque à l'angle de la Via degli Emiri. Exactement à l'endroit où l'on avait piégé Mancuso et Rosario. C'était un signe très clair adressé au milieu.

Le véhicule était une Fiat 131 blanche, le même modèle que la voiture de Spotorno. Et ça, c'était un signal ambigu adressé au commissaire. Une intimidation. Ou une sorte de nique. Ou les deux à la fois. Telle fut du moins la conclusion que tira Spotorno *in petto*.

Il n'arrivait pas à se défaire de l'idée qu'il avait été le catalyseur involontaire de ce double meurtre. Peut-être s'était-il montré d'une désinvolture excessive. Et la pensée qu'on avait débarrassé le monde de deux malfrats n'allégeait en rien son sentiment de culpabilité.

Le mois d'août avait commencé par une exécrable soirée. Chaude, humide, pleine de moiteur. Agrémentée des gémissements des machines à compacter les rebuts de ferraille en guise de bande sonore. Un temps métaphorique. Spotorno se méfiait des métaphores. Surtout quand il s'y trouvait pris. S'il était allé dormir, il aurait rêvé cette nuit-là de cimes enneigées. Ou bien des tropiques d'Amalia. Mais seul le diable savait si le temps des rêves reviendrait jamais.

Chapitre XVII

# Des fleurs bleues le jour des Morts

Amalia rêvait d'acheter un bout de terrain au soleil, où elle pourrait cultiver des rosiers Banksiana à fleurs blanches, simples et parfumées qui se répandraient le long des pergolas, des murs de pierre sèche, des balustrades de balcon. Il faudrait une terre argileuse, profonde, avec de beaux rochers de la couleur bleu cendré des anciennes caves de Sélinonte.

Elle vouait une réelle passion aux roses anciennes, odorantes et désormais si rares, remplacées par de grandes choses, sans parfum, aux couleurs saugrenues, qui s'ouvraient comme des choux-fleurs. Pour l'instant, elle se contentait d'un rosier grimpant Paul's Scarlet, acheté par correspondance, qui fleurissait tout l'automne, sur le balcon ; il portait encore des centaines de petites roses tenaces, intriquées dans les branches comme si elles avaient redouté de finir embaumées entre les pages d'un vieux roman russe.

Palerme avait connu un été interminable, un modèle de saison à l'usage des vieillards, une réélaboration de la mémoire, écrite avec de faux souvenirs :

... De mon temps... Mais, aujourd'hui...

À mesure que les jours raccourcissaient, que les platanes de la Villa Bonnano se transformaient en un tableau de Catti, la lumière, surtout le soir, devenait de plus en plus dorée. Ainsi pensait Spotorno, tandis qu'aux côtés d'Amalia il suivait sagement le flux des gens venus honorer leurs morts le 2 novembre, le long des allées du cimetière des Rotoli.

Amalia portait des petits bouquets de fleurs dont il ignorait le nom, des fleurs blanches, jaunes, lilas, parfumées et désuètes, des fleurs pour cimetière parisien, dignes d'orner les tombes de personnes mortes à vingt ans en des temps romantiques. Amalia les destinait plus humblement aux tombes des gens de sa famille et de quelques amis prématurément disparus.

Hors les enterrements, leurs visites au cimetière n'étaient guère fréquentes : Spotorno et Amalia ne pratiquaient pas le culte des morts, même s'ils s'étaient fait une règle de maintenir la traditionnelle fête du 2 novembre, avec les jouets, les petits personnages en sucre et les fruits en massepain que les enfants découvraient le matin au réveil. C'étaient les cadeaux que les Morts de la famille déposaient, dans la nuit, à leur intention.

Spotorno se rappela soudain une vieille comptine sicilienne :

> Talìa che mi misiru i Morti :
> u pupu cull'anchi torti
> a atta c'abballava
> e u surci ca sunava.
>
> (Regarde ce que m'ont apporté les Morts :
> le bonhomme aux hanches torses,
> le chat qui dansait,
> la souris qui jouait de la musique.)

Il s'était un peu égaré dans ce souvenir, et ce fut Amalia qui la première repéra sa présence dans la cohue, un visage parmi tant de visages mais toujours cette impression de blancheur d'albâtre, encore sublimée par la luminosité d'un ciel trop vif.

Ils la virent tourner dans une petite allée où la foule était encore plus dense. Elle marchait la tête haute, portant un bouquet de fleurs qui de loin semblèrent à Spotorno des roses bleues, d'autant plus visibles que la Dame blanche tenait le bouquet haut devant elle, à deux mains, pour le protéger de la foule.

Ils la suivirent des yeux jusqu'à la perdre tout à fait de vue parmi un groupe trop compact pour espérer la retrouver.

Spotorno ne l'avait plus revue depuis le jour où l'on avait retrouvé le cadavre de Diego. Elle était alors apparue comme hébétée, et personne n'avait réussi à lui tirer la moindre information utile à l'enquête. Elle s'était même refusée à identifier le corps et c'était un des frères de Diego, plus jeune que lui, qui s'en était chargé. Arrivé la nuit même de Catane, où il travaillait dans une banque, la découverte du côté obscur et caché de la vie de son frère l'avait accablé. Lui aussi, on avait passé sa vie au peigne fin, à cause de son travail à la banque, mais il semblait tout à fait *pulito*, propre : ils n'avaient pas trouvé la moindre chose à quoi s'accrocher. Le commissaire se rappela vaguement l'enfant de deux ou trois ans qu'il avait été, blond comme son frère, mais bien trop jeune pour que Rosario, Diego et lui-même l'admettent parmi eux.

Arrivé devant le caveau de la famille, Amalia répartit ses petits bouquets dans les vases, balaya quelques pétales séchés, puis ils reprirent leur promenade durant une demi-heure, après quoi ils se dirigèrent vers la sortie.

Spotorno, par la suite, n'avait jamais réussi à s'expliquer pourquoi il avait infléchi son parcours en empruntant les allées latérales, sans se soucier des faibles protestations d'Amalia, peu désireuse de marcher pour rien. Une impulsion sans doute justifiée par la réapparition de la Dame blanche, qui les précédait vers la sortie ; en fait, la jeune femme était à peine visible : on ne voyait vraiment que sa nuque. Mais lui, il n'aurait jamais pu confondre cette nuque avec une autre.

Elle devait avoir déposé quelque part ses fleurs bleues. Où ?

Le commissaire avait attentivement examiné la vidéo et les clichés pris par les agents postés aux Rotoli le jour des obsèques de Diego. Il s'était fait une idée assez précise de l'endroit où était le caveau de la famille Sala. Amalia le suivit de mauvaise grâce.

Il le trouva sans grande difficulté. Une grande et sobre dalle de marbre où était gravée en lettres dorées l'inscription « Famille Sala ». À la perpendiculaire, une petite stèle portait le nom des défunts. Celui de Diego était le dernier. Il n'y avait personne autour de ce tombeau. Quelques bouquets de fleurs séchées, plantés dans les vases de maçonnerie, dataient probablement des obsèques de Diego. Aucune trace de fleurs bleues, mais Spotorno ne s'en étonna pas. Mieux, il y vit comme une confirmation de certaines idées qui avaient mûri à la faveur des confidences de l'agent Stella et des informations recueillies par Puleo peu avant l'exécution de Diego et de Sanfilippo.

Évidemment, se dit-il. Ce n'est pas la bonne tombe.

Il demanda à Amalia de l'attendre et rejoignit rapidement le bureau à l'entrée du cimetière. Il obtint aussitôt l'emplacement du caveau des Mancuso. C'est là qu'il trouverait les fleurs bleues.

Mais pourquoi je fais ça ? se dit-il en rejoignant Amalia. Ne vaudrait-il pas mieux oublier cette histoire ?

Le caveau des Mancuso, dégoulinant de stucs, stupéfia Amalia. L'absence de fleurs bleues déconcerta Spotorno.

Il se reprit aussitôt. Il avait négligé l'hypothèse la plus plausible, la plus vraisemblable. Il courut vers le bureau d'information. Cette fois Amalia le suivit, un peu inquiète des sautes d'humeur et des voltes de son mari.

Le caveau de la famille Caminiti, demanda Spotorno à l'employé, lequel affirma qu'il n'y avait pas de Caminiti aux Rotoli. Peut-être avaient-ils leur sépulture familiale à Sant'Orsola, ou à Santa Maria di Gesù, ou encore aux Cappuccini...

Il restait encore une alternative. Spotorno n'eut pas besoin de recourir cette fois aux employés. Il se rappelait l'endroit précis et entreprit une promenade harassante vers la seule tombe possible, dans la partie tout à fait opposée du cimetière.

Un bouquet de fleurs bleues reposait sur la dalle de marbre.

Heureusement, ce ne sont pas des roses, pensa Spotorno en se remémorant les expérimentations d'Emanuele, son fils le plus jeune et le plus cynique, pour obtenir des roses bleues. Puis il comprit le sens de ces fleurs, à cet endroit-là. Et, quand il eut fini d'assimiler cette révélation, il sentit qu'il l'avait toujours sue.

De retour chez lui, il appela aussitôt l'agent Stella :

Stelluccia, il faut que tu me rendes un service. Tu te rappelles Aurora Caminiti ?... Oui... Eh bien, il faut que tu l'appelles et que tu lui fixes un rendez-vous pour demain matin. Nous irons chez elle... Oui, je t'accompagne, mais tu ne dois pas la prévenir.... Quoi ?... Invente quelque chose !... Et ne te présente pas en uniforme ! Inutile de la gêner vis-à-vis de ses voisins. Vers dix heures, ce serait parfait : comme ça, on aura le temps de se voir au bureau et de parler un peu... D'accord. Alors, ciao ! À demain. Merci encore, Stelluccia.

Amalia le fixait avec perplexité, voire avec inquiétude. Qui diable était cette Stelluccia ? Et pourquoi monsieur le commissaire semblait-il ronronner quand il lui parlait au téléphone ?

Toute la journée, Spotorno se sentit d'une humeur bizarre : une sorte de calme chargé de tension. Il se coucha très tôt.

Qui est Stelluccia ? murmura Amalia au moment où elle sombrait elle-même dans le sommeil.

L'agent Stella avait tout mis en œuvre non seulement pour masquer sa qualité de flic, mais pour gommer toute aspérité : pas de maquillage, pas de parfum, petit tailleur en coton couleur pêche, des chaussures basses, cheveux tirés en arrière et maintenus par des barrettes. En vain : si les regards qui fusaient des autres autos coincées dans l'embouteillage avaient été autant de rayons laser, la Fiat 131 de Spotorno aurait déjà été neutralisée à la hauteur de l'église de la Pinta. À présent, ils étaient Corso Calatafimi, et lui-même devait se contrôler pour ne pas tourner les yeux sans cesse vers le tendre profil de l'agent Stella.

Ils s'étaient retrouvés peu de temps auparavant, dans le bureau du commissaire, où Spotorno lui avait expliqué leur expédition dans les grandes lignes.

Qu'est-ce que tu lui as dit, à Aurora Caminiti ?

Que j'avais besoin de lui parler pour une affaire personnelle, sans rien spécifier.

Bravo. Et elle ?

Elle était un peu étonnée, mais elle ne m'a pas posé de questions.

Spotorno se déporta sur la voie extérieure du périphérique et éprouva aussitôt une impression de déjà vu : il y avait là le même fleuriste à la sauvette que trois mois plus tôt, quand il avait pris ce chemin avec Amalia, en suivant la Dame blanche.

Sous le coup d'une inspiration, il gara sa voiture et descendit. Balayant du regard la masse des fleurs et des plantes en pot qui envahissaient le trottoir, il chercha la moindre trace de bleu, jusqu'à tomber sur ce qui lui semblait être l'exacte réplique des fleurs vues sur la tombe de Rosario. Il s'en fit faire un bouquet de dimension semblable et déboursa sans broncher une somme qui lui parut exorbitante.

L'agent Stella ne fit aucun commentaire.

Via Nave, ce fut elle qui sortit de voiture et sonna à l'interphone. La grille commença à s'ouvrir, et Spotorno la franchit. Il alla jusqu'au petit muret couleur de terre qui entourait le jardin dépouillé de la maison.

La Dame blanche eut juste un tressaillement quand elle vit que l'agent Stella n'était pas seule.

À peine l'aperçut-il que le commissaire renonça à sortir de la voiture : un pied dehors, l'autre encore dans l'habitacle, il était parfaitement conscient d'incarner le ridicule dans toute sa splendeur. Il se reprit au bout d'une éternité de secondes et jeta un coup d'œil à l'agent Stella : elle aussi, à demi tétanisée, semblait poser pour un groupe en marbre.

Ils purent enfin s'arracher à la voiture et s'approchèrent de la Dame blanche.

Bonjour, Mara, dit celle-ci.

Elles se donnèrent un baiser sur la joue.

Aurora, je te présente le commissaire Spotorno.

Le regard de la jeune femme glissa sur le bouquet de fleurs et y resta fixé. Spotorno le lui tendit. Elle le saisit des deux mains.

Nous nous connaissons, dit-elle d'une voix exténuée. Elle semblait encore plus transparente, les pommettes marquées, presque diaphanes. Mais elle n'avait plus l'air prostrée.

Où les avez-vous trouvées ? ajouta-t-elle.

Vous ne le savez pas ? dit Spotorno.

La Dame blanche laissa échapper un vague sourire :

Non, ce ne sont pas les mêmes ! Mon bouquet avait un ruban vert. Et celles-ci sont retenues par du papier d'argent.

Spotorno acquiesça :

Vous avez une idée de la raison pour laquelle l'agent Stella a organisé cette rencontre ?

Commissaire, pourquoi tourner autour du pot ?

Ah, pensa Spotorno, c'est bien la voix.

Malgré l'agressivité de la phrase, c'était comme si, après avoir été prononcés, ces mots de la Dame blanche avaient eu besoin d'être consolés. Depuis qu'il avait reconnu les fleurs bleues sur la tombe au cimetière des Rotoli, Spotorno n'avait cessé de se demander ce que cette femme avait de si spécial pour séduire un type comme Rosario, jusqu'à lui faire accepter des risques de cette gravité. Des risques on ne peut plus concrets à en juger par ce qu'il s'en était suivi.

Il se rappelait la fille un peu tapageuse que Rosario portait en croupe sur sa moto la dernière fois qu'ils s'étaient croisés, une vingtaine d'années auparavant, Via Sant'Isidoro alla Guilla. Et il se souvenait aussi de l'ex-femme de Rosario, la fille qu'il avait épousée pour quelques mois seulement : la même beauté agressive, voyante et éphémère, qui fait se retourner les hommes sur leur passage mais ne laisse en fait qu'une éraflure superficielle dans la mémoire. Toutes deux appartenaient à la variante humaine exactement opposée au type de la Dame blanche. La présence physique d'Aurora était une anticipation, une représentation corporelle de cette voix. Difficile de rester neutre.

Spotorno avait pris part aux interrogatoires de la Dame blanche, des parents de Diego et de Sanfilippo. Abattue, incapable de relier deux idées, elle n'avait pratiquement pas prononcé un mot. Spotorno n'avait saisi que des monosyllabes et quelques hochements de tête.

Il lui lança un long regard silencieux, qu'il s'efforça de rendre bienveillant. La Dame blanche sembla se ressaisir.

Elle les invita à prendre place sur les divans du grand salon rectangulaire, séparés de l'entrée par un petit muret de marbre encombré de bibelots. Des divans massifs, recouverts d'un rigide tissu argenté entouraient une table basse en noyer. Sur les murs, une tapisserie à rayures, chère et prétentieuse, et des paysages peints à l'huile, dans le goût du XIXe, étouffés dans des cadres boursouflés, s'alignaient comme à la parade.

Cette maison invitait à la fuite.

Et, comme c'était la femme qui avait voulu s'évader, le mobilier devait correspondre aux goûts de Diego.

La Dame blanche dut soupçonner, sur les visages de Spotorno et de Stella, leur réserve, car elle s'empressa d'annoncer qu'elle allait déménager :

J'ai loué un petit appartement en ville. Je ne veux plus rester dans cette maison. Trop de choses moches. Je ne veux même pas emporter mon trousseau.

Elle prit les fleurs et sortit de la pièce. On entendit un bruit d'eau qui coulait. Elle revint avec un gros vase en cristal et plaça le bouquet au centre de la table basse sur un napperon brodé.

Ils s'installèrent tous les trois sur les divans : l'agent Stella s'assit près de la Dame blanche pour la soutenir, au besoin.

La jeune femme soupira et croisa les mains sur son ventre. Un ventre bien visible, exhibé avec une placidité non dépourvue de fierté.

Début du huitième mois, évalua Spotorno d'un coup d'œil.

Mara, dit-elle, il vaut mieux que tu gardes tes distances. Je porte la poisse. Ceux qui m'approchent meurent. D'abord Rosario, ensuite Nunzia. Et Diego.

Elle prononça le nom de son mari défunt avec une dureté méprisante, comme une insulte qu'elle aurait lancée contre un ennemi en fuite.

Nunzia, la pauvre... Vous n'imaginez pas à quel point elle aimait Rosario. Et moi du même coup, depuis le jour où il m'a emmenée la voir pour la première fois. Elle l'aimait plus que sa propre mère. Du reste, il ne pouvait pas me présenter à sa vraie mère, ça se comprend. Encore moins à sa sœur: son mari s'en serait scandalisé. Rosario vivait encore chez sa mère, et Nunzia, la pauvre, elle a mis sa propre maison à notre disposition. Elle a même voulu acheter un lit neuf. Une surprise, sinon Rosario ne le lui aurait jamais permis: elle tirait déjà le diable par la queue! Et voilà qu'ils sont morts, tous les deux. Et moi je suis morte deux fois: la première quand ils ont tué Rosario; la seconde... La seconde, c'est quand j'ai pris la décision de...

Inutile d'en parler, dit gentiment le commissaire. Nous savons.

La Dame blanche regarda l'agent Stella, qui opina du chef.

Toi, tu l'avais compris. Ce jour-là, à la clinique Bocciolo di rosa, quand je t'ai vue, j'ai perdu la tête: j'ai cru que la police me filait pour... ce que j'étais venue faire à la clinique. J'ai failli prendre mes jambes à mon cou, mais j'ai seulement détourné les yeux. Tu sais, c'est peut-être cette peur-là qui m'a donné le courage qui me manquait. Parce que je savais ce qui m'attendait si j'étais rentrée à la maison comme j'en étais sortie. Quand le moment est venu, au bloc... Quatre fois j'ai dit d'accord, allez-y, et quatre fois j'ai dit non, pas encore. Finalement, je suis partie sans rien faire, mais désormais la mort planait sur moi.

Et elle n'avait pas tort, pensa Spotorno. Diego ne pouvait pas se permettre la naissance d'un bébé aux cheveux roux. De toute façon, il se serait débarrassé des deux avant que la grossesse ne devienne une chose évidente et incontestable. Si on lui en avait laissé le temps.

Il s'appellera Aureliano, dit la Dame blanche dans un souffle. Rosario est mort avant de savoir que ce serait un garçon.

Elle avait tourné les yeux, du côté des rayonnages d'une pesante bibliothèque encombrée de gros volumes aux reliures toutes semblables, des livres probablement factices, à fonction purement décorative. Sauf un volume isolé, usagé, posé à plat sur les autres, visible comme s'il était sous un projecteur.

Spotorno réussit à déchiffrer le titre imprimé au dos: *Cent Ans de solitude*.

Il portera mon nom, reprit la Dame blanche: Aureliano Caminiti. Celui de Diego, il n'en est pas question. Et je ne peux pas lui donner celui de Rosario.

Comment vous êtes-vous connus, vous et Rosario? demanda l'agent Stella. Spotorno pensa qu'il avait eu raison de se faire accompagner par la jeune femme. Seule une femme pouvait poser ce genre de question. S'il avait dû le faire, ses cordes vocales se seraient nouées.

La Dame blanche fixa un point du mur, derrière Spotorno, comme pour mieux se concentrer.

On dirait un tour du destin, finit-elle par répondre. Ça s'est passé grâce à mon cousin Gaspare Mancuso. Lui et Rosario se connaissaient depuis trois ou quatre ans. Gaspare avait un ami qui avait fondé une société avec Rosario, dans le but d'ouvrir une pizzeria. Puis la pizzeria a fait faillite et Rosario s'est retrouvé sans rien. Au début, Gaspare l'a aidé. On peut dire que Rosario travaillait pour lui: il lui servait de chauffeur, le conduisait où il voulait, faisait pour lui quelques courses… La Fiat 127 qui était au nom de Rosario, en réalité c'est Gaspare qui l'avait payée. Il l'avait achetée à la femme de son ami Sanfilippo. Rosario, lui, n'avait que des dettes. Et, à son âge, il avait honte de demander de l'argent à sa mère.

Elle s'arrêta pour réfléchir.

Rosario et mon cousin entretenaient un étrange rapport, qui a changé très vite. Peut-être Asparino visait-il déjà l'agence de Beltramini ? Rosario, lui, ne s'était pas rendu compte que Gaspare le menait à sa guise. Quand il l'a compris, il était trop tard. Il a dû encaisser sans rien dire, de peur de mettre en péril sa sœur et sa famille.

Il y eut une nouvelle pause. Elle reconstruisait ses souvenirs.

Un jour, j'étais allée à La Noce pour rendre visite à mes cousines, vous savez, les sœurs de Gaspare. On se voyait tous les trente-six du mois. Diego n'aimait pas ça : il ne me l'a jamais dit en face, mais j'ai compris qu'il les trouvait trop… ordinaires. Mais, moi, à l'époque, je n'avais pas encore compris que, quand il y allait de ses intérêts, il n'hésitait pas à fricoter avec Gaspare. Bref, ce soir-là, quand j'ai voulu repartir, la voiture a refusé de démarrer. La nuit tombait, et il s'est même mis à pleuvoir. Alors je suis rentrée dans la maison pour demander à Gaspare de me raccompagner. Je ne savais pas encore qu'on lui avait retiré son permis… Gaspare a donné un coup de téléphone et, vingt minutes plus tard, c'est Rosario qui est arrivé, dans une 127 bleu clair. C'est lui qui m'a raccompagnée à la maison.

Ils avaient parlé durant tout le trajet. Il y avait des embouteillages effrayants, et Rosario avait choisi l'itinéraire le plus encombré : il leur avait fallu plus d'une heure pour arriver. Rosario conduisait calmement, en s'arrêtant à l'orange, alors que tout le monde grillait les feux. Peu à peu, la conversation s'était faite de plus en plus personnelle, de plus en plus intime. C'était surtout Rosario qui parlait. Il lui avait dit des choses qu'il n'avait jamais confiées à personne. Aurora le sentait instinctivement.

Elle, elle n'avait pas osé révéler sa mélancolie face à ses grossesses manquées. Ni ses désillusions conjugales. Pourtant à force de petits détails, elle avait fini par se former une image assez précise de l'univers réel de Diego, si bien que quand ses dernières illusions s'étaient évaporées, l'idée d'avoir un enfant avec Diego lui était devenue insupportable. Son mari avait réagi avec indifférence – peut-être même avec soulagement – à la décision qu'elle avait prise de ne plus se soumettre aux techniques d'insémination artificielle ; il en avait pris acte, c'est tout. Elle avait alors compris que les précédentes tentatives, Diego les avait subies. Mais elle garda tout ça pour elle.

Devant la grille d'entrée, au moment de se saluer, ils s'étaient regardés dans les yeux. Et, bien qu'ils ne se soient jamais vus auparavant, ils s'étaient reconnus grâce à une espèce de convergence d'inquiétudes. Cette communion muette, mais intense, avait duré quelques secondes aussi longues qu'une éternité.

Quand Rosario lui avait demandé s'ils pouvaient se revoir, elle avait dit oui.

Une histoire simple, banale même. Sauf l'épilogue.

C'est comme ça que j'ai condamné à mort et Rosario et Nunzia. Ça s'est passé voilà un an, dit-elle. Mon cousin Gaspare devait avoir compris quelque chose. C'est lui qui nous a dénoncés à Diego, j'en mettrais ma main au feu. Ils étaient de la même race.

Quelle race ? demanda Spotorno.

*Uomini d'onore !* Quelle blague. La race des hommes de… déshonneur. Mon cousin a toujours été jaloux de moi, bien qu'il soit marié et même en passe de devenir père. En outre, il n'avait aucun motif d'être jaloux ou non, même du temps où nous étions jeunes et où nos familles habitaient deux maisons voisines. Nous n'étions que cousins. Rien de plus, rien de moins. Quand je pense que s'il n'était pas allé parler à Diego, à cette heure il ne serait pas mort ! Le plus drôle, commissaire, et la chose est certaine, c'est que Diego a dû exécuter Asparino pour couvrir la mort de Rosario. C'était Rosario la vraie victime.

Spotorno se souvint de l'interrogatoire des femmes de la famille Mancuso après le guet-apens : d'une manière suggestive qui les avaient rendues, certes, peu crédibles, elles avaient été les seules à soutenir que Rosario était la vraie cible de l'attentat de la Via degli Emiri.

Spotorno, en revanche, avait compris ça la veille, au cimetière des Rotoli. Et il s'était rappelé alors l'avertissement de Don Tano : ce crime relève des règles du football américain, avait-il dit ; c'est un crime préventif. Spotorno avait alors pensé qu'il faisait allusion à l'élimination de Mancuso. Mais le vieux policier, lui, sentait que la vraie cible de l'attentat, c'était Rosario. Et il l'avait mis sur la bonne voie.

Le commissaire, sur le chemin du retour, avait exploré ses archives mentales pour exhumer les scénarios de nombreuses embuscades typiques ou atypiques. À la fin, il s'était arrêté sur la séquence de l'enlèvement de Moro.

Quand Aldo Moro avait été enlevé, le commando de brigadistes avait tué non seulement les deux carabiniers qui l'accompagnaient dans la voiture, mais les trois policiers de l'escorte. Le député, lui, malgré la puissance de feu déployée, n'avait pas eu la moindre égratignure : les brigadistes savaient que, mort, il ne leur servirait à rien.

Cette opération montrait clairement qu'un attentat *chirurgical* était tout à fait possible.

La mafia ne prenait pas tant de gants. Si c'était nécessaire, pourvu qu'elle atteigne sa cible, elle tirait dans le tas. Le commissaire se rappela l'exécution d'un mafieux tué dans sa voiture quelques secondes à peine après sa libération de prison. Avec lui, on avait massacré sa femme venue le chercher à la sortie de l'Ucciardone.

De même, dans l'attentat raté contre le juge Palerme, à

Pizzolungo, les seules victimes avaient été deux enfants et leur jeune mère qui, par hasard, passaient non loin de la voiture piégée. Il était resté si peu de chose d'eux après l'explosion que la légende selon laquelle les mafieux ne touchaient ni aux femmes, ni aux enfants, ni aux prêtres en avait pris un nouveau coup. Car des femmes, ils en avaient tué bien d'autres. Et des enfants. Et des prêtres : ils avaient bourré de plomb le père Giacinto, un franciscain, dans sa cellule au couvent de Santa Maria di Gesù, à quelques mètres seulement de la future tombe de son boss. Le boss, ils l'avaient assassiné huit mois plus tard, le jour de son anniversaire. Mais il faut dire que le père Giacinto avait une interprétation fort désinvolte de la règle franciscaine, qu'il portait des chemises de cachemire, buvait du Chivas et était en odeur de *mafiosité*.

En fait, selon le commissaire, les *familles* devaient tôt ou tard faire un exemple en exécutant un de ces prêtres qui ne se contentaient pas de dire la messe, d'entendre en confessions les petites vieilles et de mêler des oraisons jaculatoires à des consignes de vote. Selon Spotorno, la mafia n'aurait eu aucun scrupule à exécuter le pape en personne s'il avait interféré un peu trop dans leurs affaires.

Alors d'où venaient tous ces scrupules pour Rosario ? Pourquoi avoir voulu faire croire qu'il avait été frappé par erreur, d'une seule balle qui ne lui était pas destinée, mais qui, curieusement, avait touché un point qui ne laissait pas d'échappatoire ?

Le copinage assez étroit de Mancuso et de Rosario, leur collaboration, même si les forces en présence étaient dissymétriques, auraient justifié une fusillade générale et démocratique, sans discrimination entre les deux hommes.

Et pourtant, non.

La Dame blanche prévint la question de Spotorno :

Diego tirait comme un dieu, dit-elle. Une fois, peu après notre mariage, il m'a emmené à un stand de tir proche de la maison, Via Nave. Il ne ratait jamais sa cible. Il y allait parfois avec des amis. Il aimait tirer au pistolet de compétition. Mais ce n'étaient que des jouets, selon lui, à côté des vrais, des pistolets qui pèsent lourd dans la paume. C'est lui qui a tué Rosario. D'un seul coup. Les autres balles ont été pour Gaspare. Qui sait ? C'est peut-être Asparino qui a vendu Rosario, qui a joué le rôle de Judas, en combinant ce rendez-vous et en disant à Diego où serait, tel jour, telle heure, la Fiat 127, avec Rosario et lui à bord. Asparino ne connaissait pas Diego comme je le connaissais, moi ; sinon il ne lui aurait jamais fait confiance. Et, de fait, il y est resté lui aussi.

Et, de fait, pensa Spotorno, était-il envisageable que Diego laisse en vie un témoin qui, tôt ou tard, lui aurait demandé des comptes et qui, éventuellement, aurait pu à son tour le trahir ?

Il était assez étonné par l'apparente absence de ressentiments manifestée par la Dame blanche à l'égard de Mancuso. Elle avait dû digérer sa rancœur graduellement, en la remplaçant d'abord par la résignation, ensuite par l'attente de sa maternité imminente. Son récit complétait les informations que les enquêteurs avaient rassemblées dans les jours qui avaient suivi la découverte des deux cadavres recroquevillés dans le coffre de la 131.

Ce soir-là, avant même de se précipiter Via degli Emiri, Spotorno avait expédié des hommes pour cueillir Basilio Manfredi, le neveu de la femme de Sanfilippo. L'homme qu'il soupçonnait d'avoir opéré l'escamotage de la Kawasaki utilisée pour le guet-apens de la Zisa, le troisième homme, celui qui présentait le plus de risques après Diego et Sanfilippo.

Les flics étaient arrivés trop tard. Il s'était évanoui dans la nature, lui aussi. Tout le monde avait alors pensé au pire. Mais Manfredi avait réapparu deux jours plus tard pour se livrer spontanément à Spotorno. Il avait eu vent de la disparition de Diego et Sanfilippo avant même la police, probablement grâce à sa tante. Et il avait compris qu'il serait le prochain de la liste. Spécialement si on « interrogeait » Diego et Sanfilippo avant de les éliminer.

Il avait décidé de changer d'air, mais il savait bien qu'il ne pourrait rester caché longtemps. Tôt ou tard, il serait découvert. C'est pourquoi il s'était résolu à se livrer et à demander la protection des flics. Il était terrorisé.

Monsieur le commissaire, croyez-moi, quand mon oncle Bastiano m'a dit qu'il avait besoin d'une moto de ce genre, j'ignorais absolument l'usage qu'il voulait en faire. Il m'avait fait croire qu'il voulait la revendre en Tunisie. Vous savez, au Maroc ou en Tunisie, il y a une forte demande de grosses cylindrées d'occasion et de bagnoles de seconde main, spécialement des Mercedes et des BMW diesel. C'est pour ça qu'il était important que la disparition du véhicule ne soit pas connue trop rapidement. J'étais désolé pour Scannariato, le proprio de la Kawasaki, qui est un collègue. Mais, d'autre part, il était vraiment trop con de laisser comme ça, à l'abandon sur un parking, une bécane aussi voyante. Tout ça pour économiser quelques milliers de lires de garage. Il l'avait un peu cherché.

Manfredi était au courant de la position de Sanfilippo à l'intérieur de l'organisation. Pour lui, cette demande était une question d'honneur. Son oncle lui avait fait miroiter la perspective d'une future affiliation pour exiger le silence le plus absolu.

Ce n'est que lorsqu'il avait lu dans *Il Giornale di Sicilia* la nouvelle du guet-apens de la Via degli Emiri qu'il s'était rendu compte du véritable enjeu de son vol.

Sa première réaction avait été l'orgueil. L'orgueil d'être impliqué, fût-ce de façon marginale, dans une affaire aussi considérable. Il avait eu, comme dans un flash, une vision de l'enfer. Et ça lui avait plu. Ensuite il avait commencé à se préoccuper des conséquences. Il ne faisait aucun doute que l'assassinat avait été exécuté sur l'ordre ou sous le contrôle des grands manitous. Ou du moins avec leur consentement. Dans le respect des règles.

Puis il avait vu son oncle.

Monsieur le commissaire, il avait l'air sombre comme le diable...

Un air funèbre, soucieux. Et pour cause : c'était lui qui pilotait la Kawasaki dans l'affaire de la Zisa. Diego avait pris place derrière lui. Tous les deux portaient un casque intégral. Diego lui avait recommandé de concentrer son tir sur le passager de la 127 bleu clair, c'est-à-dire sur Mancuso ; Rosario, qui n'avait rien à voir là-dedans, devait être épargné, à tout prix. C'est théoriquement pour ça que Diego avait écarté l'idée de tirer tout en roulant, comme ça se faisait souvent, d'où l'idée du guet-apens, à l'endroit précis où la 127 était obligée de ralentir et de s'arrêter, juste avant le croisement avec la Via degli Emiri.

Il n'empêche que Diego avait tiré une balle dans la tête de Rosario, d'emblée. Et l'oncle Bastiano aurait juré que ça n'avait pas été une erreur, comme Diego l'avait prétendu ensuite.

Quant aux motifs officiels de l'élimination de Mancuso, Diego avait expliqué à Sanfilippo qu'Asparino était en train de prendre du champ. Qu'il commençait à rouler pour lui-même. Qu'il était devenu trop ambitieux. Qu'il fallait l'arrêter avant qu'il ne fasse trop de dégâts. Et que lui, Diego, avait l'intention de mettre Sanfilippo à la place de Mancuso, une fois que cette tête brûlée aurait été éliminée. En voilà un qui passait du rôle de simple prête-nom au statut d'associé. Belle promotion !

Diego avait avancé ses pions au fil des jours, se plaçait au fur et à mesure comme un pôle de référence. À la fin, Sanfilippo ne s'était même pas rendu compte qu'il avait changé de cheval. Qu'il était passé de la sphère d'influence de Mancuso à celle de Diego. Il l'avait cru parce qu'il avait bien voulu le croire. C'est vrai que Diego s'y entendait pour mettre les gens dans sa poche. C'était un charmeur de serpents. Il choisissait ses objectifs, savait y placer une personnalité d'apparence chaleureuse et directe, mais en réalité impérieuse.

Diego était, par nature, un chef, précisa la Dame blanche. Elle-même était tombée dans le panneau, au début, à l'époque où il l'avait brièvement courtisée, avant de l'épouser. Il avait fallu des années avant que la vraie personnalité de Diego ne se révèle sous le labyrinthe qu'il avait bâti autour de lui et de ses affaires. Des affaires qui débordaient l'activité de son entreprise de terrassement laquelle, néanmoins, non seulement garantissait un revenu honorable mais servait de paravent au quartier général de la *cosca*. C'est de là qu'on gérait les rackets qui assuraient un flux constant de liquidités, dont les excédents, inutilisables dans l'immédiat pour les affiliés, finissaient dans le circuit de recyclage qui avait été à peine dévoilé avant l'exécution de Diego et de Sanfilippo.

Rosario ne vous a jamais raconté la façon dont se sont vraiment passées les choses avec l'agence de son beau-frère, la Beltramini Travel ? demanda Spotorno.

Bien sûr qu'il me l'a racontée. L'histoire a commencé avant qu'il ait compris qui était vraiment Gaspare Mancuso. Il croyait que c'était un ami, un type un peu limite, mais sans plus. Il avait beau faire, Rosario, il tombait toujours sur des types comme Asparino... Bref, quand il a découvert que Beltramini était au bord de la faillite, il est allé voir Gaspare pour voir ce qu'il pouvait faire. Une aubaine pour Gaspare ! Il a donné à Beltramini tout l'argent qu'il voulait ; il était tout sucre tout miel : Tu ne peux pas me restituer l'argent à l'échéance prévue ? Pas de problème ! Retardons un peu les échéances, augmentons un peu les intérêts, et n'en parlons plus.

Et puis ?

Et puis il a vite changé de refrain. Et quand Rosario a compris, il était trop tard. L'agence était passée entre les mains de Gaspare. Enfin dans celles de Diego, qui n'était jamais apparu, mais qui se trouvait derrière lui. C'est ses propres *picciotti* qui s'étaient chargés des premiers avertissements, des coups de téléphone et de l'incendie, préliminaires au racket. À la fin, Beltramini, de patron qu'il était, avait été rétrogradé au poste d'employé. Ils ne souhaitaient pas le mettre dehors parce qu'il connaissait le métier, ce qui faisait fonctionner l'agence, qui sans cela aurait vraiment fait faillite. Or, ils avaient besoin qu'elle tourne correctement. Mais sans trop d'éclat, tout de même. On ne savait jamais.

Sanfilippo avait été la deuxième couleuvre que Beltramini avait avalée. Mancuso avait imposé sa présence, tant pour garantir un salaire à l'un de ses hommes que pour exercer sur place un contrôle permanent. Spotorno l'avait appris du neveu. Lequel avait aussi ajouté que c'était Sanfilippo lui-même qui avait mis de l'Attack dans la serrure de l'agence, après l'exécution de Rosario et Mancuso.

Le commissaire avait vu juste quand il avait interprété l'histoire de la colle comme une diversion. L'épisode de l'Attack était destiné à faire croire aux chefs de *famille* que l'agression venait de l'extérieur : quelqu'un aurait éliminé Mancuso et tenterait désormais de prendre sa place, en cherchant à évincer Diego. Qui pouvait penser que Diego lui-même ait pu vouloir s'approprier quelque chose qu'il possédait déjà !

Mais pourquoi Rosario n'a-t-il pas coupé les ponts avec Mancuso ? Pourquoi a-t-il continué à travailler avec lui, insista le commissaire ?

La Dame blanche soupira :

Il m'a dit qu'à un moment il a voulu prendre le large, s'éloigner de Gaspare. Mais il a vite compris qu'il valait mieux maintenir le contact. Pour contrôler la situation. Pour voir s'il n'y avait pas une issue quelconque. Moins pour son beau-frère que pour sa sœur et ses neveux. C'est Diego qui la lui a fournie, l'issue… À lui, à Gaspare et à Nunzia. Vous savez, commissaire, hier, après être allée aux Rotoli, je suis allée aussi porter des fleurs sur sa tombe à elle, à Sant'Orsola. Qui aurait pu imaginer qu'elle finirait un jour la tête fracassée à coups de tuyau de plomb, la pauvre ?

Eh oui, il y avait eu aussi Nunzia ! Une autre victime du souffle de l'avalanche. Une fois Rosario éliminé, elle ne pouvait pas en réchapper. Elle était l'unique témoin des amours clandestines de la Dame blanche. Pour éviter qu'on ne soupçonne un quelconque lien avec l'assassinat de Rosario, Diego avait laissé passer une quinzaine de jours avant de passer à la phase deux. Il était peu probable que Nunzia ait établi la relation entre la mort de Rosario et sa liaison avec la Dame blanche. Mais elle n'en restait pas moins une mine flottante. Et Diego ne pouvait pas se permettre de la laisser divaguer longtemps, avec le risque qu'elle explose Dieu sait où.

La nuit où Nunzia a été tuée, Diego est rentré vers deux heures et demie du matin, dit la Dame blanche. Ce n'était pas la première fois que ça arrivait, mais, en général, il ne rentrait pas après dix heures du soir : il se levait toujours très tôt. Parce Diego était tout, sauf un cossard. C'était un gros travailleur.

Les heures coïncidaient. Le médecin légiste avait situé la mort de Nunzia aux alentours de deux heures du matin. De la Via Siccheria à la Via Nave, à cette heure de la nuit, il ne fallait que quelques minutes. Et dix autres minutes au maximum pour revenir de la maison de Nunzia à l'endroit où Diego avait dû garer sa voiture pour ne pas être repéré par les voisins. Peut-être l'avait-il laissée sur la grande esplanade qui se trouvait au pied de la colline en forme de dinosaure, au milieu des voitures des habitants du quartier.

Spotorno était convaincu que, cette fois-ci, Diego avait agi tout seul : impliquer de nouveau Sanfilippo ou quelqu'un d'autre aurait été trop dangereux. Comment justifier l'élimination d'une femme d'âge moyen, d'une petite employée dans un atelier de couture appartenant – tiens donc... – à la mère de Rosario Alamia ? Pourquoi, en terminant une partie, risquer d'en relancer une autre, bien plus périlleuse !

Les conclusions de la Brigade scientifique n'étaient certes pas irréfutables, mais les relevés effectués dans la maison de la Via Siccheria, surtout à l'extérieur, prouvaient que l'effraction avait été opérée par une seule personne, étrangère à la maison.

La Dame blanche fixa Spotorno dans les yeux :

Mais, enfin, commissaire, vous avez bien compris tout de même pourquoi tout cela est arrivé ? Ou est-ce que vous pensez que Diego a voulu se venger de Rosario parce que... parce que lui-même... et moi...

Je crois savoir. Mais dites-le-moi vous-même.

Tout cela est arrivé parce que ce n'est pas mon cousin Gaspare qui voulait voler de ses propres ailes, mais Diego.

Spotorno l'avait compris. Diego Sala était décidé à tenter le grand saut. Obtenir un territoire. Il pouvait compter sur un noyau de super fidèles et surtout sur lui-même. Sur son charisme, ses capacités de gestionnaire.

Mais il avait reçu cette tuile sur la tête. Un homme de respect trompé par sa femme n'est plus un homme de respect, pour la bonne raison qu'on ne le respecte plus. Dans le milieu, les relations extra-conjugales sont tolérées, mais à condition qu'elles soient discrètes et qu'elles n'impliquent pas les femmes – épouses, sœurs ou filles – des autres hommes de respect.

Et surtout ces relations adultères étaient exclusivement réservées au mâle de l'espèce mafieuse.

Or, quand Diego l'avait affrontée pour lui demander la raison de ses absences certains après-midi, la Dame blanche lui avait dit clair et net ce qu'il en était et lui avait annoncé qu'elle entendait le quitter pour Rosario. Derrière les soupçons de son mari, elle sentait son cousin Gaspare. Mais Diego ne se serait pas contenté de soupçons. Il avait dû la suivre au moins une fois jusqu'à la maison de Nunzia.

En apparence, il n'avait pas marqué la moindre émotion. Pas même quand elle lui avait dit qu'elle était enceinte de Rosario. Simplement, son visage était devenu de marbre. Puis il avait fait demi-tour et s'en était allé. Depuis ce jour-là, il avait fait chambre à part.

Elle n'ignorait pas que, dans ce milieu, un homme qui se fait plaquer par sa femme au profit d'un amant dont, de surcroît, elle attend un enfant est un homme fini. C'est pour lui un désastre, une descente aux enfers, une dégringolade sans fin dans le ridicule. Honneur, respect, tout cela s'écroulait.

Le lendemain, il lui avait dit que c'était lui qui partirait, qu'il lui laisserait la maison. Il lui demandait seulement un peu de temps pour trouver où s'installer convenablement. Une dizaine de jours, deux semaines tout au plus.

Victime du charisme de son mari, elle l'avait cru.

Diego avait employé les jours suivants à organiser l'élimination de son rival. Mais il ne pouvait pas se limiter à Rosario car cet assassinat, non « autorisé », aurait enclenché un mécanisme de renseignement à l'intérieur du territoire, et, tôt ou tard, on aurait découvert le vrai motif du meurtre.

Il ne restait que l'action transversale. Rosario, victime fortuite d'un attentat dirigé contre un faux objectif : Gaspare Mancuso.

Les enquêtes que lanceraient les chefs de *famille* négligeraient Rosario au profit exclusif de Gaspare. Et, sur ce front, Diego n'avait rien à craindre. C'est du moins la conclusion à laquelle il était parvenu.

Mais il s'était trompé.

La Dame blanche n'avait pas saisi tout de suite la stratégie subtile que dissimulait l'attentat. Elle avait pensé, elle aussi, que Gaspare était l'objectif désigné dès le départ. Il avait fallu la mort de Nunzia pour lui ouvrir les yeux. La mort de Nunzia et cette nouvelle façon qu'avait Diego de la regarder sans la voir. Un regard qui semblait émaner d'un hiver arctique, mais *actif*.

C'est comme ça qu'elle s'était soumise à l'inéluctabilité de l'avortement. Une soumission provisoire.

Si tu savais, Mara, combien d'heures j'ai passées à prier devant la Madone de l'Attente, quand j'ai découvert que j'étais enceinte !... Chaque fois que j'apprenais que la Chapelle allait ouvrir, j'y courais. La première fois, c'est une de mes enseignantes du lycée Duca degli Abruzzi qui m'a présentée. Elle avait été mon professeur l'année de mon diplôme ; elle était jeune, nous sommes devenues amies. Après, quand j'allais à la Chapelle des Dames, on ne faisait plus attention à moi. La dernière fois, le jour avant… la clinique, j'ai même parlé avec un père jésuite qui venait de célébrer un mariage. Quand je lui ai dit ce que je comptais faire, il m'a sonné les cloches. Il m'a même menacée d'excommunication. Ça a été affreux. Mais vous savez, commissaire, après la mort de Diego, je suis retournée le voir, le père Cuttita. Mon ventre commençait à s'arrondir, et lui, tout prêtre qu'il était, c'est tout juste s'il ne m'a pas embrassée devant toutes les petites vieilles de la chapelle. Il m'a même trouvé un travail, dans un bureau d'expert-comptable. J'ai mon diplôme, ajouta-t-elle avec une pointe de fierté. Pour l'instant, je veux travailler à la maison, mais, dès que l'enfant me laissera un peu de temps, j'irai travailler à mi-temps.

Tandis qu'elle parlait, Spotorno fut frappé par l'idée que cette femme n'était pas tout à fait étrangère aux ragots qui avaient permis aux chefs de *famille* de remonter jusqu'à Diego comme responsable de la mort de Gaspare, Rosario et Nunzia. Ça n'avait pas été difficile. Quelques insinuations susurrées dans l'oreille des sœurs de Gaspare, ses cousines. Peut-être l'idée lui en était-elle venue à la clinique. Et c'était peut-être là ce qui l'avait poussée à garder le fruit de ses amours avec Rosario. Une tigresse acculée dans un angle, et tentant de défendre sa progéniture. Cette femme avait connu la peur et, après avoir longtemps vécu avec elle, elle l'avait vaincue.

À coup sûr, on ne saurait jamais comment s'étaient passées les choses. À moins que tôt ou tard un repenti n'apparaisse pour donner sa version des faits. Le commissaire aurait aussi bien pu interroger directement la Dame blanche, et elle aurait peut-être répondu. Mais c'était là une part de la vérité dont Spotorno souffrait qu'elle restât cachée.

À présent, la Dame blanche regardait dehors, par la fenêtre.

Le ciel était d'un bleu de cobalt qui invitait aux pensées légères. Aurora ne semblait plus s'abandonner à la douleur comme à une anesthésie générale. Sa douleur s'était transfigurée en une tristesse éveillée, contrôlée, intérieure. Et même sereine. Quelque chose de constructif, de vital.

Spotorno en ressentit une joie sobre.

# Note

*Sciascia disait que la littérature est la forme la plus absolue que puisse assumer la vérité.*

*Que le lecteur se rassure : l'auteur serait certes flatté que ce roman puisse être jugé comme une œuvre littéraire, mais n'a pas eu l'intention d'administrer une quelconque vérité, ni flagrante ni cachée.*

*Toutefois, au sens large, cette histoire ne renferme rien de fortuit ni d'« inventé ». Il suffit de parcourir les quotidiens pour vérifier que des événements similaires à ceux décrits ici sont légion. Aucun fait réel n'a servi pour autant de base ou de référence directe à ce livre. Il n'existe donc pas de relation immédiate entre les faits et personnages de ce roman et des personnes et des faits réels.*

*Toute coïncidence doit être considérée comme purement fortuite et involontaire.*

*S. P.*

## Table

RÉALISATION : PAO ÉDITIONS DU SEUIL
IMPRESSION : IMPRIMERIE FIRMIN-DIDOT AU MESNIL-SUR-L'ESTRÉE (EURE)
DÉPÔT LÉGAL : AVRIL 2005. N° 66195 (72923)
IMPRIMÉ EN FRANCE